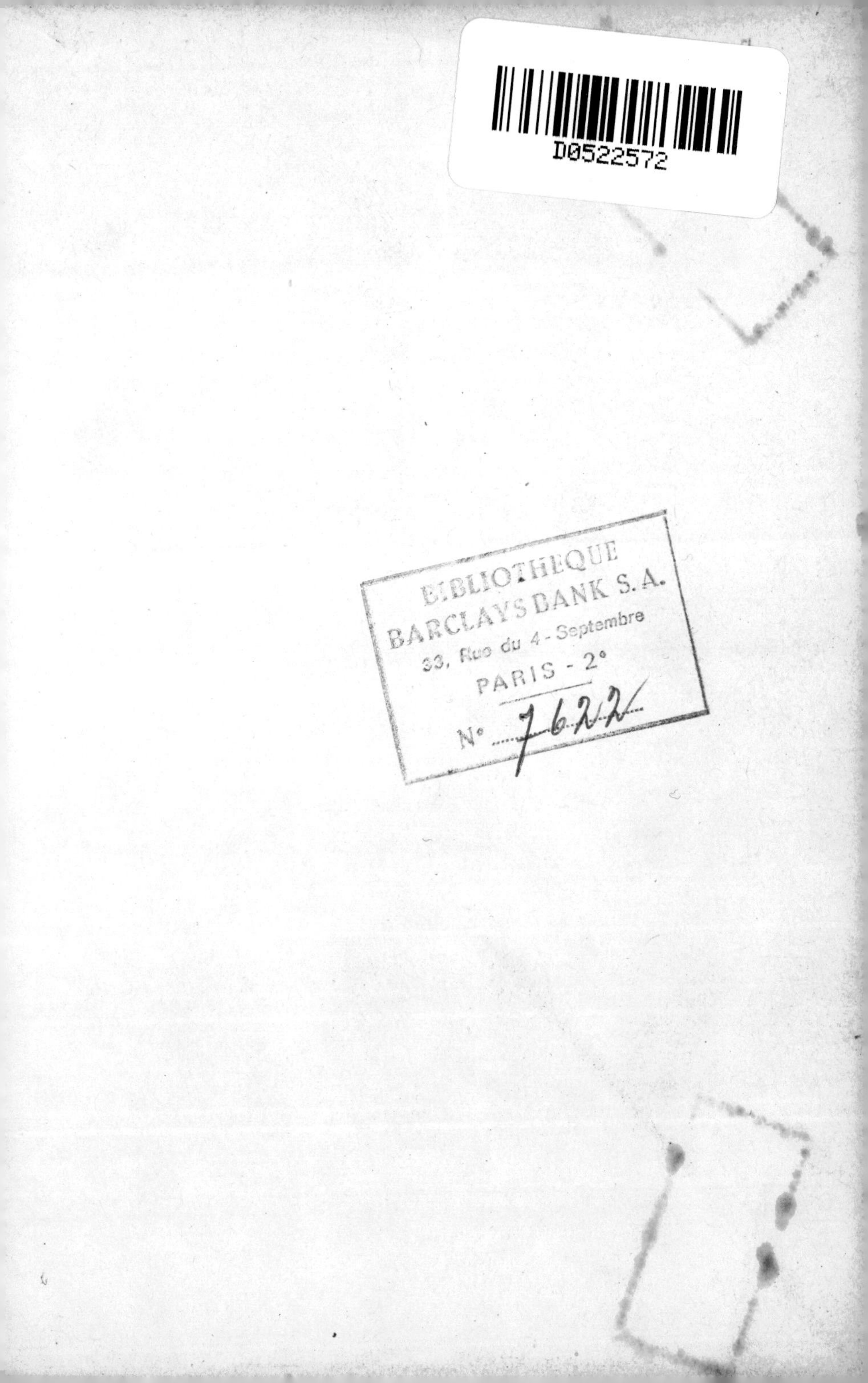

LES AUTRES JOURS

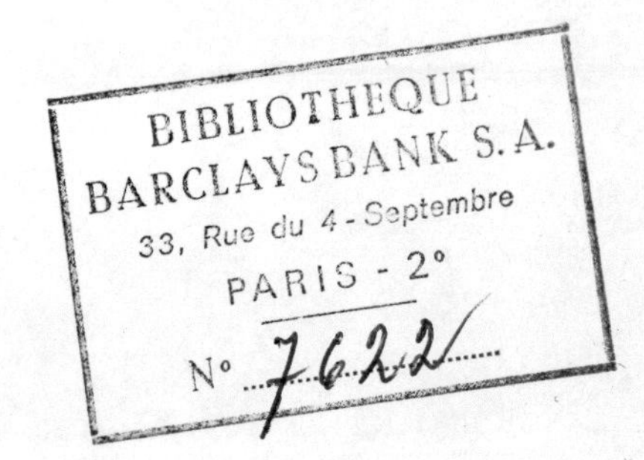

ANDRÉE MARTINERIE

Les autres jours

nrf

GALLIMARD

« Femme, où sont tes accusateurs ?
Personne ne t'a-t-il condamnée? »
Elle répondit : « Personne, Seigneur. »

Évangile sel. St Jean, 7, 8.

I

Plusieurs fois déjà, Geneviève a cru que le bruit de l'ascenseur annonçait l'arrivée de Jacques et constaté avec soulagement que l'appareil s'arrêtait à un autre étage. Comme d'habitude, les enfants n'ont pas faim. Ils se tortillent sur leur chaise, boivent la bouche pleine, laissant au bord de leur verre un enduit blanchâtre. Ils ont trouvé les pâtes trop chaudes et maintenant elles sont froides. Jacques va rentrer d'une minute à l'autre. Mais Geneviève attend, cuiller au bout des doigts, que Nicolas ait fini de boire. D'une voix douce, elle exhorte Florence qui tourne le dos à la table : « Dépêche-toi, chérie. Nous sortons ce soir. Il faut que j'aille me préparer. » Sa main commence à trembler, un courant douloureux lui traverse le corps. Enfin, d'un geste las, elle repose la cuiller dans l'assiette de Nicolas.

— Terminez seuls, dit-elle.

Tout en se dirigeant vers la salle de bains, Geneviève pense à ce qu'elle doit encore faire dans les trois quarts d'heure qui lui restent avant le départ pour le théâtre. Ces divisions du temps par les occupations lui sont aussi familières que celles de l'argent par les jours, aux fins de mois. Il n'est guère d'heure qu'elle n'ait ainsi dans la tête quelque calcul mental. Matin, après-midi, soir, elle connaît par cœur son programme. Jour après jour, elle trouve juste assez de temps et assez d'argent pour entretenir la vie de cette famille où la nourriture, le vêtement, le sommeil, la santé dépendent d'elle. Si quelque chose vient en plus, une sortie, comme ce soir, une visite, des amis à dîner, alors c'est la bousculade et, intérieurement, la panique.

Dans la salle de bains, Geneviève s'immobilise devant la glace. Mais, plus que son image, ce qu'elle demande au miroir, c'est une confirmation morose. Elle observe sans indulgence son visage de femme comme une œuvre dont elle était responsable et qu'elle a manquée. Pourtant, sous sa fatigue et le harassement des jours pareils recommencés, s'obstine une espérance que la partie n'est pas jouée, la défaite pas consommée, qu'un beau jour la jeune fille va refleurir en elle et le miroir lui renvoyer une image heureuse. Mais, ce soir encore, il faudra sortir avec ce visage inquiet et creusé qu'elle voudrait effacer d'un revers de sa main.

Ah, pense Geneviève, quel ennui de m'habiller! Rien n'est plus laid qu'une mine fatiguée au-dessus d'un décolleté. Rien n'est plus triste qu'une femme maigre en robe de fête. Je n'ai envie que de prendre un bain et d'aller me coucher.

Dans la chaleur, dans le bonheur, elle allonge ses jambes et son dos las qui n'auront plus, quelques minutes, la peine de la soutenir, appuie la nuque au rebord de faïence, ferme les yeux et s'endort.

Bulles prometteuses et furtives, affleurant à la surface des eaux profondes du passé, des mots inouïs traversent sa somnolence et elle sourit, accordée à eux et au monde secret dont ils sont la clef.

Mais une course de petits pieds, des cris aigus, « papichet, papichet! », à peine assourdis par le rideau qui ferme la salle de bains, arrachent Geneviève à son ravissement, juste à la seconde où, sinueuse à travers la mer comme une algue, adorable autant qu'un bonheur d'enfance — quel bonheur, dans quelle enfance? — une phrase allait lui livrer le secret de tout.

Frustrée, elle voudrait rattraper l'instant qui s'est échappé. « Gainée de chair lisse, Muse, je m'amuse, gainée de chair, lisse, Muse... » Ils levaient un barrage à nouveau baissé, ils étaient porteurs de message, ces mots...

Jacques est rentré. Ce bruit de clef dans la serrure,

ce déclic après lequel la porte s'ouvre pour livrer passage au père et se referme sur la famille reconstituée, c'est pour les enfants une fête quotidienne. Mais, pour Geneviève, ce soir, c'est une intrusion. Coupée d'une patrie, elle s'obstine. A travers les baisers claquants, les bruits familiers, choc de la serviette jetée sur un fauteuil, respiration haletante du nouvel arrivé qui vide ses poumons de l'air froid du dehors, sous le pas qui s'approche, elle persévère dans sa recherche du paradis aperçu.

Mais Jacques déjà soulève le rideau. Il avance sa tête anguleuse, front large sous les cheveux fragiles taillés en brosse, pommettes saillantes, menton pointu, traits mobiles, œil bleu précis. A la vue de sa femme dans son bain, il se renfrogne. Il ne dit rien. Il se contente de proférer : « Ah! » en levant un sourcil et se retire. Ce « ah » est tombé comme une pierre dans l'eau. Il achève l'œuvre commencée par les cris des enfants, plombe les tempes de Geneviève, la restitue à ses limites. Sous son front serré, tandis qu'elle se sèche à la hâte, l'emploi du temps, du peu de temps qui lui reste avant l'heure de partir pour le théâtre, une fois de plus, se presse : donner leur dessert aux enfants, leur brosser les dents, les coucher, faire dîner Jacques, m'habiller, sortir. Et l'inquiétude familière : pourvu que la « dame du monde » arrive bien à l'heure...

Je mettrai ma robe au dernier moment, pense Geneviève. Mieux vaut ne pas l'exposer aux doigts sales des enfants et à leurs gestes fous.

— Jacques, dit-elle, tout en se dirigeant vers la salle de séjour où Florence et Nicolas, la serviette autour du cou, se bousculent non loin de leur père plongé dans la lecture du *Monde*, Jacques, si tu te préparais pendant que je termine avec les enfants...

Jacques ne lève pas les yeux. Il semble n'avoir pas entendu. Il murmure :

— Audin a été nommé docteur ès sciences. Voilà qui est bien, voilà qui est bien...

— Qui a été nommé docteur ès sciences?

— Audin.

Geneviève ouvre la bouche pour demander : c'est quelqu'un que nous connaissons? Mais l'air de Jacques la retient : cet Audin doit toucher au domaine des idées dont il est infamant de ne pas être averti. D'ailleurs, le temps presse.

Hélas! les enfants n'ont pas mangé leurs pâtes. Leurs assiettes sont presque aussi pleines que lorsque leur mère les a quittés. En revanche, des morceaux de spaghetti jonchent la table et le parquet.

Ah, tant pis, laissons cela pour demain, avec le blue-jean crotté de Florence et toute la saleté accumulée dans la journée. C'est toujours la même histoire, ces enfants ne mangent rien. Geneviève a envie de se plaindre, de protester contre le sort qui l'oblige, quatre fois par jour, depuis huit années, à donner la becquée à des enfants bien constitués. Elle a envie de prendre Jacques à témoin de cette persécution qu'ils exercent contre elle. Qu'il s'arrache à ses nobles lectures, à son généreux intérêt aux grandes causes, la guerre d'Algérie, les Noirs, les Juifs, la misère des peuples. Qu'il regarde, qu'il daigne regarder ces pâtes qui devaient aller dans la bouche des enfants et qu'ils ont méchamment dispersées; qu'il ne la laisse pas seule, frêle barrage à la marée montante des déchets, unique obstacle à la poussée de la destruction. Qu'il sorte de ce calme splendide par lequel il affirme sa bonne conscience et déclare : Je suis un homme patient. Je suis un homme peu exigeant. Je rentre à huit heures après ma journée de travail pour trouver ma femme dans son bain, les enfants à table, notre couvert non mis. Dans vingt-cinq minutes, il faut que nous soyons en route pour le théâtre. Franck est très aimable de nous inviter aux premières du Français. C'est une faveur qu'il me fait. Bertaut qui a vingt ans de plus que moi et dont l'œuvre est plus importante ne reçoit pas d'invitations. Mais nous serons en retard, comme d'habitude. Bien que nous soyons partout les plus jeunes, nous arrivons toujours les derniers. Geneviève se débrouille mal. Mais je ne dirai rien. Je suis un homme patient.

— Jacques, répète Geneviève d'une voix qui frémit un peu, Jacques, si tu t'habillais...

— Bien, répond l'homme patient. Mon smoking est-il sorti?

Jacques a la pudeur des mots. Il dit : « Mon smoking est-il sorti? » ou « Mes chemises sont-elles de retour? » ou « Mes chaussures sont-elles revenues de chez le cordonnier? »

Quand elle a découvert ce tic verbal, Geneviève a bien ri. Mais, peu à peu, a commencé de monter en elle une révolte de prolétaire devant cette manière d'esquiver l'allusion aux occupations triviales, cette façon impersonnelle de supprimer les allées et venues, les stations dans les magasins, le poids des paquets au bout des bras, les gestes qui tissent ses journées, tous les détails matériels que Jacques a rejetés de sa vie dans la sienne. N'est-ce pas une espèce d'hypocrisie, un refus de la voir, elle, dans sa réalité? Elle aimerait mieux, parfois, que Jacques lui parle de supérieur à inférieur, d'alfa plus à alfa moins, et demande : « Tu as préparé mon smoking? »

— Non, dit-elle, je n'ai pas préparé ton smoking... Tu ne peux pas le prendre, pour une fois?

Jacques lève un visage austère :

— Où est-il?

— Dans la housse en nylon.

— Et la housse?

L'appartement ne comporte qu'une penderie. Mais on dirait que, pour Jacques, les trois pièces sans couloir sont un labyrinthe où il est désespéré qu'on l'oblige à une partie de cache-tampon.

Voilà qu'une étreinte serre la gorge de Geneviève et qu'une énorme lassitude l'accable. Ah, s'abattre sur le divan et dormir! Qu'ils se débrouillent, que ces trois infirmes de débrouillent, qu'ils mangent, qu'ils s'habillent, qu'ils vivent sans moi! Dire non, pour une fois, céder à la fatigue, leur montrer que je suis usée jusqu'à la corde et que c'est un fantôme de femme que Jacques veut emmener au théâtre ce soir.

Mais une bonne mère ne fait pas de scènes. Et la « dame du monde » va sonner à la porte d'une minute à l'autre. Il serait plus simple de dire : Jacques, je suis fatiguée, ne sortons pas ce soir. Mais, pour être proférée avec calme, une telle phrase exige la confiance en soi, une importance reconnue de la personne... et Jacques réclamera des explications, il répondra : prends ta température. Il flairera le caprice, il se scandalisera. Et toute l'affaire sera plus fatigante que d'aller au théâtre. Non, c'est la scène qui soulagerait, le laisser-aller, l'explosion hors du carcan de la dignité humaine.

— La housse est dans la penderie, répond Geneviève.

— Ah, bien.

Le front soucieux, avec cette allure saccadée qu'il a gardée de l'adolescence, Jacques s'est dirigé vers la penderie contiguë à la chambre d'enfants, elle même contiguë à la salle de séjour et à la chambre des parents. Geneviève l'entend qui froisse l'enveloppe de nylon et fait crisser la fermeture-éclair. Puis il émet quelques grognements. Un moment s'écoule. Enfin, la voix de Jacques, sa voix de professeur, s'élève, forte, comme s'il appelait du fond d'un amphithéâtre.

— Geneviève, viens voir, j'ai accroché quelque chose. Ça ne marche plus!

Hélas! le manteau d'opossum qui voisine avec le smoking de Jacques, à l'abri des mites, est agrippé dans la fermeture-éclair. Jacques ne s'est pas acharné longtemps, mais il l'a fait avec assez de violence pour arracher une touffe de poils qui empêche le fonctionnement du mécanisme. Du calme, du calme... Par poussées légères et tiraillements alternés, Geneviève dégage la fermeture-éclair, constate le dégât (heureusement, les poils son longs, la place chauve ne se verra guère), extrait de la housse le smoking de Jacques et revient aux enfants. Ils sont silencieux devant leurs assiettes enfin vides. Ils observent leur mère à la dérobée. Ils sont inquiets. Sans mot dire, Geneviève détache leurs serviettes et ils ne se font pas prier pour regagner leur chambre.

Dans la cuisine, la poudre-miracle des maîtresses de maison pressées s'est convertie, en cinq minutes, en un bouillon de poule.

— C'est prêt, Jacques.

Au moment où Geneviève arrive, la casserole fumante à la main, un coup de sonnette retentit.

Nicolas, chez qui la curiosité l'emporte sur la répulsion, se rue dans l'entrée tandis que Geneviève repousse derrière elle la porte du living-room, espérant dissimuler la casserole à la vue de la « dame du monde ».

On entend : « Bonjour, mon petit garçon. »

C'est une voix maniérée de vieille personne non avertie des méthodes modernes d'éducation. Elle n'obtient pas de réponse. Mais, l'instant d'après, la porte se rouvre, toute grande. Nicolas baisse le nez et ses gros yeux riboulent.

— C'est la dame, annonce-t-il.

Geneviève sourit. Elle voudrait jouer son rôle de jeune mère bien organisée, désinvolte en face des difficultés de l'époque. Mais, devant sa table déshonorante, la mine boudeuse de Nicolas, la redoutable absence de Florence et cette dame qui bat des paupières sous la voilette, elle a plutôt l'air, avec ses cheveux sur les épaules, d'une vieille enfant vaincue.

Nicolas est allé dans sa chambre avertir sa sœur de l'arrivée de leur ange gardien et recevoir d'elle ses consignes. Il a laissé la porte entrouverte, découvrant, dans la minuscule pièce, un autre désordre. On entend un conciliabule à voix basse.

— Il y a plusieurs enfants? s'enquiert la dame.

— Oui, deux. Celui-ci et une petite fille de huit ans. Florence, Florence!

Florence arrive, le cheveu hérissé, la mine grise. Elle s'arrête au seuil de sa chambre, toise la dame et ne dit rien.

— Bonjour, ma petite fille. Comment vous appelez-vous?

Silence.

— Eh bien, dis comment tu t'appelles. Elle s'appelle Florence, Madame.

— Ça fait trois fois qu'on le dit, marmonne la fillette.

Le sourire, sur les lèvres de Geneviève, se fige. Tout va être bien compliqué. Les enfants ont horreur de ces inconnues qui viennent les garder et qui leur disent « vous ». La dame est contrariée que les enfants ne soient pas encore couchés. Elle gémit :

— Ah, la vie des jeunes mamans est bien dure de nos jours. Moi, Madame, quand mes enfants étaient petits, j'avais une nurse...

Les dames-baby-sitters tiennent à faire savoir qu'elles ont vécu des jours meilleurs et elles sont volontiers condescendantes à l'égard des jeunes femmes qui les emploient.

Geneviève prend une mine apitoyée et s'interdit de poser des questions. La dame continue à battre des paupières, les yeux au ciel. Elle n'a pas encore ôté son manteau. Elle a tout son temps, elle.

— Ah, si on pouvait balayer tous ces politiciens de malheur! glapit-elle soudain.

Geneviève la regarde avec inquiétude. Elle n'est pas folle, non?

Mais Jacques arrive, revêtu de son smoking. Il salue sobrement la dame, juste le genre de personne qu'il déteste, et, sans s'arrêter à elle, entre dans le living-room.

— Nous avons dix minutes pour dîner, déclare-t-il, puis avec un reniflement, il ramène ses oreilles contre son crâne, ce qui est un présage sinistre.

Geneviève aide la baby-sitter à se débarrasser de son parapluie, de son manteau et de son chapeau. Elle la précède dans la chambre des enfants.

— Venez, Madame, je vais vous montrer comment on dresse les lits.

Mais elle a plus vite fait d'exécuter l'opération elle-même que d'expliquer le fonctionnement des lits gigognes. « C'est à la portée d'un enfant de huit ans », avait affirmé le vendeur. N'empêche que cette opération chaque soir répétée...

— Ah, mon Dieu, s'écrie la dame. Ce qu'on invente de nos jours! — Elle promène autour d'elle un regard méprisant. — Il faut bien, avec ces petits appartements...

— Geneviève! clame Jacques. Tu viens?

— Oui, mais je ne prends pas de potage. Commence sans moi.

La dame, pendant ce temps, essaie d'amadouer les

enfants. Nicolas se laisserait séduire s'il ne lisait sur le visage de sa sœur une si totale réprobation. Il ouvre la bouche pour répondre à une question concernant son ours en peluche mais les mots ne passent pas ses lèvres car il a jeté un œil de biais à Florence, blême, qui serre sa poupée contre son cœur, le regard tourné vers le dedans, vers les sombres pensées qui habitent son front.

La voix de Jacques s'élève de nouveau :

— Geneviève, tu viens?

— Brosse-toi les dents, chérie, va vite.

Mais quand Geneviève revient dans la salle de bains pour se coiffer, Florence, devant le lavabo, les sourcils froncés, l'air absorbé, tourne dans le verre plein d'une eau rosée sa brosse à dents comme une cuiller. Elle ne se lavera pas les dents ce soir. Eh bien, tant pis, qu'elle fasse comme elle veut. Qu'ils fassent tous comme ils veulent.

— Nicolas, appelle Geneviève, Nicolas, viens me dire au revoir.

Elle hésite à prendre son manteau d'opossum. Il tombe une bruine glacée, a déclaré la dame du monde. Mais l'opossum, le soir, pour une première, parmi les astrakans et les visons... Elle se décide pour son manteau de velours.

— Je suis prête, Jacques.

Toutefois, elle ne peut se retenir de débarrasser la table en donnant à la dame ses dernières consignes :

— Vous pouvez écouter la radio dans le salon, Madame. Si on téléphone, ayez l'amabilité de prendre le nom. Et surtout, je vous en prie, couchez vite les enfants... Ah, essayez d'obtenir que Florence se brosse les dents...

— Oui, oui, partez tranquille, acquiesce la vieille dame avec des hochements de tête et un regard attendri.

Un baiser aux enfants. Le front de Florence est marmoréen. « Ma jeune conscience au visage blanc... » Nicolas se laisse embrasser dans le cou, fin attaché, si tendre sous ses grosses joues. Il a des larmes dans les yeux et les lèvres de Florence frémissent.

Jacques pose sur chaque joue un baiser sonore, salue la dame, et, grand, noir, presse le bouton de l'ascenseur, tandis que Geneviève, quêtant une dernière fois la communion viatique des cœurs réconciliés se retourne avant de disparaître pour crier aux trois êtres rassemblés dans l'entrée :

— Au revoir, Madame, au revoir, les chéris.

Puis, dans le silence crispé, elle s'en va, tandis que Jacques dévale à pied les marches.

Elle a déjà descendu deux étages lorsque, d'en haut, une petite voix chaleureuse lui crie :

— Au revoir, Michette. Au revoir, Maminette. Amuse-toi bien.

C'est Nicolas, Nicolas rédempteur.

Une tendresse inonde Geneviève, un élan la ressuscite, cependant que s'impose une image horrible : la tête de Nicolas, là-haut, ses petites mains entre les barreaux.

— Au revoir, amour. Au revoir... Rentre vite!

La concierge est à la porte de sa loge, son dernier-né dans les bras, ses deux fillettes accrochées à sa jupe. Elle sourit au couple mondain qui s'en va. La loge est propre, les enfants sont bien tenus. Par la porte ouverte s'exhale une odeur de soupe.

— Bonne soirée, Monsieur-Dame.

— Ça va, le bébé? lance Geneviève.

— Ça va, ça va. Il a pris son biberon, et nous, on va se mettre à table...

Ils vont se mettre à table, avec leurs gosses. Ils vont bavarder en famille. Et ils seront tous couchés à neuf heures et demie.

II

Chaque matin revient la joie d'entrer dans la chambre des enfants et de les trouver endormis côte à côte, Florence immatérielle, la respiration légère, les mains à plat sur le drap, enfin délivrée de l'incessante activité de ses journées, et Nicolas lourd, le nez enfoui dans l'oreiller, les cheveux épars, le corps mal enroulé dans les couvertures en désordre, les poings fermés, comme vaincu après un dur combat qu'il recommence chaque nuit, lui si rêveur et doux le jour, la bouche tordue, plus haute que large, offerte, que Geneviève se retient de baiser... pourquoi, mon Dieu?

Chaque matin la mère s'émerveille à la vue de ses beaux enfants et la même prière monte en elle : que la maladie, que les blessures, que la mort épargnent cette chair-là. Mais aujourd'hui, Geneviève reste plus longtemps qu'à l'habitude auprès de Nicolas et de Florence endormis : chair condamnée, c'est ainsi qu'elle les voit. Chair préservée quelques années encore, peut-être, avec beaucoup de chance. Avec beaucoup de chance, chair condamnée à la moindre peine : la dégradation de l'âge adulte et le vieillissement. En tout cas, condamnée.

Tandis qu'avec une infinie pitié, Geneviève regarde ses enfants endormis, le rêve de sa nuit lui revient à l'esprit : elle courait dans un labyrinthe de couloirs ponctués de portes toutes semblables, cherchant la sienne, la porte de sa chambre d'étudiante en cet immense foyer de jeunes filles. Mais elle en avait oublié le numéro et, seule entre les murs blancs, elle s'affolait, perdue, talonnée par son âge : elle avait près de vingt-quatre ans et il fallait qu'elle trouve cette chambre avant son anniversaire, sinon elle serait envoyée dans un autre établissement, près de la gare Saint-Lazare, qui était pour prostituées. Elle s'était éveillée sans aucun autre souvenir que celui de l'immeuble blanc, privée de son identité. La première chose qu'elle avait retrouvée, brutalement, comme on reçoit une pierre, c'était son âge : trente-trois ans. Et, à l'angoisse du rêve, avait succédé un lourd désespoir. Avoir éprouvé la terreur de son vingt-quatrième anniversaire et se trouver vieille de trente-trois ans! Elle avait entendu la respiration de Jacques dans le lit voisin. Qui partageait sa nuit, à côté d'elle? Qui? Au prix d'un douloureux effort, elle avait tout reconstitué : c'était son mari qui dormait dans leur chambre et, derrière la cloison, dormaient aussi leurs deux enfants. Elle n'était plus toute jeune, c'était vrai, mais sa vie était faite, et bien faite. Un élan de gratitude était alors monté en elle pour Jacques qui était estimable et intelligent, pour Jacques qui lui avait donné deux beaux enfants et un foyer qui la sauvait à jamais des maisons de femmes et de l'horreur du vieillissement stérile.

Mais, tandis qu'elle contemple son bonheur, pourquoi l'angoisse du rêve l'étreint-elle à présent comme si ce rêve était plus vrai que la réalité, pourquoi sent-elle vaciller son courage sous le déferlement d'une peur de vivre multipliée par les deux vies qu'elle a créées?

La bouche ouverte, une main pressée contre sa poitrine, la chevelure encore dénouée pour la nuit, en sa longue robe de chambre, elle ressemble à une héroïne romantique sur qui va se lever la tempête, à une Ophélie prête à se noyer. Alors elle se penche, elle se raccroche à la chair la plus faible, elle cherche sous les cheveux de Nicolas, entre les joues fermes et la poitrine grasse, la bonne place où coller ses lèvres. Tiédeur, douceur de Nicolas endormi, qui refuse le réveil et tâche d'entraîner sa mère dans son monde nocturne; il lève un bras, l'abat sur l'épaule de Geneviève, la plaque contre lui; sa joue s'écarte un peu, juste assez pour livrer passage à la bouche maternelle, et il retombe dans l'immobilité.

Silence. Chaleur commune. Contentement unique de la chair. Battements des cœurs accordés. Oh, Nicolas, Nicolas, je t'élève mal. Je te caresse trop. Nicolas, je sais que tu ne m'es que prêté, il faudra que je t'expulse enfin de moi, que je prépare ta vie d'homme. Mais tu n'as que cinq ans, pas encore ce matin, mon Nicolas...

Dès le jour de sa naissance, quand elle avait regardé pour la première fois la tête aveugle de son fils tournée vers elle, comme l'infirmière l'avait posée, chair informe où fleurissait la bouche parfaite, Geneviève avait éprouvé un sentiment de victoire, une jeunesse, un bonheur animal stupéfiants.

« Bah, c'est le corps jaune, ça passera! » avait dit le médecin en haussant les épaules. Et tout avait en effet passé, la jeunesse, l'impression de sécurité, le bonheur, mais tout ressuscitait chaque matin comme si, chaque matin, Nicolas naissait à nouveau.

Sur l'épaule de son fils, à l'oreille de son fils, Geneviève gazouille le frais ruisseau des mots absurdes, trésor, amour, mon cœur, ma joie... Et une paix bienheureuse lui lisse les joues et la rend à l'enfance tandis qu'avec un sourire elle achève : je suis ta petite fille. Et lui resserre son étreinte, la cale contre sa poitrine : moi, je suis ta maman, répond-il entre ses dents, et retombe avec elle, de leur double poids, dans le sommeil.

Sur la pointe des pieds, Jacques est entré. C'est à peine si le parquet a craqué. Mais la pénombre s'est chargée d'une chaleur nouvelle et le silence est plus tendu. Sans quitter Nicolas, Geneviève ouvre un œil et regarde Jacques : le mince tissu froissé du pyjama enveloppe mollement son corps, révèle la fragilité de ses épaules tombantes, s'ouvre sur sa poitrine désarmée. Geneviève sait qu'il a les joues grises de barbe, la paupière fanée et le bleu de l'œil lavé par le sommeil. Un instant, il est sans défense, sans passé, sans avenir, un être humain tiré de sa nuit, un père dont la première démarche est de vérifier que tout est en ordre au nid familial. Plus tendre que l'amour, cette présence asexuée de l'homme, chair endormie, fraternelle, réceptrice comme un giron de femme, acceptante comme celle d'un enfant. Quels devoirs matinaux empêchent donc Geneviève de s'abîmer dans cette autre chair plutôt que dans celle de son fils, de s'y perdre jusqu'à l'anéantissement, jusqu'à l'écœurement, jusqu'à souhaiter penser, agir, retrouver une discipline? Il suffirait de dénouer les bras de Nicolas, de chuchoter à l'oreille des enfants : « Pas d'école ce matin, dormez, les chéris », et d'avancer vers ce corps à nouveau mystérieux sous l'étoffe pour continuer la nuit chaude derrière les volets fermés.

Il suffirait d'une cloison plus épaisse, d'une chambre au bout d'un couloir, il suffirait d'un geste impossible à faire.

Mais Nicolas aussi a deviné la présence de son père, car son étreinte s'est resserrée. Florence, elle, a bougé une main sur le drap. Ils sont maintenant tous quatre, l'oreille au guet, retenant leur souffle, attendant que l'un d'eux rompe le silence. Ce ne sera sûrement pas Nicolas, ni Geneviève.

— Bonjour, papa, dit Florence, d'une voix claire. Tu veux nous ouvrir les volets?

Jacques se penche sur sa fille. Il aime sa netteté, son aisance à sauter dans le vif de la journée comme au cœur d'un sujet. Florence pointe son index vers le nez de son père :

Nez cancan, bouche d'argent,
Menton de buis, joue rougie, joue bouffie...
Guiliguili! Guiliguili!

En un instant, Jacques à son tour s'est nettoyé de sa nuit. Ils en font un tintamarre.

Le « guiliguili » est un mot de complicité entre eux, une amélioration au jeu dont ils sont enchantés : « Guiliguili! guiliguili! » répètent-ils en se chatouillant.

Mais Florence ne supporte pas longtemps l'obscurité quand elle est réveillée. De nouveau elle demande :

— Tu veux nous ouvrir les volets, papa?

Clac, clac, clac, les volets sont ouverts. « Il pleut, il

pleut, bergère... », chantonne Jacques en refermant la fenêtre. Un jour gris envahit la chambre.

— C'est vrai, qu'il pleut? interroge Florence. Dommage, la maîtresse devait nous emmener au Bois de Boulogne ramasser des feuilles mortes.

— Eh bien, ce ne sera pas pour ce matin, ma fille.

— C'était bien, le théâtre, hier? Raconte...

De cette parole, dont ils sont les rois, Jacques et Florence ne se servent jamais pour la tendresse. Précis, naturellement propres, pudiques de leurs sentiments plus que de leurs corps — l'un et l'autre se promènent volontiers nus — créatures d'intelligence et de devoir, ils sont attelés dans une alliance qui, pour trouver son expression, n'a besoin ni de mots ni de gestes.

Sous ce débordement de paroles et de clarté, Nicolas paresseux et naturel comme un animal — mais il mourrait plutôt que de montrer ses fesses à d'autres qu'à sa mère — Nicolas bégayant des paroles lourdes d'un poids de chair, « encore un peu l'amour », marmonne-t-il, Nicolas lutte pour garder Geneviève sur son radeau nocturne. Et elle s'y prête parce qu'elle ne se repose que là, ne trouve que dans ce plus menacé des abris le sentiment d'être invulnérable.

Jacques ne juge pas ces effusions de mère à fils excellentes et elles agacent Florence.

Alors ils se liguent, ils donnent de grandes claques sur les reins de Geneviève, ils chatouillent Nicolas pour les dénouer, ces deux-là, et ils triomphent. Agrippés l'un à l'autre, secoués d'un rire convulsif, Nicolas et sa mère s'étreignent une dernière fois, puis Geneviève se redresse : « Allons, debout, mon Nicolas. »

Une autre journée commence, une journée grise d'automne où les rôles sont d'avance distribués.

Les enfants fréquentent une école dite « nouvelle » qui, comme beaucoup d'écoles coûteuses, exige une importante collaboration des parents, selon la méthode qu'elle enseigne à ceux-ci dans des réunions mensuelles et par de nombreuses publications. Cette méthode pourrait être résumée en une phrase : « Dans le cadre d'une morale traditionnelle, les enfants ont tous les droits et les parents tous les devoirs. » Et ses effets tiennent également en deux lignes : « Les enfants et la direction de l'école ont bonne conscience. Les parents ont mauvaise conscience. »

Les Brincas restent sceptiques à l'égard de l'école « nouvelle », mais Geneviève ne peut se résigner à priver Florence et Nicolas de leur promenade quotidienne... Or, c'est le seul établissement du quartier où, jusqu'à la sixième, les cours n'ont lieu que le matin.

La femme de ménage arrive à huit heures et c'est elle qui accompagne les enfants. En revenant, elle achète le pain, le lait, quelques provisions.

Tandis que Jacques est à la Sorbonne, la femme de ménage « en courses » et que les enfants sont soustraits à la responsabilité de leur mère, une heure s'écoule, l'heure solitaire de Geneviève, une heure de ménage qui est pour elle une heure d'élection. Elle éprouve une satisfaction à remettre le petit appartement en ordre, comme un bateau, à le débarrasser des scories de la veille, à faire place nette au jour nouveau. Dans sa vie morcelée, ce moment est comme une pause : les objets, les gestes traditionnels n'interrompent pas le cours de son rêve ou de sa réflexion. Ce n'est jamais sans désagrément que Geneviève entend Marthe pousser la porte de la cuisine, respirer fort à son intention et commenter d'une voix puissante les aventures de la matinée, car l'aventure assaille la femme de ménage chaque jour dès son réveil. « Un quart d'heure que je suis restée dans le monte-charge, Madame, entre le deuxième et le troisième... A fallu que le concierge aille chercher son escabeau. Il voulait que je saute... Mais, comme je lui ai dit, je n'ai plus vingt ans... Ah, je ne le prendrai plus cet instrument-là, j'aime mieux monter les six étages. Oui, Madame, j'aime mieux monter les six étages... »

Ces discours signifient : quelle mauvaise maison que la vôtre, Madame! C'est une maison où il n'est pas agréable de venir travailler.

— Prenez donc l'ascenseur, Marthe. Il ne marche pas

très bien non plus. Mais au moins on vous entendra crier si vous restez en panne.

— Ah, mais c'est que le concierge ne veut pas! Il est méchant, cet homme. Et chez le crémier, Madame, il y avait une queue! Eh bien, s'il faut faire queue à partir de neuf heures du matin, maintenant...

Si seulement la queue durait jusqu'à midi, pense Geneviève, et que je ne vous revoie que demain, à l'heure du départ des enfants pour l'école... Elle se réfugie dans la salle de séjour où elle n'a pas encore passé l'aspirateur. Ce n'est pas assez loin, hélas! pour ne pas entendre résonner la vaisselle et cliqueter l'argenterie. La femme de ménage n'a pas à se plaindre de Madame qui ne lui fait jamais d'observations, mais elle la trouve peu causante et fière pour une personne qui n'est pas riche. Si elle dénichait une bonne place où elle serait nourrie à midi... Ces jeunesses, ça veut jouer à la dame, mais ça ne peut même pas se payer quatre heures de femme de ménage par jour. On s'achète un manteau de fourrure, mais, le matin, on est obligé de secouer le chiffon par la fenêtre...

Pourtant, les gestes du matin, Geneviève les aime. Elle a le sentiment qu'ils la relient à toutes les femmes de tous les temps et de tous les pays et que, se livrant aux tâches domestiques, elle remplit une vocation profonde. C'est le moment où elle réfléchit sur sa condition, où elle s'interroge sur le sens de la vie. Parfois elle abandonne son chiffon ou son aspirateur pour noter quelques lignes dans un petit carnet. Ses meilleures trouvailles, ses meilleures formules lui sont venues pendant qu'elle époussetait ses meubles. Ses meilleures résolutions aussi, et ses moments de lucidité. L'heure de ménage est une heure bénie.

Mais, depuis quelque temps, Geneviève devient plus sensible aux taches de graisse que les enfants laissent sur le parquet, à l'usure des fauteuils, aux marques des doigts sur les murs, à la détérioration de la salle de séjour, ainsi qu'on désigne aujourd'hui la pièce où, en effet, toute la famille vit. Sa lutte quotidienne lui semble vaine. Les enfants, la saleté, la décrépitude l'emporteront sur elle. Et la lumière même, ruisselant à travers les baies de ce sixième étage, lui paraît cruelle, qui met à nu la médiocrité du cadre de son existence. Tout en agitant son chiffon par-dessus les géraniums de la loggia, Geneviève regarde en bas la place de la Porte de Saint-Cloud, mouillée sous le soleil qui perce un instant les nuages, laide aussi. Elle rentre dans la pièce, va chercher l'aspirateur dans la penderie, fait tomber, comme souvent, un costume de Jacques en prenant les accessoires, le ramasse d'un geste las, gilet, pantalon, veste, remet le tout sur un cintre, branche l'aspirateur à la prise de courant.

Tout en promenant l'appareil sur le tapis, elle revit la soirée de la veille, au Théâtre-Français. Mercure était déjà sur son nuage au moment où ils étaient entrés, refermant avec précaution derrière eux la porte de leur loge, une bonne loge de face, deuxièmes galeries. Sur la pointe des pieds, tandis que ses voisins tournaient vers elle un bref regard réprobateur. Geneviève avait gagné la chaise du premier rang restée libre et elle s'était assise juste au moment où le dieu-messager disait :

« Je me suis doucement assis sur ce nuage pour vous attendre venir. »

Le charme avait aussitôt agi. Depuis le jour où elle avait étudié *Amphitryon*, au lycée, Geneviève avait été captivée par cet « attendre venir », comme s'il recelait la promesse de quelque plaisir péremptoire. Mais, à mesure que la pièce se déroulait, le plaisir escompté s'était éloigné. Jupiter-coq se rengorgeait, Amphitryon-vainqueur tonitruait, Sosie-Robert Hirsch lançait, pointe en dedans, à fleur de terre, des coups de pied dans le vide, le quiproquo s'éternisait et quand, enfin, le dieu, s'apprêtant à regagner le ciel, avait donné toutes explications au général qui, la main sur le cœur, s'efforçait de faire bonne contenance, elle avait éprouvé en même temps que le soulagement d'être arrivée au bout du spectacle, la détresse de n'en avoir pas joui.

Et il en va presque toujours ainsi. Chaque sortie, chaque réception où l'entraîne Jacques, elle en accueille l'idée avec plaisir ; puis, à mesure qu'approche l'heure, la fatigue la submerge, une déception anticipée lui ôte tout entrain. Elle part à contrecœur et, une fois arrivée, n'attend plus que le moment de dire au revoir. C'est comme si un voile était tombé entre elle et le monde extérieur, un voile que déchirent encore, de plus en plus rarement, un visage, un mot, un regard, un voile que, chaque matin, arrache Nicolas. Absorbée par une réflexion personnelle et diffuse sur le sens de la vie et son propre destin, Geneviève est devenue étrangère au jeu social, aux « conversations intelligentes », aux plaisirs de l'esprit, et comme absente de la marche même du monde.

Les premiers symptômes de ce « décrochement » ont apparu peu après la naissance de Nicolas, en ce moment triomphant où elle donnait la vie au plus aimé des petits garçons et où Jacques soutenait cette thèse brillante qui lui valait d'être le plus jeune chargé de cours à la Sorbonne. En plein bonheur familial. Tout effort de l'intelligence, toute formulation lui étaient soudain devenus une fatigue. Elle avait oublié ce qu'elle avait appris en quinze années d'études, elle ne savait plus d'histoire, plus de grec, plus de latin, elle trébuchait sur les noms propres.

Elle avait acquis un débit embarrassé, de la lenteur d'esprit, comme si l'intelligence avait été en elle freinée par des obstacles qu'elle ne pouvait pas écarter car elle en ignorait la nature. Elle errait dans le sillage de Jacques, parmi les brillants amis de Jacques, les éclats de voix, les rires assurés, l'aisance des gestes, observant avec curiosité et envie tous ces gens qui tenaient si bien leur place dans le monde. Elle, elle n'avait rien dans la cervelle, rien en tout cas qui valût d'être communiqué. Il lui arrivait d'être obsédée toute une soirée par une chanson ou une bribe de poème. D'un bout à l'autre d'un dîner, elle avait été ainsi prisonnière de Jezabel, une des rengaines favorites de Jacques : « ... T'would be better had I never known a lover such as you... » A sa droite, un archéologue racontait comment un membre de l'École Française d'Athènes avait découvert à Délos le doigt d'un Apollon qui se trouvait au Musée de Delphes. « Il a un flair extraordinaire, ce garçon. Il n'a pas hésité une seconde... Il a regardé ce doigt et il a dit... » « A lover such as you », répétait, bourdonnait, insinuait la voix métallique de Jacques. Quel Jacques? Celui qui, au bout de la table, riait à gorge déployée : « Ce Mollet, ah, ce Mollet, non, ce n'est vraiment pas un dur! », Jacques qui prenait brusquement l'air sombre pour jeter : « Salaud! »

Une autre fois, à un cocktail, elle n'avait pu se défaire de Rimbaud : « J'avais le regard si perdu et la contenance si morte que ceux que j'ai rentontrés ne m'ont peut-être pas vu... » Et, tandis qu'elle souriait, tendait la main, souriait, et qu'on la trouvait charmante, réservée, charmante, tel un abcès à douleur sourde, dans sa tête, chuintaient les mots : « J'avais le regard si perdu... » jusqu'au moment où éclatait la fin : « ne m'ont peut-être pas vu... peut-être pas vu... PEUT-ÊTRE PAS VUE. »

Pourtant, en elle un mécanisme avait subsisté : Jacques n'avait de sa part aucune gaffe à redouter. D'une petite voix blanche, elle donnait la réplique. On tendait l'oreille pour l'écouter. Ce qu'elle disait lui paraissait sans intérêt, sec, inutile. On l'écoutait pourtant. Elle allumait dans les regards une curiosité sympathique qui la troublait encore plus. Elle avait le sentiment de tromper son monde. Ils s'imaginaient qu'elle possédait une personnalité, de l'intelligence, de la sensibilité et elle savait qu'elle était vide. Parfois, elle s'embarrassait tellement dans sa phrase qu'elle ne pouvait la finir et elle restait la bouche ouverte, les yeux larges, avec un petit geste désespéré de la main.

En quête d'une grande vérité qui lui échappait toujours, honteuse de ce sérieux profond et sans objet, consciente qu'il la plaçait en marge de la société et la déclassait par rapport à Jacques, elle avait appris à dissimuler son mal sous certaines pirouettes de langage, jeux de mots, questions, tous les éléments de la conversation qui évitaient l'explication. Elle avait surtout acquis l'art de se taire sans paraître s'ennuyer. Mais elle ne trouvait que dans la famille le sentiment de la réalité et elle s'attachait aux humbles besognes dont l'utilité directe la rassurait en même temps qu'elle croulait sous leur poids. Si bien que toutes les tâches maternelles et ménagères étaient à la fois son remède et son sujet de plainte et l'accablaient d'autant plus qu'elle n'avait pas assez de vigueur pour rejeter leur envahissement et les réduire aux nécessités.

Jacques, au contraire, après la publication de sa thèse, était devenu mondain. Dommage, pense Geneviève tout en posant les chaises sur la table pour faciliter le passage de l'aspirateur, dommage qu'il n'ait pas épousé une fille riche. Il était doué pour mener une vie brillante.

Jacques enseignait l'histoire en Sorbonne. Mais son activité dans la Résistance et l'amitié qu'il avait alors nouée avec Taquet l'avaient amené d'autre part à tenir pour le journal que celui-ci dirigeait la rubrique des livres historiques. Jacques, de cette façon, échappait un peu à la routine universitaire.

Dans le monde du journalisme et de la politique, son titre d'agrégé lui donnait une certaine autorité. Il avait une manière à lui de se taire pendant le feu d'un débat, le front solide sous la brosse mince de ses cheveux, les yeux en l'air, aux aguets, la bouche ouverte, prête à l'intervention. Et, quand le silence était retombé et que chacun méditait ou semblait méditer, il restait encore un moment, le visage renversé, paupières plissées, comme écoutant l'écho des propos échangés, puis il se décidait. Il abaissait la tête, semblait rentrer en lui-même, et il disait doucement, sans regarder personne : « Je crois que le vrai problème n'est pas là... » Alors il reprenait la discussion à son point de départ, résumait les arguments des uns et des autres, comme qui sait où il va. Et chacun l'écoutait. Dans l'assistance, des hochements de tête s'échangeaient et des clins d'œil qui signifiaient : « Ça, c'est un garçon intelligent. » Il arrivait parfois à Geneviève de retrouver dans la bouche de son mari, mise en forme et dotée d'un poids inattendu, une réflexion qu'elle lui avait faite. Alors elle était sans doute la seule personne de l'auditoire qui éprouvât à son égard un élan de jalousie mauvaise, la brève envie de le battre. Les vieux l'aimaient, reconnaissant en lui un jeune de valeur. Les jeunes semblaient admettre sa supériorité. Et il plaisait aux femmes. Il emporterait l'acquittement du pire criminel, s'il était avocat, pense Geneviève en souriant. Si nous étions l'un et l'autre devant un jury, avec nos vies à expliquer, notre différend à résoudre, je ne pèserais pas lourd dans la balance... Mais quel est donc ce différend? Il n'y a pas de différend. Jacques et moi, nous ne nous disputons jamais. Nous sommes d'accord sur tous les points importants : l'éducation des enfants, le style de vie, la politique et la morale. Nous avons la même formation universitaire, les mêmes besoins, la même absence de besoins...

Geneviève promène l'aspirateur sur le tapis. Elle se demande si elle est une mauvaise femme. De nos jours, Emma Bovary se connaît et c'est son pire malheur car elle a perdu ses illusions sur elle-même et cessé de s'aimer. Elle sait qu'il existe en ce monde des maux plus sérieux que l'insatisfaction. Elles ne manquent pas, les horribles menaces, les horribles réalités. Et, rien que d'y penser, une mère s'éprouve coupable de n'être pas heureuse quand les siens sont auprès d'elle, en bonne santé. « Le drame est quotidien », proclame une rubrique de journal. Et Geneviève a souvent senti le frôlement de son aile. Hier encore, Nicolas et Florence venaient de partir pour l'école lorsqu'elle a entendu un brusque coup de frein suivi de clameurs d'enfants. Un des siens était écrasé! Ah, pourquoi Florence échappe-t-elle toujours à la main d'un mouvement sec, imprévisible? Geneviève la voyait allongée en bas, mutilée, blême, sanglante. Non seulement c'était possible, mais c'était sûr. Oserait-elle aller jusqu'au balcon?

Mais les clameurs n'étaient que des huées. Le trottoir était plein d'une meute d'écoliers joyeux. Florence et Nicolas, invisibles, avaient sans doute déjà tourné le coin de la rue et progressaient, sur leurs adorables jambes, vers leurs occupations ordinaires.

Un sanglot bruyant avait monté du cœur aux yeux de Geneviève. Épargnée, encore une fois...

Et ils ne manquent pas non plus, les malheurs d'envergure, auprès desquels l'insatisfaction est un luxe inavouable : la guerre d'Algérie, la misère de l'Inde, la misère de la Chine, et la poliomyélite qui couche des enfants par dizaines sur les chariots de Garches... Et l'oppression de tant de peuples. Et les menaces sur le monde entier. Toute femme le sait...

Et après?

L'aspirateur ronronne. Une part de Geneviève est satisfaite. Poussières, débris disparaissent. Les taches de graisse aussi, frottées à la paille de fer. De temps à autre, une perle oubliée par Florence s'engouffre avec un bruit sec dans le corps de l'appareil. Tant pis. Ou plutôt tant mieux. C'est toujours une perle que le pied n'écrasera pas, un objet de moins à ranger.

Et après? répète Geneviève à voix haute tandis qu'elle s'attarde sur une petite tache blanche qui ressemble à un débris et qui n'est sans doute qu'un défaut du tapis.

III

Jacques travaille dans la bibliothèque des professeurs à la Sorbonne. Ou plutôt il essaie de travailler. Il a sommeil. Ce cours qu'il doit préparer, pour le deuxième semestre, l'ennuie. Si seulement il pouvait avoir un bureau chez lui. Ne pas couper ses heures. Se balader un peu moins souvent de la maison au métro, du métro à la Sorbonne, et de la Sorbonne à la rue Saint-Joseph, sa serviette au bout du bras. Ne venir ici, pour rassembler de la documentation, que les lundi, mardi et mercredi, où il fait cours.

Jacques s'est renversé dans son fauteuil. Il écrase le bout de sa cigarette dans le cendrier déjà plein, à sa droite, et s'offre un grand bâillement, yeux fermés, qui lui fait glisser une larme entre les cils. Tirant de sa poche un mouchoir qu'il oublie toujours de changer et qui commence à devenir gris, il s'essuie les yeux. Il rêve de ces quatre jours tranquilles que son métier lui offre et dont il ne peut profiter pleinement parce qu'il n'a pas de bureau chez lui. On pourrait peut-être poser des rayons aux murs de la salle de séjour, installer une cloison mobile, lui ménager un coin... Mais, avant de songer à des améliorations, il faut achever de rembourser le Crédit Foncier. Ce n'est pas pour demain... Il serait pourtant normal qu'un chargé de cours à la Sorbonne ait un bureau chez lui. Tout le monde a un bureau. Il faut croire que tout le monde est riche ou gagne plus d'argent qu'un professeur. Le bureau que je préfère, se dit Jacques, c'est celui de Matruchot, une belle pièce en rotonde, couleur de cuir et de chêne clairs, sans un vide aux murs entre les livres, à part les deux petites fenêtres qui donnent sur le Luxembourg. Il a bonne mine, Matruchot, là-dedans, lui qui n'a jamais lu que ses *Dalloz* et la *Semaine juridique*... Ces avocats gagnent de l'argent, quand ils réussissent... Mais il faut avouer qu'ils font un sale métier. Cette affaire de publicité de soutiens-gorge qui l'absorbait l'autre jour, toutes ces petites histoires d'intérêt privé, pouah. Taquet, lui, ce n'est pas un bureau qu'il a, c'est un salon, plein de fleurs et de lumière qui tuent les livres. Et on voit trop qu'il ne travaille plus. Mais quelle pièce magnifique! C'est toujours le même choix : la liberté d'esprit ou l'argent, le temps ou la place... Si je n'avais pas décroché ce prix d'histoire au Concours Général quand j'avais seize ans, ma vie aurait peut-être tourné tout autrement. Qui sait? Je serais peut-être devenu riche, moi aussi... Combien de carrières ainsi décidées à cause d'un prix au Concours Général? Bah, moi, je n'ai fait que suivre ma voie. Mon métier me convient, dans l'ensemble. Mais il est sans doute difficile d'y rester éveillé. Tous ces vieux professeurs n'offrent pas un spectacle bien réconfortant. Ils ne produisent plus rien, ne se tiennent même plus au courant de rien. Je ne voudrais pas leur ressembler dans vingt ans. Il y a des jours où j'éprouve une espèce de répulsion, rien qu'à traverser la place de la Sorbonne. Heureusement que, moi, j'ai le journal... Peut-être ne serait-il pas mauvais non plus que je joue au tennis en hiver. Cinq mois sans exercice physique, c'est long. Et, à trente-quatre ans, on n'est plus si jeune. On a besoin d'entraînement. Ils m'accepteraient sans doute, au T.C.P., l'année prochaine. Je ne sais pas ce que coûte l'abonnement. Vingt mille francs, peut-être quarante, la première année, avec le droit d'entrée. C'est cher. Je les gagne à peine en une semaine. Et ce n'est pas ce que Taquet me donne pour mes articles... Il faudrait que je décroche des cours à l'étranger, comme il y a deux ans, à Berkeley. Le voyage, voilà un bon stimulant, et que mon métier peut m'offrir, si je sais m'y prendre...

D'un doigt distrait, Jacques feuillette ses notes. Il n'arrive pas à donner forme à ce cours. Il se perd dans les détails. Comment revenir, sans artifice trop visible, à l'idée directrice? Jacques a beau rêver d'un bureau chez lui, à la vérité, il ne s'isole bien qu'au milieu d'un groupe. Il aime travailler dans un fond de bruit et la solitude le dissout. Professeur-né, il a besoin d'un auditoire. Doté de beaucoup de « chers amis », il lui faut le voisinage de ceux-ci pour se préciser. Mais aujourd'hui, fait exceptionnel, les « chers amis » sont absents de la bibliothèque. Un jour gris coule dans la salle. Jacques s'ennuie.

Il referme ses livres et se lève. Il va faire un tour à la bibliothèque des étudiants.

Parmi les rangées, au bord de l'allée centrale, bien reconnaissable à sa chevelure brune aux reflets roux qui tombe, à la Jeanne d'Arc, raide et mi-longue sur ses joues, la première personne qu'il aperçoit, c'est son étudiante favorite, Hélène Fortier. Et l'ennui le quitte aussitôt.

— Êtes-vous très occupée, mademoiselle Fortier, ou disposez-vous de quelques instants? Voulez-vous que nous discutions un peu de votre diplôme?

Elle a levé sur lui son regard de velours où brille une étincelle de surprise heureuse :

— Oh, très volontiers, monsieur.

En une minute, elle a remis ses livres au bibliothécaire et rangé ses papiers. Elle chuchote quelques mots à l'oreille de son voisin, un magnifique garçon de type slave, à l'expression pathétique, qui ne lève même pas la tête et se replonge dans sa lecture avec une attention rageuse, tandis qu'ils s'éloignent, Hélène si grande que son épaule atteint presque celle de Jacques, la taille étroite, les jambes dansantes, les pieds furtifs dans les ballerines.

Le cabinet destiné à la réception des étudiants, que Jacques partage avec deux autres professeurs, est déjà occupé par ce vieux raseur de Mornave, en grande discussion avec un agrégatif. Jacques, à cette découverte, fronce les sourcils d'un air contrarié, s'apprête à battre en retraite dans la bibliothèque des professeurs, répugne à retourner dans cet endroit où il s'est senti mal à l'aise quelques instants plus tôt et propose, à sa propre surprise :

— Si nous allions dans un café? Nous y serons plus tranquilles.

Ils traversent la rue. Jacques parcourt du regard les maisons qui bordent le trottoir. Il est un peu inquiet. Cette grande fille, muette et l'air absent, qui glisse plutôt qu'elle ne marche à son côté sur le pavé mouillé, sortie du Parc d'acclimatation de la Sorbonne, l'intimide soudain. Il aimerait trouver vite un endroit paisible et aborder la conversation de professeur à étudiante pour laquelle ils sont réunis.

Rue de la Sorbonne, les librairies se succèdent et l'œil de Jacques, à la recherche d'un café, capte au hasard des titres, des noms, des images : Suétone, Juvénal, les *Œuvres complètes* de Nietzsche avec la tête moustachue de l'auteur sur la couverture, l'*Éducation universelle dans la philosophie d'Auguste Comte*... Jacques presse le pas. Le même mouvement qui l'a conduit à fuir la bibliothèque des professeurs le pousse maintenant à rejeter l'offrande de cette culture dont l'immobilité exposée aux vitrines le dégoûte comme une vieille paillasse sur laquelle il aurait trop longtemps dormi.

Aus étalages des librairies scientifiques, en revanche, dans certains titres : *Actions chimiques et biologiques des radiations*, *Énergie nucléaire*, s'inscrit l'angoisse de l'heure, jaillissent les mots clefs du monde moderne.

— Nous aurions dû prendre le boulevard Saint-Michel, dit Jacques. C'est incroyable, il n'y a pas un café sympathique rue de la Sorbonne.

Ah, enfin, à gauche, la brasserie Balzar semble accueillante.

— Voulez-vous que nous essayions cet endroit?

Cet endroit, Hélène le connaît bien. Elle y absorbe chaque semaine des litres de thé, elle y fume des centaines de cigarettes avec son Yougoslave. Mais boire un verre en compagnie de Brincas, la coqueluche des étudiants, c'est une première qui abolit tous les Slavko du monde.

Quant à Jacques, tandis qu'il s'assied en face d'Hélène,

voici qu'il frémit d'une joie étrange. Il est vrai que, depuis son mariage, c'est la première fois qu'il emmène une femme dans un café. Mais ce n'est pas assez pour expliquer cette allégresse, cette émotion.

Il promène son regard dans la salle. A des tables voisines, quelques clients sont installés, dans l'attitude naturelle et le silence des habitués.

Jacques ramène les yeux sur Hélène. Elle a le même âge, la même expression disponible que les filles avec lesquelles il risquait sa vie, dans des cafés pareils à celui-ci, au temps de l'Occupation, et faisait l'amour au hasard des chambres dans les longues nuits menacées qui commençaient parfois à six heures du soir. Ce que Jacques, grâce à Hélène, hume chez Balzar, c'est le parfum de sa jeunesse, l'adorable parfum de la liberté interdite.

— Pour moi, dit-il, les endroits de ce genre seront toujours des lieux de conspiration.

Elle le regarde.

— Je ne vais guère au café, explique-t-il, et c'est la première fois que j'y emmène une étudiante. Quel âge avez-vous au juste?

— Vingt ans.

— Oui... l'âge que j'avais sous l'Occupation. — Jacques rit : — Les histoires de Résistance doivent vous produire le même effet qu'à nous, autrefois, les récits de tranchées de nos pères... Ce genre d'expérience marque les générations.

— Mais non, monsieur, dit-elle.

— Eh bien, reprend Jacques en désignant de l'œil, à gauche, un couple absorbé dans un dialogue paisible, quand je me suis assis à cette table, il y a un instant, et que j'ai regardé la salle, je me suis dit : ces deux-là, ils ont l'air trop calmes. C'est ce qui les trahit. Ils feraient mieux de se méfier de cette jeune fille, là-bas, dans l'encoignure de la fenêtre, qui ne lève pas le nez de son livre... Et maintenant, il me semble que je vais commander un viandox, pour me nourrir, comme à la belle époque de mes vingt ans... Tout cela à cause de vous et de votre jeunesse... Mais si nous buvions plutôt un whisky et si nous parlions de votre diplôme.

Mais il ne parle que d'elle, Hélène Fortier. Il l'interroge avec avidité, avec la curiosité d'un Blanc pour une tribu inconnue. Ces vingt ans d'Hélène qui sont là, en face de lui, on dirait qu'ils vont lui échapper après cette unique occasion et que, pour cette fois qu'il les tient, il ne les lâchera pas sans les avoir vidés de leur mystère. Comme si ce mystère tenait à autre chose qu'à l'ignorance de soi, comme s'il n'était pas la projection d'une éternelle espérance des adultes, comme s'il ne se réduisait pas au charme d'Hélène.

Mais Jacques croit se pencher en curieux sympathique sur la nouvelle vague.

— Considérez-vous l'enseignement comme une carrière essentiellement féminine? Avez-vous l'intention de devenir professeur? Quels sports pratiquez-vous? Quels auteurs ont le plus d'influence sur la jeunesse? La politique, c'est important, pour vous? Avez-vous déjà, dans telle ou telle circonstance, effectué une prise de conscience politique?

Il ne demande pas : « Que pensez-vous de l'amour? Êtes-vous vierge? Avez-vous l'intention de vous marier bientôt? Qu'est-ce que la vie amoureuse d'une jeune fille? »

Elle a de vastes yeux d'ombre. Elle est grave, elle l'écoute. Elle répond par monosyllabes, non, oui... Elle élude, je ne sais pas, quelle importance? Elle se tait parce qu'elle craint de paraître sotte et qu'un très sûr instinct lui souffle que le silence est son meilleur atout, que rien n'intéresse autant un adulte qu'un air de disponibilité attentive. Elle est à la fois ardente et désabusée, négligée, élaborée, vraie et pleine de la fausseté des êtres jeunes qui, ne se connaissant pas, ne savent pas encore quel personnage ils vont jouer, sûrs en tout cas qu'ils sont voués aux premiers rôles. Elle est pure et pourtant dévirginisée, sans expérience en dépit de ce voyage en Suisse, l'an passé, où la vie lui a infligé son premier démenti, sa première sanglante humiliation. Elle a la bouche enfantine et boudeuse. Parfois, elle baisse la tête et son regard s'éloigne, semble chercher on ne sait quelle bouée sur l'océan de la détresse d'être jeune.

Et Jacques s'enivre de tendresse. Sa maturité l'exalte. Il s'estime assez jeune pour tout comprendre, assez vieux pour tout expliquer, protégé des faiblesses par une distance de quatorze années et par tout un contexte social et familial, dans la meilleure situation, en somme, pour aider cette jeune fille à sortir des méandres de l'adolescence.

Il faudra que je l'invite à la maison, pense-t-il, Geneviève causera avec elle. Nous ne recevons pas assez d'étudiants. Nous ne connaissons pas la jeunesse. Il faut que je rencontre des étudiants ailleurs que dans les amphithéâtres de la Sorbonne. Dans mon métier, c'est une nécessité.

L'horloge au mur d'en face marque douze heures quarante. Mais Jacques ne voit rien, que sa jeune compagne, que ses propres vingt ans faméliques et victorieux dans les yeux d'Hélène Fortier.

Elle l'écoute cependant, depuis quelques minutes, avec un léger malaise : n'espérant pas que Brincas lui consacrerait plus d'une demi-heure, elle a donné rendez-vous chez elle à Slavko, dans son studio de la Muette, pour le déjeuner. Il risque d'arriver le premier et il n'a pas la clef. A l'idée de le trouver, la mine tragique, sur le palier, ou pis, de ne plus le trouver, elle s'inquiète. Mais elle ne voudrait, pour autant, rompre un si précieux entretien.

Jacques, sans percevoir clairement cette défaillance d'attention, est sensible à une retombée de sa propre allégresse.

— Eh bien, dit-il, nous n'avons guère parlé de votre diplôme... Mais notre conversation a été bien plus intéressante et sans doute plus utile que celle à laquelle je m'étais apprêté. Il est bon que le cadre des relations de professeur à étudiant éclate parfois. Venez me voir après mon cours, mardi prochain. Vous me direz où en sont vos travaux. Aujourd'hui, nous n'avons plus le temps. Peut-être vous ai-je déjà trop retenue...

— Oh non, monsieur. — Le visage d'Hélène rayonne de confiance. Sa voix est fluette mais intense : — Je vous remercie de l'intérêt que vous me portez, monsieur.

A la sortie de la brasserie, la main dans celle de Jacques pour l'au revoir, elle hésite un instant :

— Je ne sais si vous retournez à la Sorbonne, Monsieur, parce que... je rentre chez moi, à la Muette. Je crois que nous habitons le même quartier. Peut-être pourrais-je vous rapprocher... J'ai laissé ma voiture place Painlevé.

Bigre, une voiture, pense Jacques. Il se sent l'âme claire et soudain dispose à une incartade. Il est enchanté de n'avoir pas encore à se séparer d'Hélène.

La pluie a cessé. Lentement, la 2 CV descend le boulevard Saint-Michel encombré et gagne les quais.

— Vous habitez chez des particuliers? demande Jacques.

— Non, dit-elle, j'habite dans un studio qui appartient à mon père.

Bien calé contre son dossier, Jacques sifflote avec la confiance des gens qui ne conduisent pas eux-mêmes. Il n'est pas désagréable d'avoir une étudiante comme chauffeur... Les parents d'Hélène ne doivent pas être pauvres pour lui offrir une voiture et un studio... Toute seule dans ce studio? Passera-t-elle l'agrégation? Jolie comme elle est, et riche, elle a chance de se faire enlever bientôt par un mari. Peut-être est-elle déjà fiancée, à vrai dire. Je n'ose pas le lui demander. Je me sens encore trop jeune pour ce genre de questions. Geneviève s'en chargera. Les vies privées, c'est son domaine... Je serais surpris pourtant qu'elle soit fiancée. Elle n'aurait pas ce regard perdu. J'aime son expression, ce contraste, justement, entre la décision de son allure et son air de noyée. Elle est touchante, très touchante.

La voiture longe à présent le fleuve élargi par sa proximité et la majesté de ses ponts vus d'en bas. Auprès des péniches s'affairent des hommes de bateaux, garçons en pantalons de velours et marinières, pareils à ceux qu'on voit, des plages, pousser un canot à la mer ou s'activer à bord d'un bateau de pêche et dont on ne soupçonnerait pas l'existence sur ces rives citadines.

Au feu rouge, à la sortie du passage, Jacques pose une main sur le bras d'Hélène :

— J'aimerais savoir ce que vous deviendrez plus tard. Je suis très curieux de savoir ce que vous deviendrez, Hélène.

Plusieurs fois, les jours suivants, il amena la conversation sur le sujet d'Hélène. Mais il ne rencontra guère d'écho chez Geneviève. Ou bien celle-ci semblait ne pas l'entendre ou bien elle lui répondait à peine. Elle éludait le choix d'un jour où Hélène pourrait venir « juste prendre un verre avant le dîner, et puis on mettrait peut-être un couvert de plus... sans se déranger... ». Elle interrompait la conversation pour faire une remarque aux enfants, elle se levait pour aller à la cuisine où, parfois, il la suivait, continuant à parler tandis qu'elle vidait dans un plat le contenu d'une poêle, l'air absorbé comme si la chose réclamait toute son attention. Jacques, agacé, prenait conscience qu'il ne lui était plus possible d'avoir un entretien avec sa femme. Depuis longtemps déjà, il avait cessé de l'associer à ses travaux, de lui lire ses cours, de lui soumettre ses articles, comme il faisait dans les premières années de leur mariage : elle n'était jamais prête à l'écouter à l'instant où il le souhaitait. Mais elle avait toujours paru garder de l'intérêt pour les êtres. Il leur arrivait de discuter longtemps dans la nuit à propos de gens qu'ils avaient rencontrés ou de « cas ». Mieux que lui, elle démêlait les rapports humains; plus que lui, elle s'intéressait à ce que cache l'enveloppe sociale. Il aimait vérifier sur elle ses impressions. Il se sentait plus sûr de soi quand elle lui avait donné son avis. En particulier lorsqu'il s'agissait d'une femme. Mais voilà, le « cas Hélène Fortier » ne paraissait pas intéresser Geneviève.

Pourtant, Jacques était persuadé que si elle voyait Hélène, Geneviève serait sensible à sa jeunesse, à sa beauté, à son intelligence et à ce désespoir qu'il pressentait sans pouvoir se l'expliquer, qu'il aurait voulu guérir et qu'il s'éprouvait incapable d'aborder sans le concours de sa femme.

Jacques faisait des comptes. Il constatait que personne n'avait été reçu chez eux depuis les vacances, c'est-à-dire depuis un mois. Geneviève prétextait qu'elle était fatiguée, mal aidée, qu'ils n'étaient plus assez jeunes pour donner à dîner sur des tables de bridge, les convives assis sur un mélange de chaises, de fauteuils et de tabourets. Comme si les gens venaient chez eux pour bien manger et pour être confortablement installés! Comme s'ils n'étaient pas tout simplement contents de rencontrer un jeune ménage sympathique!

Jacques n'admettait pas que sa femme se conduise en petite bourgeoise :

— Tu te fais un monde de tout, lui dit-il. Tu te figures qu'Hélène Fortier fera attention à ce que tu déposeras dans son assiette... Elle sera très fière d'être reçue ici, très intimidée. Tu la mettras en confiance, tu la feras parler... Tu lui rendras service. Et à moi aussi. Toi-même, tu n'as pas envie de rencontrer des jeunes?

Geneviève avait pris l'expression traquée qu'il détestait.

— Tu me demandes de la recevoir juste au moment où c'est la bousculade ici... Comment veux-tu que j'écoute quelqu'un entre six et neuf heures du soir?

— Les autres aussi ont des enfants. Cela ne les empêche pas de recevoir.

— Les autres sont peut-être mieux aidées...

— Pourquoi le seraient-elles?

— Ah, je ne sais pas, Jacques. Peut-être qu'elles se débrouillent mieux que moi... Il y a aussi des maris qui se lèvent de leur chaise, de temps en temps...

Jacques sourcilla. Ce n'était pas la première fois que pareils propos échappaient à sa femme et c'était souvent dans les occasions où il l'abordait, lui, avec le plus de confiance. Il n'y répondait pas. Il faisait même comme s'il ne les avait pas entendus. Un instinct de préservation lui soufflait qu'il ne fallait pas descendre sur cet indigne terrain. Ou bien il se taisait, ou bien il poursuivait la conversation au niveau où il l'avait placée. De cette façon, les récriminations de Geneviève étaient ramenées à des incartades du langage dont l'écho désagréable lui restait un instant dans l'oreille. Elles revenaient à ces manies qu'on se passe entre époux parce qu'elles pourraient devenir insupportables si l'on y prêtait attention.

Pourtant, cette fois, Jacques fut frappé par le choc d'une découverte pénible : l'abêtissement de Geneviève et les symptômes de son vieillissement acariâtre. Un instant, il compara la femme qu'il avait épousée à celle qui allait et venait devant lui, dans la pièce, les traits tirés, occupée à mettre le couvert du dîner comme si elle n'avait même pas le temps de s'arrêter pour lui répondre. C'était curieux, les femmes. Quand il pensait à Geneviève dans leur campement de jeunes mariés, à leurs discussions interminables sur tous les sujets intéressants, quand il pensait à son désordre... A présent elle ne supportait pas de voir sa veste sur une chaise et toutes les révolutions du monde ne l'auraient pas empêchée de râper la carotte des enfants, si c'était le jour de la carotte. Ah, c'était bien la peine d'épouser une intellectuelle. Il se demandait si Hélène... Jacques rit, mais il y avait dans son regard une lueur cruelle :

— Au fond, dit-il, tu es une toute petite bourgeoise. Et ce qu'il t'aurait fallu, je vais te le dire : un bon pantouflard de mari, qui serait rentré ponctuellement chaque soir à six heures et demie avec le pain sous le bras...

— Peut-être, répondit Geneviève d'un air rêveur, comme s'il venait enfin de dire une chose intéressante.

Les discussions au café avec Hélène devinrent vite pour Jacques une habitude. Il y trouvait le charme du péché. Sa conscience de professeur lui reprochait ces rencontres clandestines avec une étudiante en même temps qu'elle les justifiait : le professorat ne se réduisait pas à l'enseignement d'une discipline. C'était son métier de former la jeunesse. Et Jacques en voulait à Geneviève de manquer à un devoir d'état en l'obligeant à exercer son métier comme on commet une faute.

Car il ne pouvait se passer d'Hélène. Elle le passionnait, elle le renouvelait. Tant pis pour Geneviève si elle n'était même plus capable d'assez de générosité pour s'intéresser à la jeunesse. Lui, au contraire, n'avait jamais été si curieux des êtres et il voyait là le signe d'un enrichissement de sa personne. Jeune homme, il n'avait aimé que les idées, mais il commençait à comprendre que l'humain est plus passionnant.

L'humain, c'était Hélène. La jeunesse, c'était Hélène. Jacques n'était pas troublé par sa beauté. Tout au plus cette beauté l'intimidait-elle. Il était un professeur honnête et, d'ailleurs, il ne regardait aucune femme comme une maîtresse possible. Les aventures, pour lui, appartenaient au monde révolu de la guerre, ainsi que les tentations de la politique. En la première année de paix, il avait choisi d'épouser Geneviève avec la même décision qu'il avait opté pour une carrière universitaire. L'adultère lui semblait un thème de la littérature qui ne concernait pas son existence individuelle non plus que familiale et l'idée que Geneviève aurait pu refuser de rencontrer Hélène par jalousie ne l'effleurait pas : les notions de jalousie, de tromperie, ne s'appliquaient pas à leur couple. On ne pouvait même pas dire qu'il sentît, entre Geneviève et lui, une confiance totale : leur union, leur famille, constituaient un édifice monolithique à l'écart des méandres du cœur. Elles comportaient leurs inconvénients et leurs insuffisances mais elles faisaient partie de son identité, elles ne lui paraissaient pas plus susceptibles d'être remises en question que son acte de naissance.

Pourtant, avec cette opacité caractéristique des hommes, Jacques faisait souvent la même simple soustraction : 34 — 20 = 14. Cela ne faisait pas une telle différence, pas une telle différence d'âge...

IV

Ce fut naturellement Hélène Fortier qui fournit aux Brincas l'occasion de leur minute de vérité. C'est à propos d'elle que la scène, entre Geneviève et Jacques, éclata.

Ce samedi du début de novembre, après avoir travaillé à la bibliothèque de la Sorbonne, Jacques avait de nouveau retrouvé son étudiante à la brasserie Balzar, l'après-midi cette fois. Jusqu'à ce jour, leurs rencontres avaient eu lieu en fin de matinée et, sans durer jamais plus d'une heure, s'étaient achevées souvent à l'invite du soleil, quand il fend par le milieu les journées d'automne, même grises, leur proposant cet autre plaisir de se retrouver dehors, dans la 2 CV d'Hélène, le long de la Seine miroitante.

Mais ce soir-là, en retrait dans la pénombre, en face de l'horloge, à la place devenue habituelle, ils étaient envahis d'intimité, de tiédeur. Déjà, les réverbères étaient allumés. La nuit, au-delà des vitres, s'épaississait.

Jacques venait de terminer la préparation de son cours. Il avait l'esprit libre, la conscience tranquille. Ce lui était toujours une joie particulière de faire du bon travail avec une matière qui, au début, le rebutait et de constater que son intelligence demeurait un excellent instrument. Bien manœuvrée, elle obtenait des résultats qui le remplissaient d'allégresse, lui donnaient envie de bondir comme lorsqu'il gagnait un match de tennis. L'essentiel était qu'il s'obligeât à un suffisant effort de concentration, et de n'importe quelle boue il faisait de l'or, par la belle alchimie d'un esprit vigoureux et rompu aux disciplines. Hélène était sa récréation. Il l'avait bien méritée.

Hélène avait, sinon des chagrins, du moins des soucis d'amour. Dès le début, elle avait tenu Slavko au courant de ses entretiens avec Brincas. Ceux-ci n'étaient-ils pas purs et flatteurs? Hélène partageait cette tendance des jeunes filles à considérer la vie comme un puzzle dont il est passionnant d'ajuster les morceaux sous l'œil de qui vous aime. Coquetterie, besoin de totalité, aspiration à la communion des saints... Mais, pour cette communion, Slavko n'était pas prêt : au seul nom de Brincas s'allumait dans ses yeux un feu sombre qui agaçait Hélène tout en l'assurant de son pouvoir. Elle poursuivait de plus belle ses récits. Slavko l'écoutait, la bouche serrée, puis, n'y tenant plus, il lui mordait les lèvres et la poussait vers le divan. Ce Brincas dont elle avait la tête farcie lui donnait des envies de meurtre. Il le tuait en Hélène, à sa façon, pour un instant. Mais la mise à mort, de semaine en semaine, s'avérait plus ardue...

Pourtant, Hélène tenait à Slavko. Elle le trouvait beau. Dans sa chambre du huitième étage, rue de Vaugirard, il menait la même vie libre qu'elle dans son studio de la Muette. Il l'aimait. Au moindre appel, à toute heure du jour ou de la nuit, il venait pour réparer une serrure, arranger une lampe, porter une caisse, interposer sa forte carrure entre elle et la difficulté de vivre. Mais, soudain, pour Hélène, ce grand corps d'homme était devenu aussi transparent qu'une vitre. Au-delà de ce déraciné qui s'exténuait, sans parents, sans patrie, sans situation, à lui faire de sa personne un rempart et une geôle, elle voyait Jacques. Les heures furtives qu'elle passait avec Jacques étaient à présent les seules qui fussent douées de ce pouvoir d'extension et de rayonnement sur le reste de l'existence qui appartient au bonheur. La brasserie Balzar, désormais réservée à ses rencontres avec Jacques, était le seul lieu d'où elle n'eût jamais envie de fuir.

Ce soir-là, lui satisfait, elle fondante, protégés de la

nuit froide par la pénombre confinée de la brasserie, Hélène et Jacques s'abandonnaient au bien-être. Jacques renonçait, pour une fois, à jouer son rôle de professeur-enquêteur-protecteur de la jeunesse. Ils se regardaient en souriant et ne parlaient guère. Ils avaient du temps devant eux.

Deux étudiants entrèrent, bras dessus bras dessous, saluant Hélène au passage.

— Ils sont mariés, dit-elle.

Et Jacques, du ton le plus naturel, répondit :

— Et vous, quand vous marierez-vous?

Aussitôt, l'expression du bonheur l'avait quittée :

— Oh! moi, le mariage...

Il avait plaisanté :

— Oh! moi, le mariage... oh! moi, le mariage... Vous êtes contre?

Il souriait, il était content d'avoir trouvé ce ton badin pour aborder la seule question qui, à propos d'Hélène, l'intéressât vraiment. Avec ses cheveux lustrés, ses blouses fraîches sous les chandails de cachemire, sa chair bien nourrie et son air de détresse, elle le déroutait. Elle était à la fois pareille aux filles de sa jeunesse et tout autre. On aurait pu dire qu'elle ressemblait à une certaine Vanina qui, en 1944, avait servi d'agent de liaison à Taquet, dans la clandestinité, et qui avait été un temps la compagne de ses nuits. Hélène lui donnait envie de revoir Vanina, de dîner ce soir avec elle, au lieu de rentrer Porte de Saint-Cloud. Où habitait-elle aujourd'hui? Qu'était-elle devenue, Vanina? C'était bizarre qu'il n'eût jamais remarqué la ressemblance : elles avaient les mêmes yeux, la même expression enfantine et perverse. Mais Vanina, malgré ses joues pâles sous le mauvais fard, ses vilaines boucles qu'elle rattrapait chaque soir sur des papillotes, son éternelle jupe plissée et ses semelles de bois, avait semblé plus heureuse que celle-ci.

Du haut de son expérience, du roc de son existence faite, Jacques observait Hélène dont la bouche s'était épaissie en cette moue amère qu'il connaissait bien. D'un geste fraternel, il avança une main pour l'aider à sortir du marais où elle paraissait enlisée. Mais elle ne le regardait plus. Ses yeux semblaient chercher loin de lui un salut qu'ils ne trouvaient pas.

Sur le visage de Jacques, le sourire se colorait à présent de tendresse :

— Vous êtes contre? reprit-il doucement.

— Oh! non...

Sous le regard de cet homme installé dans la vie, ses vingt ans lui paraissaient dérisoires. Sa disponibilité n'était qu'un manque, l'amour n'existait pas, les études tendaient à combler un vide, la jeunesse revenait à une série de tentatives avortées dont aucune, d'ailleurs, ne valait d'être poursuivie. Tout avait le même goût, tout, sauf la brasserie Balzar, avait le même goût, qui était celui de la mort. Les adultes, quand on leur dit qu'on a vingt ans, vous font les yeux doux, émerveillés, nostalgiques, ah, ce que je donnerais... Eh bien, si c'était là le meilleur moment de la vie...

— Qu'y a-t-il, Hélène? Vous êtes triste?

Voilà, il la disait, la sottise :

— Vous êtes triste, à vingt ans?

A présent, elle le regarde, droit sur son sourire fraternel, en ennemie :

— Moi, je trouve justement que c'est la jeunesse qui est dure, et la mienne n'en finit pas...

Elle a commencé de parler. A Jacques, cette fois, de reconstituer le puzzle. Pendant une heure, tout y passe : son enfance gâchée par des parents qui n'ont pas su l'aimer, ses belles années dilapidées, les Slavko qu'elle ne sait pas aimer. C'est une petite fille qui raconte des histoires de femme, par courtes phrases âpres qu'elle arrache d'elle, coupées de grands silences pendant lesquels il hoche la tête et murmure : oui... oui... je le pensais bien... ce n'est pas facile de construire sa vie... tandis que, chaviré de compassion, il découvre une jeunesse douloureuse, aux abois, plus émouvante d'être déjà meurtrie, une jeunesse agressive et abandonnée, dont il croit qu'elle est nouvelle et dont il s'estime pour une part responsable :

— Je voudrais vous aider. Je crois que je le peux.

Faites-moi confiance. Vous verrez que tout s'arrangera, tout s'arrangera...

Alors elle détourne de nouveau son regard de cet homme marié qui a le visage de son amour, du seul homme dont elle est en cet instant sûre qu'elle voudrait vivre avec lui et qu'une autre possède pour la vie entière :

— Rien ne s'arrange jamais, dit-elle.

Jacques rentra chez lui, plein de compassion, agité, heureux de retrouver son foyer. Il avait fait promettre à Hélène de venir leur rendre visite dans l'après-midi du lendemain. Il ne s'agissait même plus pour Geneviève et pour lui de remplir un devoir d'état. Une jeune fille était là, sous leurs yeux — il oubliait, par une bizarre contradiction, que c'était sous ses seuls yeux — en train de se noyer, et la simple humanité commandait de lui tendre la main. Quand il disait « se noyer », c'était à peine une image. Hélène, dans l'état où elle était apparue ce soir, était capable de tout. Jacques frémissait, se dominait : elle avait parlé avec l'exaltation de la jeunesse. Mais, sans aller jusqu'à des considérations tragiques, elle avait assez bien entrepris de gâcher sa vie. Il suffisait peut-être d'un accueil chaleureux au bon moment pour lui éviter d'obéir à quelque impulsion qui compromettrait toute son existence. Trop seule, trop libre, désaxée... Il fallait qu'elle vienne Porte de Saint-Cloud, qu'elle y trouve l'amitié et les conseils d'une femme plus âgée, qu'elle voie Florence et Nicolas, qu'elle vive un peu parmi eux, tout simplement.

Les Brincas étaient invités à dîner ce même soir boulevard Saint-Germain, chez le doyen de la Faculté des lettres. Quand il rentra, Jacques trouva chez lui l'agitation coutumière des jours où ils sortaient, ce qu'il appelait le « vortex », un de ces moments désagréables de la vie familiale dont il avait appris à s'abstraire et qui, par contraste avec le désarroi profond d'Hélène, lui parut, pour une fois, attendrissant. Il patienta jusqu'au moment où Geneviève et lui eurent changé de métro, à Michel-Ange Molitor. Le wagon était vide. Huit stations jusqu'à Odéon. Jacques s'installa en face de Geneviève, sur la banquette du fond. Il la tenait, il allait lui annoncer qu'Hélène viendrait le lendemain dimanche prendre le thé chez eux. Cela tombait bien, on ne savait jamais que faire le dimanche. Geneviève avait même renoncé à la promenade sacro-sainte des enfants. Jacques sourit intérieurement à ce dévouement maternel, à ce petit programme heureux. Elle était bien restée provinciale sur ce point, sa femme... sur d'autres aussi, d'ailleurs. Si ses enfants se trouvaient un jour privés de leur bol d'air, qu'il vente ou qu'il pleuve, elle s'imaginait qu'ils allaient dépérir... Il y a dans la littérature une de ces fanatiques de la promenade quotidienne... Ah! oui, la grand-mère de Proust... Lui, Jacques, avait passé son enfance rue de Grenelle et il ne s'en portait pas plus mal. Geneviève était touchante, à la vérité, avec ses principes, cette espèce de rigueur protestante qu'elle apportait à l'exécution de ses devoirs. Elle avait su mettre de l'ordre dans sa vie. Un peu trop d'ordre...

Ce fut Geneviève qui parla la première. Elle aussi avait attendu ce moment paisible où ils seraient remis au métro, linéairement transportés d'un point à un autre, la victoire du départ encore une fois gagnée. Et, s'ils étaient en retard, comme souvent, elle n'y pouvait plus rien. Elle avait eu l'intention d'éplucher des légumes pour le déjeuner du lendemain et n'en avait pas trouvé le temps. Elle redoutait ces matinées du dimanche, privées d'aide ménagère, où toute la famille paressait au lit. Souvent, on ne se mettait à table qu'à deux heures, et, à trois heures et demie, elle était encore dans la cuisine, en train de faire la vaisselle, à l'étroit parmi les déchets, les odeurs. Elle prenait en aversion tout ce qui touchait à la nourriture. Rien qu'à l'idée de préparer un repas, elle était parfois saisie de découragement. Mettre le couvert lui coûtait un effort incompréhensible. Elle se répétait, pour son propre usage, ces vers que Jacques appliquait volontiers à la bêtise humaine :

Pour soulever un poids si lourd,
Sisyphe, il faudrait ton courage;
Bien qu'on ait du cœur à l'ouvrage...

Le rocher de la vie quotidienne chaque matin retrouvé et roulé jusqu'au soir lui pesait de plus en plus et c'était surtout à l'heure des repas que l'envie la prenait de se coucher par terre et que roule son fardeau où il voudrait.

L'idée lui était venue de prier Jacques de les emmener tous au restaurant, chaque dimanche, à présent que les enfants étaient assez grands, pour couper la ronde ininterrompue du couvert à mettre, du repas à servir, de la vaisselle à laver, pour qu'enfin chaque semaine s'ouvre une halte de quelques heures où nulle tâche, nulle mondanité, nulle exigence des enfants ne s'interposeraient entre elle et Jacques, entre elle et elle-même.

— Jacques, dit Geneviève, j'ai pensé que demain...

Il ne la laissa pas finir sa phrase :

— Demain, dit-il, nous recevons Hélène Fortier.

Une fois de plus, elle feignait de ne pas l'avoir entendu. Elle reprenait :

— J'avais pensé que demain, nous aurions pu...

Alors Jacques prit un air méprisant en même temps que blessé. Sa voix se fit cassante :

— Demain, en tout cas, nous recevons Hélène Fortier. J'ai eu ce soir un entretien avec elle. Cette pauvre enfant est à la dérive. Nous pouvons la tirer de là, lui donner quelques conseils, un exemple, l'impression qu'elle a des amis. C'est un devoir humain et, de plus, c'est un aspect de mon métier. Voilà des semaines que je te prie de recevoir cette jeune fille; quand je dis la recevoir! De lui permettre de venir s'asseoir chez nous, dans une famille heureuse, un point c'est tout. — Il criait presque pour dominer le bruit du métro. Il avait l'air très méchant. — Et voilà des semaines que tu t'y refuses. Ça ne t'intéresse pas, l'angoisse des jeunes, non? Tu es obsédée par tes petits problèmes. Tu as oublié combien il est difficile de faire sa vie. D'ailleurs, tu ne l'as jamais su. Tu étais d'une autre génération, d'un autre milieu...

Le métro s'arrêtait à Ségur et Jacques baissa le ton :

Pour toi, le mariage, c'était une voie toute tracée. A peine quitté le giron de ta famille, tu as trouvé le mien. Et, dans le petit intervalle, tes principes t'ont tenu chaud. Mais tu pourrais au moins comprendre que toutes les jeunesses ne sont pas aussi simples. Veux-tu que je te dise, tu me déçois, Geneviève, tu me déçois...

Il prit une voix lointaine :

— La jeunesse est dure aujourd'hui, crois-moi... Il faut que tu voies cette jeune fille... et, quand tu l'auras vue...

Mais que se passait-il? Les lèvres de Geneviève tremblaient. Tout son visage chavirait. Le souffle coupé, au prix d'un effort, elle proférait une réponse absurde qui se perdait en un sanglot :

— Et moi, qui me voit, qui me voit?

Elle pleurait là, dans le métro, prise au piège entre ses jambes à lui, sur cette banquette du fond, s'agitant comme pour se lever, le fuir, et craignant sans doute de se faire remarquer des quelques passagers dispersés dans le wagon. Une scène très désagréable...

Elle avait enfoui dans son mouchoir ce visage de folle qu'il ne lui connaissait pas et elle émettait de petits gémissements qui ressemblaient à ceux d'un jeune chien. Jacques la considérait avec stupéfaction, pitié, dégoût surtout. Sa femme...

Qu'avait-il dit, qu'avait-il fait pour provoquer cette scène? Geneviève était malade. S'il avait pu s'attendre à cela... Jacques essayait de retrouver, dans les heures précédentes, quelques indices de nervosité. Mais non, il ne voyait rien. Geneviève s'était apprêtée comme à l'habitude. Le départ avait été charmant. Les enfants avaient dévalé l'escalier pour les embrasser encore. Dans la rue, Geneviève avait dit « J'aime beaucoup ces dîners de professeurs. Finalement, le milieu universitaire, c'est peut-être celui que je préfère. » C'était incompréhensible. Ils approchaient maintenant d'Odéon. Il allait falloir se lever, descendre... Et elle ne se calmait pas. Eux qui n'étaient déjà pas en avance...

Jacques avait posé une main morte sur le genou de Geneviève, au-dessus de ses jambes qu'elle repliait sous la banquette comme si elle redoutait de le frôler. Il avait posé la main sur le genou de sa femme parce qu'un être humain, s'il n'est pas un monstre, ne peut voir un autre être humain s'effondrer sans le toucher, sans essayer de le ramener, par quelque contact, dans le cercle civilisé où un minimum de dignité s'impose. Mais Jacques n'avait nulle envie de toucher sa femme. Ses yeux bleus, où toute son âme avait affleuré pendant la confession d'Hélène, s'étaient vidés soudain. Froids, fixes, stupéfaits, ils considéraient la forme recroquevillée en face de lui et son unique souhait, sa seule pensée maintenant étaient : Que cela cesse ! Que cela cesse ! C'est odieux.

A Odéon, il fallut bien descendre. Jacques prit Geneviève sous le bras. Elle sanglotait toujours, un peu courbée, misérable dans son manteau de velours dont, pour dissimuler son visage, elle avait relevé le grand col qui dérangeait les mèches de ses cheveux. Le quai était presque désert. Un clochard, la musette au côté, somnolait sur un banc, la tête appuyée sur l'épaule d'une vieille ivrognesse. Geneviève les vit et pensa qu'ils lui étaient en cette minute plus fraternels que son mari. Elle eut même l'impulsion de s'arracher au bras de Jacques et de courir s'asseoir auprès d'eux. Jacques l'installa à l'autre extrémité du quai.

— Mais qu'as-tu? demandait la voix métallique de Jacques. Calme-toi, je t'en prie, calme-toi. Je ne comprends pas. Explique-moi...

Elle ne répondait pas. Jacques, cependant, penché vers elle, tournait la tête de côté et d'autre pour inspecter le quai. Quelques personnes, à présent, attendaient non loin d'eux le prochain métro, lorgnant leur couple du coin de l'œil. La préposée aux tickets les observait aussi, sans se gêner. Le comble serait qu'un de mes étudiants arrive, pensait Jacques. Il regardait sa montre : huit heures et demie... Un dîner chez le doyen. C'était réussi ! Sa patience était à bout.

— Cette scène est grotesque, dit-il calmement. Si tu es malade, il faut le dire et nous allons rentrer. Sinon, mouche-toi, et allons à ce dîner.

Il crut l'entendre qui répondait à travers ses larmes :

— Tu es une brute! Une brute!

Alors la colère le prit :

— Viens, dit-il. Lève-toi. Nous allons rentrer... en taxi.

Elle s'abattit sur son lit toute habillée. Pendant le trajet du retour, elle n'avait cessé de sangloter et elle pleurait à présent avec une calme régularité, sans faire effort pour s'arrêter. Son visage, tout à l'heure gonflé à éclater, se détendait. Le bien-être l'envahissait. La dame du monde avait couché les enfants. Il n'y aurait pas de dîner ce soir. Pas de devoirs envers autrui ce soir. Pas de conversation. Pas de représentation. Relâche. Noyée de douceur, elle entendit Jacques qui téléphonait :

— Je suis navré, monsieur le Doyen, navré... Je ne sais comment vous présenter nos excuses. Au moment de sortir, elle semblait aller fort bien... un malaise inexplicable... Oui, oui, une espèce de faiblesse, d'évanouissement. Non, non, c'est déjà passé... Je vous remercie, mais si vous voulez bien m'excuser, monsieur le Doyen, je préfère rester auprès d'elle.

Elle pleurait toujours, s'étonnant de cette énorme capacité de larmes qu'elle ne se connaissait pas, s'émerveillant presque comme au retour d'une source.

Quand Jacques la rejoignit dans la chambre, elle ne lui en voulait plus. S'il avait dit doucement : « Explique-moi ce qui se passe, à présent », ou mieux, s'il n'avait rien dit, s'il l'avait caressée comme autrefois son père, maladroit devant ses chagrins d'enfant, qui avançait la main à deux ou trois reprises vers sa nuque avant de l'y laisser retomber de son tendre poids...

Mais Jacques s'assit sur le lit voisin :

— J'ai présenté nos excuses au doyen, dit-il. Tu admettras que tu nous mets dans une situation peu plaisante. Prends ta température. Je veux savoir si tu es malade... ou si tu es folle.

Alors elle cessa de pleurer. Elle se leva et répondit d'une voix calme :

— Je n'ai pas de fièvre. Je ne suis pas malade. C'est donc que je suis folle.

— Prends ta température.

Geneviève avait déjà gagné la porte qui menait à la

salle de bains. Elle se retourna, fit face à Jacques et répéta doucement :

— Je n'ai pas de fièvre.

Elle se déshabilla, éteignit la lumière au-dessus de son lit et s'endormit.

V

Le lendemain matin, Jacques prévint Hélène par téléphone que sa femme était fatiguée et qu'ils ne pourraient pas la recevoir. Il s'excusa de ce contretemps avec une certaine sécheresse, mais il ajouta d'une voix résolue : « Voulez-vous qu'en revanche nous nous promenions une heure ensemble au bois de Boulogne? »

Pour cette première rencontre hors du Quartier latin, ils se retrouvèrent à la sortie du métro Muette. Arrivée en avance, Hélène accueillit Jacques avec un élan retenu et un demi-sourire, moue plutôt, mouvement câlin des lèvres qui réussissait à traduire l'abandon, la connivence, la gratitude.

Gêné par les souvenirs de la veille et par ce rendez-vous de gamin, sur le trottoir, Jacques fit aussitôt un geste en direction du Bois :

— Vous aimez la marche, j'espère?

Elle lui emboîta le pas avec un air de soumission heureuse.

Elle portait un imperméable soyeux à col de fourrure qui rehaussait l'éclat de ses yeux jeunes et de ses joues rosies par le froid. Son visage sans fard ne gardait nulle trace de son amertume ni des tristes expériences qui en étaient la cause. Fraîche, veloutée, elle paraissait aussi enfantine que Florence. Humant l'air avec délices, elle promenait alentour un regard content qu'elle ramenait ensuite vers Jacques, comme s'il eût été l'artisan des couleurs automnales et qu'elle lui dût la beauté de ce matin-là.

Jacques avait quitté l'appartement sans dire où il allait, plein de griefs et de chagrin. Mais la marche rapide, la compagnie d'Hélène, la confiance qu'elle lui témoignait et le bien qu'il avait le sentiment de lui faire chassèrent bientôt son oppression. L'innocence de cette promenade dissolvait sa rancune en même temps qu'elle le rassurait : hier avait été un jour néfaste où les femmes étaient tristes. Ce matin était plus favorable. Geneviève avait elle-même téléphoné chez le doyen dans les termes qui convenaient. Elle vaquait maintenant à ses occupations ordinaires. Le drame ne serait pas encore pour aujourd'hui. Avec le sentiment d'apporter sa pierre à l'édification du bonheur humain, Jacques prit l'initiative d'acheter pour le déjeuner du céleri rémoulade qu'il aimait d'ailleurs beaucoup et il soutint à lui seul la conversation pendant le repas.

Le lundi, le rythme familial reprit. Le seul changement perceptible résidait dans un calme inaccoutumé qui tenait à une certaine distance que Geneviève avait mise entre elle et les siens. Elle allait et venait sans se plaindre et sans demander le moindre service à personne. Mais les enfants, soudain, obéissaient à la première injonction, ne couraient plus pieds nus, se tenaient correctement à table et répondaient avec bonne volonté aux questions de leurs parents qui ne se parlaient guère qu'à travers eux.

Cette vie simplifiée dura moins d'une semaine; puis les journées s'encombrèrent de leurs habituelles scories, gestes inutiles, apathie, récriminations, élans de tendresse, tout le confort de la famille puisé au cœur inépuisable de la mère.

Mais Jacques n'osait plus prononcer le nom d'Hélène et elle ne lui en était que plus précieuse.

Quant à Geneviève, d'abord ravagée comme par un raz de marée par la découverte, ou plutôt l'aveu, que Jacques et elle ne s'aimaient plus, elle s'appliquait à une entreprise solitaire et délibérée d'investigation et de reconstruction. Entreprise ardue, décevante, épuisante, qui revenait à chercher la réponse à maintes questions générales auxquelles il n'a jamais été apporté que des solutions individuelles.

Un fait avait éclaté : Jacques était sensible. Or, Geneviève s'était jusqu'alors vaguement consolée de sa froideur par la non moins vague assurance qu'il réservait aux idées toute sa capacité de passion. Elle avait toujours su, et elle l'en admirait, qu'il la sacrifierait, le cas échéant, à une idée. Il apparaissait aujourd'hui que, face à une autre femme, elle pouvait également compter pour peu. Geneviève cherchait les raisons de ce malheur avec une objectivité inefficace et crucifiante. De même qu'elle s'était longtemps refusée à la scène de la femme épuisée, de même, après un unique éclat, elle s'interdisait de jouer les victimes. Si bien qu'elle oscillait entre la tentation de hurler son chagrin et le soupçon qu'elle était seule coupable et que le remède à son mal ne pouvait venir que d'elle-même.

Tu récoltes ce que tu as semé... En amour, tu reçois ce que tu donnes... Dans la vie, on a ce qu'on mérite...

La conscience moderne rejoint les enseignements du christianisme. Geneviève se condamnait.

Mais alors, protestait-elle, mais alors, avec de la bonne volonté, n'importe quel homme et n'importe quelle femme réussiraient... Mais c'est absurde!

Tu t'agenouilles, tu pries et la foi te vient. Tu ne te demandes pas si tu es aimé, tu ne te demandes pas si tu aimes, tu fais les gestes de l'amour et l'amour t'est donné.

Elle s'essayait à la féminité, elle s'efforçait à la sainteté. Mais, pauvre Geneviève, ses gestes manquaient de moelleux, sa gaieté sonnait faux, et elle ne put jamais se décider à formuler la proposition qui, en pareille circonstance, s'imposait : « Alors, ton Hélène, cela te ferait plaisir qu'elle vienne à la maison? »

Pourtant, elle n'était ni jalouse ni curieuse des rapports d'Hélène et de Jacques. Elle ne croyait pas qu'ils étaient amants. Elle n'attribuait guère à Hélène une autre importance qu'accidentelle, assurée qu'elle n'avait fait que dénuder une situation qui existait déjà. C'était cette situation et la nature de ses propres rapports avec son mari que Geneviève explorait non sans un dangereux besoin de vérité. Mais son courage s'arrêtait là. L'évidence de son malheur l'avait frappée à propos d'Hélène. Or, considéré de plus près, ce malheur ne paraissait plus si certain. Car si la présence de l'amour est indubitable, son absence, surtout entre honnêtes gens, se laisse assez bien camoufler. Que signifie d'ailleurs l'amour pour un couple vieux de dix ans? N'est-il pas, moins brûlant que l'amour juvénile, tissé à la vie même? Mais, pour continuer de le croire, il ne fallait pas voir sur le visage de Jacques le feu de l'amour juvénile par une autre allumé. Geneviève avait peur d'Hélène.

Jacques ne paraissait pas s'apercevoir de ses tourments. La crise était passée, la paix revenue. Il ne posait aucune question, ne s'inquiétait de rien. A nouveau s'élevait la longue lamentation intérieure de Geneviève et elle ressassait ses griefs.

« Avec toi, c'est la paix que j'épouse », lui avait dit Jacques en cette première année d'après la guerre où ils s'étaient mariés. La phrase l'avait bouleversée. Aujourd'hui, elle pouvait en sourire avec amertume. Jacques, ce jour-là, n'avait dit que la vérité. Mais il avait omis d'ajouter que la paix n'est pas passionnante. La paix est une fête d'un jour. Ensuite, c'est un état, une fois pour toutes admis.

Après l'agrégation, quand il avait opté pour l'enseignement au lieu de se lancer dans la politique, comme il en était tenté, elle avait été joyeuse. Ils travailleraient ensemble, ils auraient du temps libre, ce serait merveilleux. Dans les premières années de leur mariage elle avait en effet rassemblé pour Jacques de la documentation et dactylographié sa thèse. Jacques l'avait d'abord félicitée, remerciée, puis il avait trouvé cette collaboration toute naturelle et naturel aussi qu'elle lui fît défaut à mesure que leurs charges familiales s'alourdissaient.

Ainsi, sans qu'ils en eussent pris conscience, un partage entre eux s'était établi, Jacques se réservant les travaux de l'esprit et abandonnant à sa femme les tâches matérielles. D'ailleurs, ce que Jacques aimait dans l'enseignement, c'était surtout le succès auprès d'un jeune auditoire. Après sa thèse, il n'avait presque plus rien produit. En revanche, il avait consacré une part toujours plus grande de son activité au journalisme. Chaque jeudi, quand il revenait de sa conversation hebdomadaire avec Taquet, il était tout illuminé. En somme, se disait Geneviève, lorsqu'il m'a choisie et lorsqu'il a décidé d'être professeur, Jacques a choisi contre lui-même. Ce qui le passionne est ailleurs, où je ne peux le suivre.

Geneviève comprenait que les histoires de ménage et les soins des enfants n'ont guère d'intérêt, ne méritent pas qu'on en parle. Mais, comme ils lui prenaient à elle tout son temps, le silence était ainsi tombé sur sa vie.

Aujourd'hui la peur la saisissait devant l'étendue du désastre : sa vie n'avait plus de témoin. Le regard aveugle que les enfants nouveau-nés avaient une fois tourné vers elle en lui prenant le sein, c'était devenu l'éternel regard familial. Et son sein, du jour où Florence s'en était emparée, avait cessé d'être le sein d'une femme. C'est comme si j'étais morte, pense Geneviève, morte en couches, rayée du nombre des femmes pour devenir seulement la mère. Plus de femmes meurent en couches qu'on ne le croit. Elle se découvrait l'impuissance des morts.

Mais n'était-ce pas sa faute encore? Pourquoi n'avait-elle pas travaillé, enseigné, elle aussi, dans quelque lycée au lieu de se laisser dévorer par la maternité? Peut-être n'était-il pas trop tard? Si elle demandait un poste, on le lui accorderait certainement... Hélas! la possibilité d'exercer un métier ne l'enorgueillissait pas. Elle lui apparaissait même comme l'abdication dernière, elle lui donnait envie de mourir.

Dieu, qu'elle était faible et fatiguée! Elle se faisait horreur. Entretenue par son mari, chargée seulement d'un petit rôle social et d'élever deux enfants... Mais, depuis la guerre, les enfants étaient rois. Tout leur appartenait, le temps, les objets, la chair et l'âme des adultes. On avait inventé l'école des parents, et on avait expliqué à ceux-ci qu'ils ne feraient jamais assez pour s'acquitter de cette énorme responsabilité d'avoir donné la vie. Ils devaient tout redresser, le dos, les dents, la plante des pieds, la tendance au mensonge et à la paresse... Vous la voyez, Madame, sa bosse. Eh bien, elle disparaîtra vite si vous surveillez chaque soir sa culture physique... Constatez, Madame, ses dents supérieures avancent. Elle a sucé son pouce... Oh oui, cela est rectifiable... La danse classique est excellente pour les filles, envoyez donc la vôtre chez Mme Gsovsky, rue de Rome, avec la mienne... Pour remédier à une mauvaise orthographe, une seule solution : dictez-lui trois lignes par jour... Mais, puisqu'il est maladroit, il faut justement lui confier des objets fragiles, des tâches délicates, lui faire servir le thé, par exemple... Surtout, surtout, ne laissez jamais une question sans réponse.

L'équilibre de toute une vie exigeait une bienveillance de chaque instant. Une fois qu'une mère était instruite de ces devoirs, comment ne les aurait-elle pas assumés? Transportant sur ses enfants son désir d'absolu, Geneviève s'était pour eux couverte de chaînes. Leur éducation représentait, certes, un travail à plein temps. Ils étaient élevés comme ceux qui ont une gouvernante. A ses dépens. Mais Geneviève devait s'avouer qu'en ce dévouement elle cherchait aussi son propre salut. Eh bien, elle ne l'avait pas trouvé. Mère, nurse, institutrice, épouse, femme du monde, femme de ménage, en elle continuait de brûler une petite flamme avide qui la ruinait et qu'elle entretenait pourtant comme le reste de son orgueil, sa plus secrète raison d'être, son identité même.

En vérité, elle n'avait guère changé depuis les années de l'Occupation où, jeune fille, elle attendait l'amour comme la lumière au bout d'un interminable tunnel. Après les feux d'artifice de la Libération et du mariage, était retombé le camouflage, avaient repris la vie bridée, amortie, et, sous une autre occupation, la même attente.

Peut-être ne suis-je qu'une folle, comme le dit Jacques, pense Geneviève... Comment savoir? Comment savoir si les autres aussi?... Elle lisait les comptes rendus des enquêtes : la vie conjugale est, une fois sur deux, malheureuse, une femme sur quatre trompe son mari — et combien d'hommes leur femme? — les jeunes misent davantage sur la camaraderie, la sécurité, la famille que sur la passion... Ils sont raisonnables, les jeunes. Mais ils ont vingt ans. Quels retours sur eux-mêmes leur réserve la vie? Pour une Française sur deux, les relations physiques sont dépourvues d'agrément... Aujourd'hui, elle se dérobait à ce qui avait été une bouleversante découverte, un surhumain plaisir. Cette victoire-là non plus n'était pas acquise une fois pour toutes. Le plaisir sans l'amour était triste, la charité sans l'amour impossible.

Parfois Geneviève regrettait l'absence d'un confesseur. Elle pensait au psychiatre. Suis-je une folle? Suis-je une folle?

Elle vivait peu dans la compagnie des femmes. Les amitiés de sa jeunesse, fruits du hasard plutôt que du choix, s'étaient dispersées et, depuis son mariage, elle ne s'était liée avec personne. Aujourd'hui, elle évoquait les quelques confidences qu'elle avait reçues pour y chercher un point d'appui, la preuve d'une condition commune, l'assurance que, si elle était folle, elle n'était pas la seule folle, en tout cas. Toutes ses amies, un jour ou l'autre, ne lui avaient-elles pas montré le même visage frustré, exalté, pitoyable, son visage de l'autre soir, dans le métro? Toutes n'avaient-elles pas hurlé l'absence de l'amour?

Simone, l'amie d'enfance, qu'elle croyait sans problèmes, heureuse entre son métier de professeur et sa famille, elle l'avait trouvée une fois assise au pied de son escalier, qui l'attendait comme une pauvresse. Enfuie de chez elle, elle sanglotait : « Marc ne m'aime plus et moi, je ne l'ai jamais aimé, je n'aime personne. » Geneviève l'avait tenue à bout de bras pendant quelques jours, elle avait téléphoné à Marc, il était venu chercher sa femme, ils s'étaient réconciliés et elle les avait remis dans le train, avec dégoût et compassion. Elle était très distinguée, à l'époque, la petite Mme Brincas.

Et ce jour où Laure avait sangloté au téléphone, sans préavis : « Viens, je t'en supplie, viens tout de suite... » Elles n'étaient même pas amies. Leurs relations s'étaient bornées à quelques discussions passionnées dans les cafés du Quartier latin, au temps de la Sorbonne. « Mais, Laure, que se passe-t-il? Je ne peux pas venir tout de suite, je n'ai personne pour garder les enfants... » « Oh, laisse les enfants, viens. » Laure lui avait ouvert la porte en peignoir, décoiffée, les yeux bouffis. Et c'était encore du dégoût qu'elle, Geneviève, avait éprouvé. « Mais, Laure, disait-elle, un homme, pour une femme comme toi, cela n'a pas tellement d'importance. Tu ne comptes pas sur les hommes, tu as du talent, ton art, ta vie personnelle... » Elle montrait du geste autour d'elle les sculptures abstraites. Mais l'autre ne faisait que répéter : « Tu ne comprends rien, tu ne comprends donc rien... J'aurai beau travailler, je ne *finirai* plus jamais rien. » Idiote qui avait mis dix ans à comprendre, en effet, que l'amour est le seul achèvement des femmes.

Et Yvonne, la plus chère et la plus sincère, revenue pour un temps dans son hôtel particulier de Neuilly : « On voit cinq cents personnes par jour et pas une à qui téléphoner pour dire : Je crève de solitude, venez. » Yvonne, avec ses quarante-cinq ans, son visage étroit brûlé par les yeux noirs, la chaîne lourde autour de son cou fripé, sa vie brillante, son mari diplomate : « Je n'ai trompé Léo qu'une fois, avec un homme que je n'aimais même pas. Eh bien, c'est le seul souvenir qui me donne un vrai plaisir. » Geneviève s'était tue, gênée. Yvonne avait souri : « Oh, n'imaginez rien. Ce fut une totale déception... Dégrisée aussitôt qu'entrée dans la chambre... — Mais alors? — Eh bien, je me suis fait un ami, le seul sans doute que je pourrais appeler au secours, en cas de besoin. Et ce jour-là, au moins, j'étais moi-même... — Mais Léo aussi est votre ami, j'imagine que vous pourriez l'appeler au secours... — Que vous êtes jeune, mon enfant... Pour Léo, j'ai perdu le droit à la solitude et au désespoir. C'est mon mari, vous comprenez... »

C'était cela : en se mariant, chacun perdait aux yeux de l'autre son droit à la solitude et au désespoir. L'ultime recours ne se trouvait pas chez les époux. Il y avait là un vice qui tenait à la nature même du mariage.

Geneviève n'avait pas répété à Jacques ces confidences. Elle n'avait pas voulu l'entendre dire : « Ce sont des folles, c'est l'oisiveté qui les détraque... » Et pourtant, elle pensait comme lui, à l'époque, ou presque comme lui.

Mais les femmes de ménage, fertiles en confidences? Ce n'est pas l'oisiveté qui les détraque, elles. Emma Bovary pourtant, Emma Bovary du huitième étage. Faut-il nommer Emma Bovary toutes les femmes? Trichent-elles donc, celles qui font bonne figure, celles qui traversent les plages, les rues et les bureaux, la tête et le sein hauts, fières à la fois de leur féminité et de leur réussite professionnelle, proclamant qu'il faut être contente de son sort ou en changer? Ou bien suis-je une attardée, sommes-nous toutes des attardées, Simone, Laure, Yvonne et moi?

Et les livres, le cinéma, les journaux, de quoi sont-ils pleins, sinon de l'amour? De l'amour plus beau que nature, de l'amour-évasion, de l'amour honteux dont on est l'esclave. Le besoin d'aimer, le malheur de n'être pas aimé, le bonheur d'aimer, le bonheur d'être aimé, le malheur d'aimer, voilà l'expérience la plus générale, apparemment. Mais on dirait que les gens se contentent de la vivre par procuration. L'amour semble n'avoir pas plus de rapport avec l'existence quotidienne que la religion avec la messe pour les catholiques du dimanche...

Ah, se dit Geneviève, laissons l'amour tranquille. Chacun sait que le couple, s'il veut durer, doit se dépasser.

Avec un courage assez désordonné, elle s'appliqua au dépassement. Dans le monde où Jacques la faisait vivre, les belles idées ne manquaient pas. Le jour où elle aurait cessé de chercher à démêler ce que lui chuchotait son infatigable voix intérieure pour accorder enfin une attention généreuse au monde, elle serait sauvée. Elle rejoindrait Jacques et le bonheur viendrait, comme toujours, par surcroît.

Geneviève s'imposa des programmes : elle réduisit le temps qu'elle consacrait au ménage, consciente qu'une partie de ses humbles devoirs ne représentait qu'une forme de paresse mentale. Elle endigua même l'envahissement des enfants, elle lut les journaux, elle trouva le temps de visiter quelques expositions.

Mais, pareille à un oiseau retenu par la patte, elle ne parvenait pas à prendre son envol. Tout lui posait des questions à l'infini. Pour comprendre l'actualité, il fallait le cerveau d'Einstein. La lecture d'un numéro du *Monde* lui prenait tout le temps libre d'une journée. Devant l'art, un instant, elle s'exaltait. Elle sentait le battement d'ailes de l'enthousiasme. Sauvée, adulte, secrétant ses propres raisons de vivre. Elle retombait bientôt, tiraillée, meurtrie, plus fatiguée que jamais, dans l'absence de l'amour.

Une fois de plus, sa mémoire remontait son cours monotone.

Jacques surgissait du passé, normalien prestigieux réservé à quelque femme exceptionnelle, et il lui faisait ce don magnifique de la choisir, elle, petite provinciale perdue dans la foule des étudiants à la Sorbonne.

Elle avait ce jour-là été chargée d'expliquer la *Confession* de Baudelaire. Pendant trois quarts d'heure, le professeur à son côté, elle dans sa chaire, elle avait exposé aux étudiants d'agrégation que « c'est un dur métier que d'être belle femme ». Le trac l'avait vite quittée. Une bonne chaleur au visage, elle parlait sans suivre ses notes, inspirée. La vie l'attendait, et les nuits et l'amour et le métier de femme et tout ce monde poétique, exaltant, auquel sont promises les Antigone. Le professeur avait un regard très humain, mi-amusé, mi-ému. A la fin, quelques étudiants avaient applaudi.

Au moment où elle franchissait le seuil de la salle, le cours fini, Jacques Brincas avait fendu la foule pour la rattraper, avec cette allure particulière qu'il adoptait à la Sorbonne, suivant les cours qui lui plaisaient, abordant qui lui chantait, homme revenu s'asseoir après deux ans de Résistance parmi les étudiants.

Il avait abaissé sur elle son regard bleu ; il l'avait examinée avec sérieux, presque avec respect, et lui, jongleur de mots, jongleur d'idées, il avait prononcé des paroles naïves : « Comme c'était bien, votre explication ! Je ne l'oublierai jamais. Désormais, vous incarnerez pour moi la *Confession.* »

A l'époque, Jacques était toujours vêtu, comme à la hâte, de costumes lâches, mal boutonnés, mal repassés. Était-ce la pénurie de bons tissus qui sévissait encore en cette première année d'après la guerre? Était-ce seulement la jeunesse? On n'aurait pu, en tout cas, deviner qu'il serait si vite sanglé dans ces costumes bleus à rayures qui étaient devenus son uniforme.

Et pas davantage n'aurait-on pu prévoir — ou bien il aurait fallu un autre œil que celui d'une fille de vingt-deux ans — qu'avant la trentaine sa maigreur romantique se transformerait en sécheresse et que ses yeux bleus rêveurs étaient capables de jeter des éclairs noirs ou de prendre la transparence d'une vitre.

Ainsi abordée et félicitée, elle s'était empourprée davantage. Mais elle n'avait pas été surprise. C'était un de ces jours où le merveilleux paraît naturel. Elle avait levé vers Jacques son visage resté enfantin : « Vrai? »

Ensemble, ils avaient descendu le boulevard Saint-Michel où clignotait le néon, s'entrecroisaient, s'entrecoupaient les groupes et les races, toute une jeunesse resurgie de la guerre, anonyme, unanime, vague non encore canalisée, qu'ils fendaient côte à côte.

Du même pas, ils avaient longé les quais, puis ils avaient gagné des marches qui menaient à la Seine. L'appel qu'elle avait lancé dans un amphithéâtre de la Sorbonne se répercutait dans la nuit parisienne. Oh! puissance du Verbe : cette nuit, Baudelaire la leur donnait! Jacques avait glissé son bras sous le sien. Jamais elle ne revivait sans frémir cet instant de leur premier contact. Lentement, avec précaution, ils avaient descendu l'escalier comme si de ce mouvement accordé dépendait leur destin. En bas, Jacques lui avait barré le passage et, posant les deux mains à plat sur ses épaules, il l'avait immobilisée sur la dernière marche. A droite, tremblait le fleuve diapré. Dans le ciel, « comme une médaille neuve, la pleine lune s'étalait ». Un homme appelait son chien, lançait une pierre; l'animal dérapait avec un crissement de ses griffes sur le pavé, s'arrêtait, repartait, aboyait. Leurs deux têtes à la même hauteur, Jacques et Geneviève se regardaient sans sourire. Sans sourire, il l'avait embrassée. C'était décembre. Le froid aux joues, toute la chaleur du monde dans la bouche et dans le cœur, elle n'avait même pas bougé quand deux hommes qui descendaient derrière eux avaient contourné leur groupe avec des commentaires obscènes.

C'était sur ce malentendu, sur ce baiser à Baudelaire, que toute leur vie s'était bâtie, de cet enthousiasme enfantin, de cet acte aveugle qu'étaient nés Florence et Nicolas. C'était parce qu' à vingt ans elle avait expliqué en Sorbonne que c'est « un dur métier que d'être belle femme », qu'elle avait été exclue du métier de belle femme, embarquée dans une existence toute maternelle et ménagère, engagée dans un dévouement dont elle n'avait même pas conscience et qu'elle avait, des années durant, décoré du nom d'amour. Jamais plus Jacques ne l'avait considérée avec ce regard sérieux du premier soir, qui s'arrêtait bien à elle, dont elle avait cru qu'il s'arrêtait bien à elle, ce regard seulement charmé de voir palpiter dans une jeune fille un poème. Jamais plus.

Mais, Jacques, elle, le voyait-elle? S'intéressait-elle à lui? Que savait-elle de l'homme qu'il était devenu? Il pouvait lui adresser les mêmes reproches.

La différence, c'était qu'il ne paraissait pas avoir besoin de son regard sur lui. Il allait son chemin, rutilant, qu'elle le vît ou non. Il parlait, qu'elle l'écoutât ou non. Il y avait toujours, dans les amphithéâtres, les yeux d'Hélène Fortier; au journal, Taquet; dans les salons, une attention flatteuse pour le faire exister. Elle n'avait pas de prise sur lui.

Ces pensées que Geneviève roulait dans la nuit ne pouvaient même pas être communiquées à Jacques. Il ne voulait plus entendre parler d'elle et du couple qu'ils formaient ensemble. La paix est sans histoire.

Eh bien, moi aussi, j'existerai sans Jacques, se promit Geneviève. Moi aussi, je suivrai ma pente personnelle. C'est d'ailleurs notre seule chance.

Il lui arriva de refuser certaines sorties du soir pour se coucher tôt et lire davantage. Mais, dès les premières pages, elle s'endormait. La littérature lui paraissait un art d'agrément : il fallait avoir l'esprit libre pour s'y intéresser. Les romans déversaient des pages et des pages d'invention fausse en échange d'une phrase, d'un mot — le « tu pleures? » du Père Grandet — par où était enfin mise à nu la simple, irrémédiable condition humaine. Les ouvrages dits sérieux, de critique ou d'histoire, lui apparaissaient comme des variations autour d'un thème qui restait à découvrir, en vérité les ouvrages les moins sérieux qui soient, bons à « orner l'esprit », semblables à ces feuilles chétives qui poussent sur les branches blessées. Mais c'était parce qu'elle manquait de sève. Jacques, lui, en faisait bon usage... Le domaine des idées pures lui était fermé. La philosophie, où peut-être résidait le secret qu'elle cherchait, la rebutait par son vocabulaire.

Parfois, elle s'éveillait au milieu de la nuit sans éprouver de goût pour rien. Elle avait cent ans. Elle n'était personne. Le monde était une planète morte. Et l'absurdité de la vie ne rendait pas celle-ci pour autant supportable. Elle se demandait si elle aurait le courage d'attendre la fin de cette épreuve. Au matin, elle retrouvait Florence et Nicolas et le goût de leur chair.

Les paroles de Jacques lui revenaient à la mémoire : « Tu es obsédée par tes petits problèmes... Ta vie est faite... Petite bourgeoise, tu me déçois... »

Elle se décevait aussi. Elle ne s'aimait pas. Et, si elle n'était pas heureuse avec ces beaux enfants et ce mari brillant, c'était parce qu'elle ne savait pas les aimer. Elle méritait un châtiment. Parfois, ses rêves le lui infligeaient. Elle s'éveillait, haletante, une barre au milieu des avant-bras, d'où s'irradiait la douleur jusqu'au coude et à l'extrémité de ses doigts; l'eau venait, en rides circulaires, de se refermer sur Florence. Avec la même aiguille, Nicolas s'était transpercé l'index et crevé l'œil. Oui, son œil était bien crevé, la prunelle blanchissait peu à peu. Geneviève avait le temps de penser : on pourra certainement lui fabriquer une prunelle en plastique, toute pareille à l'autre ; ce n'est pas possible, on me rendra les beaux yeux de Nicolas, avant de prendre conscience que son fils dormait dans la chambre voisine, que rien n'était arrivé, rien ne lui était repris et rien n'était donc à lui rendre. Après ce rêve, elle éprouva un tel soulagement, une si grande honte d'elle-même, qu'elle quitta son lit et rejoignit son mari dans le sien. Il dormait. Elle se glissa dans sa chaleur, dans son odeur. C'était si simple... Il n'y avait plus de problème, plus de recherche exténuante, plus de passé à remonter, plus d'avenir à forcer. Il suffisait de se laisser aller à la pente la plus douce, à l'amour conjugal, de ne rien dire, de s'en remettre à la nuit bénévolente.

Elle posa sur la poitrine de Jacques, avec toute la tendresse du monde, ses deux mains encore douloureuses du rêve qu'elle avait fait. Souriante, elle mit sa tête contre l'épaule de Jacques. Sa force l'envahissait, vague bienfaisante. Il dégagea un de ses bras pour le passer autour de son corps. Elle attendait que ce bras se referme. D'une pression des doigts, Jacques allait lui dire : « Je comprends, va, c'est un dur métier que d'être une mère. Et c'est épuisant de jouer les adultes. Mais il est un lieu où tu es petite, toi aussi, protégée. Je suis ce lieu. »

Il n'y eut pas de pression. Jacques avait seulement basculé et c'était lui qui reposait, inerte, sur l'épaule de Geneviève qui suffoquait un peu.

Tandis qu'il restait immobile sur elle immobilisée, elle commençait à percevoir sous l'étoffe douce les pulsations de son désir. Savait-il quelle femme était dans son lit? Pensait-il que Geneviève lui était rendue? Rêvait-il seulement? Et d'une autre?

Ils ne prononcèrent pas une parole. Geneviève était venue rejoindre son mari. Ce fut le plaisir qu'elle trouva. Un plaisir nouveau, arraché du fond de son être et pourtant anonyme, l'équivalence victorieuse et brève d'une mort à soi-même qui fut aussitôt suivie d'un morne désespoir. Elle savait que leur union de cette nuit était un adieu.

Cet homme qui s'était rendormi ou feignait de s'être rendormi à son côté, un bras toujours jeté en travers de sa poitrine à elle qui, les yeux grands ouverts, ne bougeait pas et pouvait être prise aussi dans la nuit pour dormante, elle l'avait à jamais perdu en cette désespérée tentative qu'elle avait faite pour le rejoindre et où le corps, un instant génial, avait remplacé l'âme frustrée. Deux instruments, voilà ce qu'ils venaient d'être l'un pour l'autre et, maintenant, en dépit de ce bras qui les liait encore, côte à côte allongés, qu'étaient-ils, sinon deux gisants? Geneviève gisait, détentrice d'un pouvoir désormais sans emploi.

Un doute la traversa. Et si Jacques ne dormait pas plus qu'elle, s'il se heurtait, lui aussi, à quelque imaginaire barrière, s'il leur fallait des mots pour se comprendre?

Elle chuchota : « Jacques... »

Il ne dormait pas en effet, car il répondit aussitôt dans un souffle :

— Fais attention... Sauve-toi, sauve-toi vite.

VI

— J'ai demandé à Hélène Fortier de venir à la maison, en fin d'après-midi, samedi. Si le jour ne te convient pas, nous pourrons le changer. Je pense que tu veux bien la recevoir, maintenant...

Jacques avait achevé sa phrase avec un petit sourire mi-tendre, mi-moqueur que Geneviève lui avait rarement vu.

Il n'avait jamais aimé, ou jamais su, mêler la vie diurne et la vie nocturne. Ce « maintenant » serait sans doute la seule allusion qu'il ferait à l'événement de la nuit précédente. Elle lui avait coûté, ainsi qu'en témoignaient le bleu plus vif de ses prunelles et la rougeur légère qui colorait son visage. Mais sans doute avait-il voulu marquer à Geneviève de la reconnaissance, sceller leur réconciliation, indiquer qu'on repartait du bon pied, comme avant. Soit, on repartait, dans le malentendu, comme avant. On repartait, dans le compromis. Au moins l'un des deux, à présent, le savait.

Parce qu'elle n'aimait pas le mensonge et qu'elle ne se résignait pas non plus si vite au fait que leur commun échec ne fût pas entre eux mis à nu, considéré d'un commun regard, admis en toute amitié, elle eut envie de dire : tu te trompes, Jacques. Depuis cette nuit, je sais au contraire que je ne t'aime plus. Et je sais aussi que tu ne m'as sans doute jamais aimée, pas comme j'aurais voulu, en tout cas... Une vieille histoire bien connue, et finie.

Elle regardait Jacques. Il était presque beau, il avait

l'air très jeune. Elle pensa que sa rougeur, l'éclat de ses yeux venaient peut-être moins de l'allusion à la nuit précédente que de l'attente où il était de sa réponse. Il avait une rude envie qu'Hélène Fortier vienne chez eux. Elle n'y viendrait pourtant qu'avec son consentement à elle, Geneviève.

C'était ce consentement qu'il guettait et il se moquait bien du reste. Le « cas Hélène Fortier » le passionnait. Il était à mille lieues du « cas Geneviève Brincas ». Oui, pensait Geneviève, je n'existe pour Jacques que dans la mesure où je suis un obstacle, comme en ce moment. Je ne peux plus lui donner de joie, ni de chagrin, que par *personne interposée.* Il n'attend de moi que le calme. C'est peut-être cela, en définitive, le sens du mariage et son merveilleux pouvoir : donner le calme. Le malheur, c'est que le calme ne me suffit pas. Pas encore. Et, après tout, il ne lui suffit pas non plus, puisqu'il s'encombre de cette Hélène Fortier. Bah, je la connais par cœur, ton Hélène Fortier. Si tu savais comme elle est pareille à moi... C'est d'une monotonie! Toutes les jeunes filles se ressemblent, et toutes les femmes. La différence n'est que dans la présentation. Je ne peux rien pour elle, et elle n'a certainement nulle envie de me voir. Du temps gâché. Du temps perdu à préparer une entrevue manquée. Mais quelle importance? Quelle importance désormais le temps perdu, les présences entre nous?

Il attendait sa réponse, le regard fixe à présent, le visage crispé. Elle n'avait pas envie de lui faire de la peine. Elle eut l'intuition que, le plan de l'amour abandonné, s'ouvrait un monde de dissimulation gentille, de services réciproques. Jacques l'attendrissait. La proie des conventions. Parce qu'elle avait été une jeune fille libre qu'il pouvait épouser, il avait cru naguère l'aimer, mais en vérité, c'était une disciple qu'il cherchait en elle, la bonne analyste de la *Confession* et, aujourd'hui, à l'inverse, il était amoureux de son étudiante. Mais il aurait été bien surpris, et choqué, si elle le lui avait dit. Eh bien, elle ne le lui dirait pas. Et elle la recevrait, son Hélène Fortier, si cela pouvait lui faire plaisir. Hélène Fortier et la terre entière.

Elle dit :

— Si nous invitions aussi les Armand...

Jacques sourit :

— Maintenant, c'est toi qui en rajoutes et qui veux te mettre sur les bras une vraie réception. En vérité, je voyais les choses autrement, pour la première fois où Hélène viendrait chez nous... Mais comme tu veux... — Il réfléchit une seconde, lui jeta un coup d'œil aigu afin de vérifier qu'elle était bien en excellente disposition. — Et alors, j'y pense, si je demandais aussi à Aubin...

— Aubin?

— Un ami des Armand. Un type très bien. Un franc-tireur de l'archéologie. Toujours par monts et par vaux. Il est de passage à Paris. Mais il repart dans huit jours pour Istanbul où il étudie les tablettes sumériennes au musée des Antiquités orientales. Un homme très séduisant. Il te plaira beaucoup.

Il te plaira beaucoup... Elle lui donnait Hélène. En échange, il lui offrait cet Aubin. Pour quelques heures. Pour sortir de l'ennui où ils s'enlisaient côte à côte. Pour que la vie fasse à nouveau des étincelles. Et déjà, il s'était replongé dans la lecture du *Monde*, puisque cette petite question était enfin réglée, d'une manière simple, comme elle aurait dû l'être depuis longtemps.

Il te plaira beaucoup... Geneviève avait pris un livre, mais elle ne lisait pas. Les mots mêmes de son frère autrefois, qui voulait toujours lui faire épouser ses amis : il te plaira beaucoup... Mais, prononcés avec ardeur, ils enfermaient alors pour elle tout le mystère et tout l'espoir de l'avenir.

C'était, pour Stéphane, une façon de la donner et de la garder. Mais Jacques, lui, ne voulait ni la donner ni la garder. Il l'avait installée dans son existence comme un objet, comme les fauteuils Louis XV de ses parents, auxquels il ne tenait pas, qu'il ne voyait même pas, qu'il ne changerait jamais. Un objet, une morte, un robot, voilà ce qu'avait fait d'elle cet homme généreux qui s'enflammait si bien pour toutes les belles causes. Ah, il pouvait parler des colonies et des pays sous-développés. La colonie, le pays sous-développé, c'était elle.

A nouveau, Geneviève ramena son regard vers Jacques. Il était assis de l'autre côté de la table, à un mètre d'elle. Apparemment, il était tout entier à sa lecture. Si désarmé, si loin de sa colère... Bah! elle demandait la lune. Il fallait se résigner à la clarté de la lampe familiale. Jeune, sous une autre lampe, elle avait rêvé : la vie... Mais qui avait une vie? Quelle femme en tout cas pouvait espérer mieux que de la transmettre, que de mourir à soi-même dans un absorbant amour d'autrui?

Jacques venait de tourner plusieurs feuilles de son journal. Mais son attention ne s'était pas relâchée. Il n'avait fait que chercher la suite d'un article commencé en première page.

Soudain, il ne l'irritait plus. Au contraire, elle l'enviait. Tout soucieux qu'il fût d'Hélène Fortier, il n'en était pas moins présent à ce qu'il faisait. Ses journées étaient pleines comme celles d'un bon ouvrier. Pourquoi n'était-elle pas comme Jacques? Pourquoi était-elle toujours un peu ailleurs que dans l'instant? Pourquoi ruminait-elle en ce moment au lieu de lire le livre ouvert devant elle? Tout le mal venait d'elle. Si elle avait été comme Jacques, il n'y aurait pas eu de distance entre eux, pas de vide. Si elle était comme Jacques... A nouveau, elle eut envie de franchir cet espace qui les séparait, de faire le tour de la table, de s'agenouiller devant son mari et de poser la tête sur sa cuisse... Mais elle vit d'avance son froncement de sourcil, son œil froid. Non, ces gestes-là ne lui étaient plus permis. Ces gestes-là, il les recevrait des Hélène Fortier. Alors quoi, si elle était comme Jacques? Si elle était comme Jacques, il y aurait le même vide entre eux, avec cette seule différence qu'elle ne le saurait pas.

Était-ce la lumière qui avait baissé depuis quelques secondes? Il lui semblait que la tête de Jacques s'était amenuisée, s'amenuisait toujours, devenait petite comme si elle l'observait par le mauvais bout d'une jumelle. La tête de Jacques était à l'extrémité d'un rayon lumineux frangé d'une grisaille que mangeaient d'innombrables corpuscules en mouvement. La lampe était-elle grillée?

— Tu peux lire, Jacques?

Jacques lève le front et soudain il est à un mètre d'elle, de nouveau, et la lumière redevenue normale. Il a l'air surpris. Pas tellement surpris :

— Oui... pourquoi pas?

Geneviève passe une main sur ses yeux :

— Il me semblait que la lumière allait s'éteindre.

— Non, dit Jacques.

Ainsi que Jacques le lui avait demandé, Hélène arriva en avance le samedi, afin « d'avoir le temps de faire connaissance avec Geneviève et les enfants ».

En dépit du calme souverain dont elle s'était cru détentrice, Geneviève avait attendu son coup de sonnette avec nervosité et pendant que Jacques allait accueillir la jeune fille et l'aidait à se débarrasser de son manteau, elle ferma et rouvrit plusieurs fois le livre qu'elle tenait à la main, hésitant à rester assise, comme absorbée dans sa lecture, — elle aurait déposé son livre d'un geste aisé, elle se serait avancée, les mains tendues : « Ah, vous voilà, je suis si contente... » — ou à se lever déjà, prête à l'accueil, et raide, comme elle fut.

Hélène entra dans le salon, en robe de velours rouge à jupe si ample qu'elle passa dans la porte avec un doux froissement de tissu et darda sur « Madame Brincas » le regard de ses yeux noirs élargis au crayon. En dépit de ses ballerines, elle dominait Geneviève de plusieurs centimètres. Quand elle s'assit, elle découvrit la dentelle de son jupon bouffant.

Geneviève s'était coiffée avec un soin particulier. Elle avait ménagé près de son visage quelques ondes de cheveux qui adoucissaient la ligne stricte de son chignon plat. Elle portait une robe en lainage gris, très simple, boutonnée de haut en bas, et dans laquelle elle se sentait à l'aise.

Elle s'empressa. Mais toutes les phrases banales — et comment en trouver d'autres alors que s'imposait ce qui ne serait jamais dit et sur quoi, sans le savoir, l'éclatante jeune fille avait jeté sa lumière cruelle? — toutes les phrases aimables : « Jacques m'a beaucoup parlé de vous... Je suis contente de vous connaître... Je lis votre diplôme... c'est très remarquable », toutes les politesses s'aplatissaient, s'anéantissaient, telles des gouttes d'eau absorbées par un terrain spongieux. L'autre écoutait, avec son visage fascinant, et ne répondait guère. Elle existait, c'était tout : l'une parmi tant de filles sorties tout achevées, tout armées de la guerre. Elle était intelligente. Ses études le prouvaient. Elle était vulnérable. Ce qu'en rapportait Jacques l'attestait. Mais elle avait quand même un air de brute qui rejetait les Geneviève Brincas dans le décor, avec les fauteuils à la tapisserie trouée et la peinture défraîchie des murs. Toutes les jeunes filles se ressemblent, et toutes les femmes... La différence n'est peut-être en effet que dans la présentation, mais elle est irréductible. Hélène possédait d'excellentes manières, mais il semblait qu'elle n'eût jamais appris à se mettre en frais. Droite sur son siège, la poitrine bien placée, l'estomac plat, figée, elle se disait peut-être qu'elle était trop habillée pour la circonstance. Elle avait sans doute déjà jugé et condamné l'ensemble de ce qu'elle voyait.

Les enfants avaient fait leur apparition. Ils béaient. Arrivé au terme de ses efforts, Jacques rayonnait. Geneviève était seule à parler et à s'agiter :

— Mais, puisque les autres tardent, je vais servir le thé. Oui, tu vas m'aider, Florence, tu offriras le sucre. Non, pas toi, mon gros chéri... Mais, peut-être préférez-vous une boisson à l'eau, mademoiselle, un whisky, par exemple...

Quel soulagement d'entendre un nouveau coup de sonnette et les gloussements de René Armand dans l'entrée! Quelle joie de voir apparaître des êtres humains! Mica, petite, grise, en chandail, l'exubérant René, et cet homme qui les accompagnait... Mon Dieu!... C'était sûrement un bel homme. Mais c'était bien mieux. Ah! oui, il plaisait à Geneviève. Il lui plaisait entièrement. Il promenait autour de lui son expression bienveillante. D'un coup d'œil, il embrassait la pièce et ses occupants et chacun y prenait sa place et ses proportions. Il se penchait sur Nicolas avec le sourire amusé, attendri, émerveillé, que tout adulte qui sait voir devait décerner à Nicolas. Il saluait Hélène avec la lueur de surprise un peu moqueuse qui convenait à sa robe rouge et à son jupon. Il questionnait Florence et, bien qu'il lui dît « tu » et que, mystérieusement, pour la première fois de sa vie, elle répondît par « vous », il semblait qu'il fût, des deux, l'intimidé.

— Eh bien, disait Mica, il faut qu'Aubin soit de passage à Paris pour qu'on voie les Brincas. Je n'ai pas mis les pieds dans cette maison depuis les vacances.

Aubin appartenait à une race qui attirait Geneviève depuis toujours et dont elle avait, jadis, rêvé de posséder un spécimen pour père, puis pour mari. Harmonieuse, empruntant à la beauté certains de ses traits, mais s'accommodant de défauts physiques et du vieillissement, aussi répandue que la beauté mais aussi rare dans ses incarnations individuelles, cette race était dès le premier abord reconnaissable à la grâce du naturel. Bruns ou blonds, gris ou chauves, plus ou moins jeunes, plus ou moins beaux, Geneviève en avait parfois rencontré des exemplaires dans la rue, dans le métro, dans les salons, mais jamais il ne lui avait été donné d'en approcher un de très près. Les hommes de cette sorte lui semblaient appartenir à la fois à une espèce supérieure et au règne animal, évoluant avec la liberté des bêtes nobles et s'exprimant plus par gestes, attitudes et regards que par la parole.

Geneviève profita de l'agitation pour chuchoter à l'oreille de Jacques : « Qu'il est beau, cet Aubin! » Et Jacques, avec un sourire de connivence, répondit : « Je t'avais bien dit qu'il te plairait. Comment trouves-tu Hélène? »

Du moment où les Armand et Pierre Aubin étaient arrivés, Geneviève n'eut plus à se soucier de ses hôtes. Ils déplaçaient les fauteuils, ils se servaient eux-mêmes, ils neutralisaient à la fois la pauvreté du décor et le luxe d'Hélène.

De tous, Armand était le plus bavard. Professeur de grec à la Sorbonne, il gardait à cinquante ans une apparence presque enfantine, due à sa petite taille, à la vivacité de sa physionomie et à la fraîcheur de son rire. Mica, sa femme, aussi petite que lui, le visage poupin, sous des cheveux gris et drus coupés court, se mêlait parfois à la conversation dans un français dont la perfection seule décelait son origine étrangère. Pierre Aubin semblait la considérer et l'écouter avec une particulière amitié. Mica avait quatre enfants, mais elle accompagnait Armand partout, en fouilles, en tournées de conférences, couchant des mois sur un lit de sangles à la maison de l'École française à Délos, campant une année parmi des caisses à Washington. Bien qu'elle eût beaucoup appris au passage, elle restait dans un rôle complémentaire auprès de son mari, dont elle écoutait les brillantes improvisations avec une inlassable ferveur. Geneviève aurait bien voulu savoir si le fait qu'ils étaient nantis d'une grand-mère efficace et d'une nurse fidèle avait préservé l'union de ce couple en laissant à Mica sa liberté de pensée et de mouvement, ou si l'amour, en toutes circonstances, eût triomphé chez deux êtres exceptionnels.

Hélène, seule, restait contractée.

Elle découvrait la jalousie des êtres jeunes pour les adultes. Le Jacques qu'elle aimait, le professeur, l'errant du Quartier latin, n'était pas le vrai Jacques, ou, du moins, il n'existait que quelques heures par jour. Et que pesaient ces heures en échange de tout le temps, de toutes les nuits qu'il passait ici, dans ce domicile médiocre, auprès de cette femme et de ces enfants?

Elle n'a même pas été capable de mettre des doubles rideaux dans son salon, pensait Hélène. Et ce lustre ridicule, ce divan triste... Avec un éclairage indirect, quelques coussins, la pièce serait transformée.

La réception du samedi porta un rude coup au prestige de Jacques auprès d'Hélène. Il semblait si fier de ses enfants que c'en était irritant. Il bêtifiait avec eux, prenait Nicolas sur ses genoux, faisait virevolter sa fille autour d'Hélène, observait celle-ci d'un œil mouillé, quêtant une approbation. Mais Hélène ne lui donnait pas son approbation : droite sur sa chaise, silencieuse, correcte, elle réprouvait tout, le cadre, les enfants, que leur mère aurait dû renvoyer dans leur chambre, et cette jeune femme distinguée, oui, et même encore belle, qui possédait Jacques Brincas avec une froide assurance. Elle souffrait chaque fois que Geneviève tutoyait son mari et elle aurait voulu se boucher les oreilles pour ne pas entendre les « mon chéri » dont celui-ci décorait chacune de ses phrases à elle adressées. Elle se rappelait le ton particulier que Jacques prenait quand il parlait de sa femme : « Il faut que je rentre, Geneviève s'inquiète vite. » — « Je crois que Geneviève comprendrait cela. » — « Dommage que les enfants aient empêché Geneviève de passer l'agrégation! » — « Geneviève » — « Geneviève ». Eh bien, quand on avait la chance d'être marié à une Geneviève, d'habiter un paradis Porte de Saint-Cloud et d'être le père de deux prodiges, on laissait les Hélène Fortier tranquilles. Elle se demandait pourquoi Jacques avait tellement tenu à lui infliger ce supplice de l'introduire dans sa citadelle familiale et de s'y montrer si domestiqué. Car « Mme Brincas » le traitait presque de haut : elle ne paraissait pas sensible à ses « mon chéri », semblait trouver tout naturel qu'il esquissât le geste de se lever chaque fois qu'elle lui offrait une tasse ou une cigarette. Une femme qui ne connaît rien de l'existence, se disait Hélène, en lorgnant avec envie le coin où se tenaient les Armand et Pierre Aubin tandis qu'elle se trouvait cernée par cette famille heureuse. Une femme qui n'a jamais eu de problèmes et qui n'en aura jamais. Elle a trouvé tout naturel de décrocher Jacques Brincas à la loterie du mariage et de l'enfermer dans un petit bonheur bourgeois. Il ne doit pas être tellement heureux, le pauvre garçon. Ce que j'en aurais fait, moi, d'un Jacques Brincas!

Je déteste ces marques extérieures du respect chez Jacques, pensait Geneviève, surtout ces « mon chéri » qu'il ne me décerne jamais lorsque nous sommes seuls et qui passent à travers moi pour viser Hélène. Tout à l'heure, quand les invités seront partis et qu'il ne restera plus ici que des mégots et de la vaisselle sale, j'irai, comme une ombre, de cette pièce à la cuisine. Jacques écoutera la radio en lisant son journal. Je donnerai leur bain aux enfants et quand je dirai à Jacques : « Si nous ne dînions pas ce soir ...», il me répondra en bâillant : « Oh, pas besoin de manger beaucoup, mais j'avalerai tout de même bien un peu de potage et une tranche de jambon. » Et puis, quand les enfants seront couchés, il me parlera de cette jeune fille... à moins que je ne lui fasse plaisir en lui parlant d'elle la première.

Cette jeune fille, Geneviève continuait à l'observer avec une attention douloureuse, sans pitié pour elle-même. Bien mieux que Jacques, elle remarquait la netteté du contour des yeux, la vitalité de la chevelure, le velouté des joues, toute cette jeunesse où l'artifice ne servait qu'à souligner la beauté, et les hanches bien étroites au-dessus des jambes souples.

La jeunesse d'Hélène lui paraissait le bien le plus enviable au monde. A côté d'elle, elle s'avouait décatie, inapte à la lutte. Cet air enfantin, sur le visage de Jacques, c'était le reflet de la jeunesse d'Hélène. Quoi qu'elle fît, elle n'aurait plus jamais le pouvoir de donner à Jacques cette expression-là. A Jacques, ni sans doute à personne. Elle ne serait plus jamais jeune. Et sa propre jeunesse, inefficiente, s'était évanouie dans les limbes. Quand Jacques avait vingt-cinq ans, une fille de vingt, pour lui, c'était tout naturel... Mais aujourd'hui...

Geneviève entrevoyait là l'occasion d'un désespoir dont elle pourrait ne jamais guérir.

Mais cependant qu'elle souffrait du jeu qui se menait entre Hélène et Jacques, elle embrassait toute la scène où le principal personnage était Pierre Aubin.

Il ne lui avait pas encore adressé trois paroles et elle essayait de vérifier que sa première impression ne l'avait pas trompée, de comprendre pourquoi la seule apparition de cet homme lui avait causé un tel bien-être.

— Ribet, demandait Mica, c'est celui qui écrit dans *L'Express?*

— Oh! non, oh! que non, répartit René Armand. Il écrirait plutôt dans *L'Omnibus!*

A ce moment, Pierre Aubin éclata d'un rire si joyeux que Jacques, Hélène et les enfants se tournèrent aussi vers lui. Le rire de Pierre Aubin n'avait pas cette nuance aigrelette ou complice qui accompagne souvent les rires des intellectuels. Ce n'était pas un rire de clan.

René Armand s'en prit ensuite à une collègue de la Sorbonne connue pour ses ambitions littéraires et son manque d'exactitude :

— Pour celle-ci, dit-il, l'heure du génie n'a pas encore sonné, mais le génie de l'heure non plus!

— Mais si, l'heure du génie a sonné, lança Jacques. Vous n'avez pas lu la critique de Montel à propos de son dernier roman! Il la compare à la fois à Mozart et à Benjamin Constant!

— C'est notre Benjamine Inconstante...

Un autre observateur que Geneviève aurait sans doute jugé Armand plus brillant qu'Aubin et peut-être l'était-il en effet. Pierre Aubin ne disait rien de « spirituel ». Mais, quand la conversation passa de l'anecdote à des questions de métier, ce fut au tour d'Armand de l'écouter avec un vif intérêt.

Jacques, toujours avide de s'instruire, semblait, pour une fois, s'être donné vacances. Fuyant la discussion technique, il accaparait Hélène... Sans même lui adresser directement la parole, il l'accaparait avec sa joie...

Geneviève devinait qu'après avoir joué pour elle le rôle du « maître » et de l'ami éclairé, il lui faisait à présent hommage de ses joies humaines en jouant les pères comblés. Et elle savait qu'Hélène n'appréciait pas ce rôle. Elle observait les yeux noirs où luisait la colère, le sourire forcé qui accueillait les reparties de Florence, désireuse de briller devant la belle étudiante de son père. Elle en voulait à Jacques de se montrer à la fois si naïf et si cruel, elle aurait battu Hélène Fortier qui lui refusait l'adhésion qu'il quêtait et qu'une adulte lui aurait donnée. En présence de ces deux êtres maladroits, elle s'éprouvait vieille et pleine d'une triste sagesse. Elle avait envie de dire à Jacques : « Cesse, je t'en prie, cesse de faire l'enfant, cesse de faire le paon. Tu vois bien que ça ne lui plaît pas! » Et de secouer Hélène : « Mais accordez-lui donc l'admiration qu'il réclame, ne lui gâtez pas son plaisir, petite sotte! »

Ce fut au moment où, comme une flèche, ce « petite sotte » lui traversait la cervelle que Geneviève sentit sur elle le regard de Pierre Aubin. Et il y avait dans ce regard tant de perspicacité et tant de gentillesse que, cessant d'avoir cent ans, elle en eut soudain cinq et rougit jusqu'aux oreilles. Elle sut que son visage avait frémi et se demanda si Pierre Aubin s'en était aperçu.

Elle devait se demander longtemps après cette journée, longtemps après que Pierre Aubin eut regagné Istanbul, s'il se souvenait comme elle de ce regard, si ce sentiment qu'elle avait, d'avoir été pénétrée, d'avoir trompé son mari chez lui, en plein salon, ne venait que de son imagination malade.

Ce fut en tout cas un instant auquel elle se reporta souvent par la suite, et toujours elle retrouvait, l'évoquant, le même choc délicieux, un émerveillement qui ne s'usait pas. C'était le plus beau cadeau que la vie lui eût fait depuis longtemps.

VII

Quelques jours plus tard, alors que Jacques était déjà couché et que Geneviève achevait de se préparer pour la nuit, le téléphone sonna.

— Pourrais-je parler au professeur Brincas?

— De la part de qui?

Elle perçut, à l'autre bout du fil, un halètement, comme de quelqu'un qui souffre, hésite, reprend son souffle. Il lui sembla entendre battre à grands coups un cœur et le sien s'arrêta :

— De la part de qui?

Le silence oppressé se prolongeait.

— Oh, c'est personnel.

La voix était jeune... un étudiant de Jacques, peut-être...

— Un instant...

Tout en se dirigeant vers la chambre à coucher, Geneviève réfléchissait. Ce n'était pas là un de ces coups de téléphone policés dont elle avait l'habitude. C'était, à cette heure insolite, la démarche d'un être en désarroi.

Et Geneviève avait peur. Quelque part dans la nuit, accroché à son foyer par le fil du téléphone, menaçant son foyer, un inconnu souffrait, d'une souffrance qui concernait Jacques.

— Jacques...

Jacques somnolait déjà.

— Hum...

— Le téléphone, c'est pour toi.

Jacques, sans ouvrir les yeux, grogne :

— Qui?

— Je ne sais pas... Un jeune homme, je crois, il ne veut pas donner son nom. Il dit que c'est personnel.

Jacques prend tout le temps de mettre sa robe de chambre et ses babouches. Geneviève bout d'impatience. Un roman s'élabore dans sa tête. Son interlocuteur n'avait-il pas un léger accent slave? C'est peut-être l'amoureux d'Hélène. Il est jaloux de Jacques. Que lui veut-il? Pourquoi ne s'est-il pas nommé?

Geneviève prête l'oreille. Elle entend :

— Allô... oui... Qui est à l'appareil? — puis un silence et, de nouveau : — Qui est à l'appareil? — Et le bruit sec du récepteur violemment raccroché.

— Qui était-ce?

— Je ne sais pas. Il ne m'a pas donné son nom.

— Qu'a-t-il dit?

— Il a dit : C'est le professeur Brincas? J'ai demandé : de la part de qui? Il a paru hésiter. J'ai posé la question deux fois. Comme il ne se décidait pas, j'ai raccroché.

— A ta place, j'aurais insisté, j'aurais voulu savoir ce qu'il avait à me dire.

— Je ne réponds pas aux gens qui ne commencent pas par se nommer.

— Tu n'es pas curieux...

— Non.

— Il paraissait tout troublé, il respirait mal. Moi, je n'aurais pas raccroché si vite. Tu ne vois vraiment pas qui c'est?

— Non, non, je ne vois pas...

Jacques fronce les sourcils. Une pensée désagréable lui traverse la cervelle. Si c'était un de ses étudiants qui se moque de lui...

Il faisait, de temps à autre, ce cauchemar que les étudiants le chahutaient. L'amphithéâtre résonnait du bruit des chaises frappées en cadence contre le sol. Il voulait se lever, faire front, lancer un ordre : « Je vous donne dix secondes pour... » mais il restait paralysé, sans voix. Parfois, il hurlait pour de bon dans son sommeil; il proférait un formidable cri de commencement du monde qui éveillait toute la maisonnée, un cri atroce, inhumain, sans aucun rapport avec un normalien reçu premier à l'agrégation et professeur à la Sorbonne, à la fois plainte et menace, qui faisait pleurer les enfants dans la chambre voisine et jetait l'angoisse au cœur de la nuit.

— Qu'as-tu? Tais-toi... tais-toi... chuchotait Geneviève. Une seule fois, il avait répondu : « J'ai rêvé qu'on me chahutait... »

En général, il se contentait de grogner et se rendormait.

— Moi, dit Geneviève, j'ai une idée.

— Ah?

— Oui. Tu m'as bien dit qu'Hélène avait un flirt yougoslave?

— Oui, oui... mais c'est fini entre eux maintenant, je crois.

Elle ne prêta pas attention à la morsure :

— Justement.

— Quoi, justement?

— Ce garçon a sans doute remarqué que tu t'intéressais à Hélène, il est jaloux. Je t'assure, c'était la voix d'un homme qui souffre, d'un jeune homme. Et il m'a semblé qu'il avait un accent slave...

Il y avait longtemps que Jacques n'avait pas écouté sa femme avec une telle attention.

— Tu crois?

— Oui.

— Mais pourquoi téléphonerait-il chez moi, à cette heure?

— Je ne sais pas... peut-être pour vérifier que tu es chez toi.

Jacques regardait Geneviève sans paraître comprendre.

— Peut-être a-t-il d'abord appelé Hélène et qu'elle ne répondait pas... ou bien que le téléphone était décroché? Que sais-je, moi?

Geneviève vit passer sur le visage de Jacques le frémissement de la jalousie. Une grande pitié la noya, et pour Jacques qui souffrait et pour elle qui n'avait pas le pouvoir de le faire souffrir. C'était ainsi : chaque fois qu'une vague jaillie des profondeurs balaierait leur couple, elle y mettrait à nu l'absence de l'amour. L'insupportable absence. Et pourtant, comme chaque soir, depuis neuf ans, ils étaient côte à côte, sans fard, en tenue de nuit, dans la chambre conjugale. Assis sur son lit, la bouche pincée, les yeux creux marqués d'ombres, tête basse, corps et âme devant sa femme comme devant lui-même, Jacques réfléchissait. Mon pauvre Jacques...

Le téléphone n'avait pas réveillé les enfants. Dans l'immeuble régnait le silence des nuits familiales. Geneviève dénoua son chignon. Clic, clic, les épingles tombaient dans la soucoupe de porcelaine, clic, clic, comme chaque soir. Comme chaque soir, ses longs cheveux descendirent jusqu'à ses reins, sans causer de surprise ni de joie à personne.

Quand elle se glissa dans son lit, Jacques, toujours assis sur le sien, leva la tête pour la regarder avec une expression de gentillesse et d'intérêt :

— Je ne sais pas où tu vas chercher les idées qui te passent par la cervelle... mais tu as peut-être raison. Elle m'a dit que ce type était très jaloux. Écoute, Geneviève, que me conseilles-tu? Crois-tu que je doive à mon tour téléphoner chez Hélène? Pour vérifier qu'elle est là... Je dormirais plus tranquille.

Geneviève avait encore dans les oreilles la jeune voix angoissée. Un instinct l'avertissait qu'elle ne se trompait pas. Comme la naissance, la mort ou la guerre, l'amour ose faire intrusion dans la nuit. En ce moment, dans le silence retombé, annoncée par la sonnerie du téléphone, une scène se jouait qui plongeait au moins trois personnages dans une souffrance élémentaire, le Yougoslave, elle, Jacques. Personne n'en connaissait encore le dénouement mais on pouvait tout craindre. Et quelle était l'occasion de cette scène? Hélène couchait avec un garçon. Même pas. C'était seulement possible. Mais c'était assez pour affoler l'imagination du Yougoslave aux abois dans quelque café, assez pour le pousser au meurtre, assez pour que Jacques n'ait plus nulle envie de se recoucher dans ce lit où le téléphone l'avait surpris, dormant déjà. Assez pour lui administrer à elle la preuve qu'elle était hors du jeu. Jacques, palpitant d'une souffrance juvénile, regardait sa femme, attendant son aide, comme la seule contribution qu'elle pût fournir, elle, la vieille, au jeu douloureux, au jeu enviable de l'amour.

Une part de Geneviève aurait voulu la lui donner, cette aide, et qu'il dorme tranquille, comme il disait, comme il faisait si bien même lorsque, dans le lit voisin, elle luttait contre l'envie de mourir. Mais jalouse, rageuse, une voix criait plus fort : Non, je suis encore trop jeune pour ce rôle! Qu'il se débrouille! Je me moque, moi, de toutes ces histoires!

Jacques tournait toujours vers elle ses yeux inquiets. Il ressemblait à Nicolas. C'était ainsi que Nicolas, lorsqu'il tombait et se relevait, le genou écorché, la regardait, elle, plutôt que la blessure : « C'est grave, maman? »

— Téléphone, dit-elle, ce n'est pas bien grave, va...

Le téléphone sonna en vain. Il est vrai que Jacques ne prolongea pas son appel, craignant — espérant — qu'Hélène fût en vérité chez elle, et endormie.

Quand il revint dans la chambre, Geneviève avait le visage tourné contre le mur, les yeux clos. Il aurait bien voulu poursuivre la conversation. La perspicacité de sa femme, ce soir, le surprenait. Plus il y réfléchissait, plus il se persuadait qu'elle avait raison. C'était Slavko qui avait téléphoné. Comment Geneviève l'avait-elle deviné tout de suite? D'où lui venait cette connaissance de la passion? Il y avait longtemps que Jacques ne s'était senti aussi proche de Geneviève. Elle avait pris une expression gentille pour lui dire : ce n'est pas bien grave, va...

Mais c'était peut-être grave.

Il toussa. Elle aurait tout de même pu lui demander s'il avait obtenu une réponse. Elle ne s'était pas endormie si vite...

— Geneviève...

— Oui?

— Personne ne répond.

— Ah...

— Si... si je recommençais? Tu comprends, j'ai craint de la réveiller. Et ce coup de téléphone est assez ridicule, si elle est tout bonnement chez elle. Nous sommes peut-être en train de nous monter la cervelle... Mais plus j'y réfléchis, plus je crois que tu as raison. Dis-moi, qu'en penses-tu? Que dois-je faire?

— ...

— Tu n'aurais pas dû me mettre cette idée de Slavko en tête. Je suis vraiment tourmenté. Écoute, réponds-moi, c'est sérieux. Imagine que ce type...

Il aurait voulu qu'elle lui dise : « Eh bien, rappelle-la, il faut en avoir le cœur net, tu as raison. » Ou mieux : « Vas-y donc voir. Va chez elle. Assure-toi que le Yougoslave ne l'attend pas, posté dans l'escalier. C'est un devoir... va... »

Des images défilaient dans sa tête : Slavko, arpentant de long en large le trottoir de la rue de Passy, devant l'immeuble d'Hélène, un revolver dans sa poche... Slavko, la tête entre les mains, assis sur l'escalier, tandis qu'Hélène montait chez elle en compagnie d'un garçon. Une autre image aussi, qui lui pinçait le cœur : Hélène dans son lit, chez elle, avec un homme, et Slavko devant sa porte... Il regarda son réveil : il marquait minuit et demi. Déjà, il se voyait dehors. Il arrivait devant chez Hélène et ce qu'il trouvait balayait ces craintes folles : personne à la porte, personne dans l'escalier, sauf lui qui sonnait et entendait Hélène répondre d'une voix endormie : « Qui est là? » Hélène chaude, et plus proche qu'il n'avait jamais pensé, dans son sommeil. Sa décision était prise : il irait voir ce qui se passait là-bas. Et si ce type lui tirait dessus? Eh bien, s'il lui tirait dessus, c'était qu'il était capable de tirer aussi sur Hélène. Il fallait aller rue de Passy, sonner à la porte d'Hélène au cœur de la nuit. La seule chose qui le retînt, c'était le silence de Geneviève.

— Réponds-moi, Geneviève. Tu n'as pas le droit de me mettre des idées pareilles dans la cervelle et de t'en désintéresser ensuite. Cela peut être grave...

Elle soupire, sans ouvrir les yeux :

— Eh bien, téléphone de nouveau, tu en auras le cœur net.

Il laissa cette fois le téléphone sonner à douze reprises

qu'il compta. En vain. Alors, sans dire un mot, il s'habilla et sortit.

Geneviève n'avait pas bougé. La tête toujours tournée vers le mur, immobile, elle était seule à entendre son cœur cogner à grands coups dans sa poitrine. La porte s'était refermée sur Jacques. Mourir pendant que son mari courait au secours d'une autre. Lui jouer ce tour pour qu'il comprenne enfin qu'à son côté aussi un drame avait eu lieu. Mourir. C'était un mot plus qu'une idée, mais un mot qui faisait le vide en elle et la tenait pleinement éveillée dans le silence grésillant, tictaquant, de la nuit. Elle se leva. Mourir.

Jacques, en partant, avait oublié d'éteindre l'électricité dans l'entrée. Elle se dirigea vers cette lumière. Au passage, elle entrouvrit la porte de la chambre d'enfants : à demi dépliée, la main de Nicolas pendait hors du lit. Elle la replaça sous le drap, comme une chose. Un moment, elle écouta les deux faibles souffles. Elle n'éprouvait rien. C'est par habitude qu'elle se pencha sur Nicolas dont le lit était le plus accessible et murmura : « amour... »

— Maminette, soupira Nicolas, exécutant un mouvement réflexe à même son sommeil.

Elle déposa sur son cou offert un baiser. Sa chair était chaude, sans réaction.

Geneviève referma la chambre. Dans l'entrée, elle s'immobilisa et, longtemps, elle regarda la porte par où Jacques était parti.

Elle n'éprouvait pas de jalousie. Elle ne ressentait plus qu'une lassitude énorme à vivre l'heure prochaine. Elle se voyait en chemise, à une heure du matin, dans l'appartement silencieux. Seule. Personne ne s'intéressait à elle. Elle était comme ces actrices qui n'ont pas de « présence ». A ses propres yeux elle n'en avait pas. Légère et creuse comme une poupée de carton, elle n'était même pas assez vivante pour éprouver une réelle envie de mourir. Pas assez douloureuse pour accomplir un geste violent : se jeter la tête contre les murs, par exemple, ou courir jusqu'à la station de métro pour attraper tout à l'heure la première rame, à sa façon... Non, tout était silence en elle comme dans la maison endormie, tout était indifférence comme la chair inerte de Nicolas. Et fatigue...

Une ombre de sourire passa sur les lèvres de Geneviève : Jacques ferait un veuf magnifique. Morte, elle l'aurait... Mais elle n'en voulait plus. Alors, où était le drame?

— Ce n'est pas sérieux, murmura-t-elle, pas sérieux.

Trois quarts d'heure s'étaient à peine écoulés quand Jacques rentra. Il trouva sa femme les yeux clos, dans la position où il l'avait quittée et Geneviève l'entendit, quelques minutes plus tard, qui ronflait.

VIII

Le lendemain, Jacques téléphona dès huit heures tandis que Geneviève badigeonnait la gorge de Nicolas qui était fiévreux. Puis Jacques dit que tout allait bien pour Hélène et qu'ils n'auraient peut-être jamais l'explication du mystère. Il fut loquace et gai, Geneviève irritable et silencieuse. Nicolas manqua l'école. Sa mère lui avait installé une petite table avec ses jouets, près de son lit. Le dos soutenu par deux oreillers, il avait l'air très confortable. Ses yeux brillaient, ses joues étaient rouges, il était joli. Il recevait avec gratitude les soins et les attentions. C'était un merveilleux petit garçon dont les angines et tous les dangers qui le menaçaient étaient autrement redoutables que les imaginations de la nuit. Heureux de cette fièvre qui le gardait à la chambre et lui donnait de l'importance, il s'amusait paisiblement et, quand il était fatigué, il se renversait sur ses oreillers pour faire un somme.

A chaque réveil, à chaque pause, il appelait :

— Maminette, maminette!

Elle venait.

— Je voudrais boire.

— Je voudrais que tu me lises un livre.

— Raconte-moi quand tu étais petite.

Elle lui tendait le verre, elle lisait, elle racontait des souvenirs anciens comme une préhistoire.

— Diane était blanche avec une grosse tache brune sur le flanc. Elle nous aimait beaucoup, mon frère et moi. « Où sont-ils, tes petits maîtres? » disait ma grand-mère. Alors, elle dressait la tête, rejetait en arrière ses longues oreilles et s'élançait à notre recherche. Et, quand elle nous avait trouvés, elle nous sautait au cou et dansait sur deux pattes comme une folle; il lui arrivait même de perdre l'équilibre et de tomber. Parfois, des amis venaient nous chercher en voiture et nous ne voulions pas l'emmener, de crainte qu'elle ne salisse les coussins. Sais-tu ce qu'elle faisait? Elle courait à toute vitesse derrière la voiture. En me retournant, je la voyais à travers le nuage de poussière qui perdait du terrain et c'était un spectacle si triste que je ne pouvais pas le supporter. Alors je demandais à descendre pour rester avec elle. Mais les amis la faisaient monter dans l'automobile. Elle avait le museau tout blanc, on lui voyait à peine les yeux, parce que ses poils étaient pleins de poussière, elle était plus sale que jamais, mais elle ouvrait une grande bouche joyeuse et on aurait dit qu'elle riait.

— Raconte encore, maman. Des histoires de Diane.

— Une autre fois. Je suis fatiguée, Nicolas.

— Alors, maminette, reste un peu. On va seulement bavarder... Maminette, c'est une bonne école le lycée Louis-Blanc?

Le lycée Louis-Blanc, le lycée Louis-Blanc? Je voudrais tellement dormir, m'allonger près de toi, te serrer contre moi, dormir dans ton lit, Nicolas.

Mais de sa douce voix obstinée, il répète :

— C'est une bonne école, le lycée Louis-Blanc, maminette?

Louis-Blanc, Blanc... Le lycée Louis-Blanc... Un malaise prend Geneviève. Mais parce que, dans cette maison, il n'a jamais été répondu aux enfants : « Laisse-moi tranquille, tu m'ennuies », elle cherche un point de repère dans ce « blanc » qui s'étale sur sa mémoire :

— Tu veux dire le lycée Louis-le-Grand?

— Non, le lycée Louis-Blanc.

— Je ne connais pas ce lycée. Qui t'en a parlé, Nicolas?

— Sais pas... Personne.

Alors, elle a envie de hurler et elle sait qu'elle deviendra folle ou méchante si elle ne quitte pas les siens quelque temps.

Elle voulut s'en expliquer calmement avec Jacques. Mais comme il la questionnait : « Depuis quand es-tu si fatiguée? Que ressens-tu? Pourquoi ne consultes-tu pas un médecin? As-tu pris ta température? Que ferions-nous des enfants si tu t'en allais? » elle répondit sans crier, mais avec une contraction du visage qu'il détesta :

— Tu ne vois pas que je crève?

— Je me demande bien de quoi, répondit-il.

Et, parce que le malheur de vivre sans amour ne se peut dire que dans le climat de l'amour, au lieu de trouver des paroles touchantes, elle se figea dans sa rancœur.

— En effet, comment le saurais-tu? Tu ne me vois plus, tu ne me vois plus, il y a des années que tu ne me vois plus.

Elle s'accrochait à cette formule. Mais justement, en cet instant, Jacques la regardait et il était clair que ce qu'il voyait, de nouveau, c'était une folle.

— Tu te préoccupes du sort de la terre entière, mais tu te moques de ce qui m'arrive.

— Et que t'arrive-t-il?

— Je ne t'aime plus, Jacques, voilà ce qui m'arrive.

Cette fois, il avait blêmi.

— Laisse-moi partir, laisse-moi partir quelque temps!

Et, comme elle l'avait vu pâlir, elle ajouta doucement :

— Je reviendrai, mais laisse-moi partir.

La bouche ouverte, les yeux écarquillés, Jacques la considérait. Voyant qu'elle se passait une main sur le front, détournait la tête et ne disait plus rien, il pinça les lèvres et prit une expression résolue. Par les deux coudes, la poussant devant lui, molle et obéissante, il l'installa dans un fauteuil et s'assit en face d'elle.

Longtemps, les mains pendantes entre ses genoux, il la regarda sérieusement, en silence, de biais, puis :

— Depuis quelque temps, tu ne dis que des sottises auxquelles j'aime mieux ne pas répondre. Je crois vraiment que tu es malade. Je vais téléphoner à Blomart. Tu es d'accord?

Geneviève détournait toujours les yeux.

— Tu es d'accord? répéta Jacques.

Elle haussa les épaules, puis le regarda tristement :

— Comme tu veux, dit-elle.

Blomart était une relation de tennis. Il n'avait encore jamais soigné Geneviève parce qu'elle n'en avait jamais eu besoin, mais il était le médecin de la famille, c'est-à-dire des enfants.

Geneviève entendit Jacques ajouter au téléphone, à voix plus basse :

— Si tu as quelques instants à m'accorder, j'aimerais avoir un petit entretien préliminaire avec toi, vieux.

Car les camarades de sport échappaient à la catégorie des « chers amis » pour être, quels que fussent leur âge et leur situation, des « vieux ».

Blomart était un garçon d'une quarantaine d'années. Dégingandé, les traits fins, le geste et l'expression désinvoltes, il évoquait un oiseau à longues pattes, déplumé. Son regard, pendant la conversation, exécutait de grands vols vers le plafond d'où il revenait se poser, avec d'autant plus de précision, sur son interlocuteur. Le Dr Blomart donnait l'impression qu'il ne s'était jamais laissé prendre à la glu de la misère humaine et qu'il était voué à en débarrasser les autres, en deux coups de cuiller.

Tout en allant et venant dans son cabinet, où une peinture abstraite voisinait avec un « mobile », il interrogeait Jacques :

— Mariés depuis combien de temps?

— Neuf ans deux mois.

— Premier enfant, un an après le mariage?

— Neuf mois et demi.

— Deuxième enfant, deux ans plus tard? Que faisait-elle ta femme, quand tu l'as connue? Étudiante? De quel milieu social? Quelle religion?

Et pour finir, doucement :

— Ça marche, entre vous?

Jacques rougit. S'il détestait une chose, c'était l'évocation de son intimité. Et si un souvenir lui était pénible, c'était celui de cette scène que Geneviève lui avait faite dans le métro.

— Oui, dit-il, nous sommes un très bon ménage. Ou plutôt, nous en étions un, jusqu'à ces derniers temps...

Blomart s'était assis derrière son bureau. Le pauvre Jacques n'avait jamais trouvé plus cruel son devoir de mari et sa faculté d'élocution l'avait abandonné.

— Nous sommes un couple indissoluble, tu comprends. Seulement, Geneviève est devenue... comment dire? Un peu sèche, imperméable à ce qui ne touche pas ses enfants. Cela m'irrite. Et, depuis quelque temps, elle est étrange, capricieuse.

— Tu la trompes?

— Moi? Oh non, jamais... — Jacques hésita, sourit : — Je me demande toutefois si elle ne s'imagine pas... Oh, c'est un enfantillage... Je te raconte cela pour que tu aies tous les éléments d'information.

Il révéla l'existence d'Hélène et relata l'histoire du coup de téléphone nocturne.

— Encore une fois, dit-il, je ne crois pas que Geneviève soit une femme jalouse. Elle a toujours reçu volontiers mes amies, même celles dont elle savait qu'elles avaient été mes maîtresses avant notre mariage.

— Avant et après le mariage, ce n'est pas la même chose, dit Blomart.

— Sans doute. Mais, justement, elle n'a pas lieu d'être jalouse. Non, la vérité, c'est que, pendant dix ans, ma femme a paru heureuse, a été heureuse, et que, subitement, sans que rien ait changé, elle découvre qu'elle ne l'est plus. Je serais bien content si tu me disais qu'elle a seulement besoin d'un peu de repos.

— Bon, je vais l'examiner. Je te téléphonerai.

— Si tu le permets, c'est moi qui t'appellerai...

Au moment de sortir, la porte déjà ouverte :

— Il y a longtemps qu'on n'a pas fait la partie tous les deux, dit Jacques, tu ne serais pas libre, un de ces jours?

— Vendredi, midi et demi, si tu veux. Et déjeunons

ensemble après. J'aurai vu ta femme dans l'intervalle, on causera.

— Vendredi, midi et demi, entendu, vieux. Merci. Au revoir.

— Au revoir, vieux.

— La douche après le tennis, c'est la moitié du plaisir, dit Jacques en s'asseyant à la table où Blomart l'attendait déjà. Tous deux avaient les joues roses, le cheveu net et l'air heureux.

Blomart regarda sa montre.

— Je n'ai pas beaucoup de temps. Commandons vite. Aristide ! Deux snacks.

Jacques était encore tout au plaisir du jeu, dehors, en plein hiver, sur ces nouveaux terrains qui ne craignaient pas le gel et séchaient vite après la pluie. Il aurait bien aimé discuter d'un certain échange au filet et aussi recueillir les impressions de Blomart sur sa seconde balle de service qui lui paraissait plus efficace depuis qu'il avait modifié sa prise de raquette. Certains coups lui donnaient tant de plaisir qu'il les revivait ensuite des dizaines de fois. Mais il se contraignit à passer immédiatement aux affaires sérieuses :

— Alors, Geneviève? Elle m'a dit...

— Elle n'a rien.

Blomart mangeait, ce qui le conduisait à parler lentement, avec des intervalles entre les mots.

— Elles font souvent une crise, vers cet âge-là, quand les enfants commencent à grandir... En général, ça s'arrange.

Il regarda Jacques qui n'avait pas encore touché à ce qui était dans son assiette, d'un air de dire : « Ne te frappe pas, vieux. Mais prends tout de même la chose au sérieux. »

— Ça s'arrange comment? demanda Jacques.

— Oh, dit Blomart, de bien des façons.

A son tour, il déposa son couvert dans son assiette :

— Tu ne trouves pas que tu lui fais la vie... un peu austère?

— Je lui fais la vie aussi agréable que ma situation me le permet.

Le visage de Jacques s'était fermé. Après un silence, il reprit :

— Qu'entends-tu par « vie austère »? La vie de la plupart des gens est austère. La sienne l'est moins que d'autres. Que dirait-elle si elle était employée de bureau ou vendeuse dans un grand magasin, si elle avait à prendre le métro quatre fois par jour comme tant de femmes? Vraiment, je ne trouve pas qu'elle ait le droit de se plaindre.

Jacques avala le morceau de viande qui refroidissait au bout de sa fourchette.

— Elle ne se plaint pas, rétorqua Blomart.

— J'aime mieux ça, dit Jacques.

— Elle a parfaitement conscience d'être une privilégiée... ce qui n'arrange rien, au contraire. — Blomart sourit : — Et toi? Que dirais-tu si tu étais employé de bureau ou épicier... comme tant d'autres?

Jacques réfléchit quelques secondes, puis leva vers Blomart une figure honnête :

— Ma carrière, c'est mon luxe, c'est vrai. Mais c'est celui de Geneviève aussi. Elle savait, en m'épousant, que je ne deviendrais jamais millionnaire. En revanche, je la fais vivre dans un milieu agréable. Nous sortons beaucoup...

— Peut-être un peu trop. C'est une des choses que je voulais te dire. Le rythme de Paris est dur pour elle.

— Bon, nous sortirons moins. Bien que, professionnellement... Mais alors, j'ai peur qu'elle ne devienne de plus en plus... pot-au-feu. C'est dommage, elle est intelligente, tu sais.

— Un peu trop pour la vie qu'elle mène. Les vocations des hommes, c'est beau. Mais on oublie que ce sont les femmes qui en supportent les inconvénients. Dis-moi, si tu l'aidais un peu, à la maison, je veux dire si tu participais davantage à son existence... si tu t'y intéressais...

Jacques était abasourdi.

— L'aider? Mais elle a une femme de ménage tous les matins. A chacun son rôle. Élever deux enfants, ce n'est pas surhumain, que je sache. J'ai toujours essayé, au contraire, dans son propre intérêt, pour lutter contre cette tendance à l'asservissement maternel et ménager que j'ai très vite décelée en elle, de la faire participer à mes travaux, de la tenir au courant de ce qui se passe dans le monde... Mais le dialogue avec elle devient de plus en plus difficile. Elle se ferme... A moi, l'idée était venue, puisqu'on manque tellement de professeurs dans l'enseignement secondaire, à présent, qu'elle pourrait prendre un poste et se payer une domestique pour les enfants. Il me semble que tout le monde y gagnerait, à la maison. Ce n'est pas ton avis? Ne serait-ce pas une bonne solution?

Blomart lève le nez au plafond, gonfle ses joues, laisse retomber la tête et soupire :

— Travailler! Une domestique pour les gosses! Et les méthodes modernes d'éducation, alors? Et les obligations sociales? Et toute la fatigue accumulée depuis dix ans!

Il se tait un instant, émet un petit rire :

— Plus tard, oui, peut-être qu'elle pourra travailler. Cela lui fera même beaucoup de bien. Pour le moment, elle n'est pas en état. Il lui manque... comment dire?... il lui manque le recul pour prendre son élan.

— Il y a pourtant beaucoup de femmes qui sont obligées de travailler.

— Et quelques-unes en crèvent...

Blomart regarda sa montre :

— Deux cafés, Aristide!

Il prit une cigarette, l'alluma, puis il se tourna de nouveau vers Jacques :

— C'est une vérité banale, dit-il, mais une vérité, même à notre époque dite d'émancipation, que le mariage a plus d'importance pour les femmes que pour les hommes, parce qu'elles en attendent l'amour, c'est-à-dire le rêve de leur vie. Mais, souvent, quand ce rêve se réalise, l'amour leur flanque des gosses, et il n'y a plus d'amour.

— Oh, grommela Jacques, c'est une vérité banale aussi que l'amour se transforme avec les années de vie commune. Ne revenons pas à Mme Bovary. Soyons sérieux...

Blomart tira quelques bouffées de sa cigarette :

— Nous sommes sérieux, dit-il enfin. Et ce n'est pas moi, je suppose, qui vais apprendre à un normalien comment elle a fini, Mme Bovary.

Jacques sourcilla. Dans le bar mal chauffé, le rose s'était retiré de ses joues, ses traits s'étaient amenuisés, il n'avait plus l'air d'un sportif.

Blomart reprit :

— Si tu veux mon avis, ta femme serait plutôt trop raisonnable que pas assez. Très caractéristique de sa génération.

— Que veux-tu dire?

— Je veux dire que les femmes qui ont vécu leur jeunesse sous l'occupation sont aussi différentes de la race de cocottes, d'innocentes et de saintes femmes qui les ont précédées qu'elles le sont des mantes religieuses d'aujourd'hui.

— Il est évident, dit Jacques, que la guerre les a marquées comme nous-mêmes.

— Ce n'est pas tellement la guerre qui les a marquées, me semble-t-il. C'est plutôt une immense espérance dont la guerre était l'occasion.

— Et la guerre ne l'était peut-être pas, pour nous, l'occasion d'une immense espérance?

— Si. Mais, justement, pas de la même. Les femmes n'espéraient que l'amour.

— Comme en 1914 alors, dit Jacques, comme toujours.

— Oui, avec cette différence que les mœurs avaient changé. Les anciennes interdictions avaient déjà perdu leur pouvoir de protection, mais elles jouaient encore. Les femmes ont misé sur l'amour avec une périlleuse détermination. Rappelle-toi, à l'époque, la fortune du mot « authentique ». L'amour, pour la plupart des jeunes femmes d'alors, représentait la seule possibilité d' « authenticité ». Nourries d'ersatz, vêtues d'ersatz, freinées par le malheur de leur temps et par l'habitude, récente, du raisonnement, désarmées dans leur féminité, inaptes au jeu, courageuses et maladroites, pressées de vivre, privées de tout, elles s'en sont fait une idée très haute, et, naturellement, exigeante. L'amour était la vérité de leur vie, leur vocation tragique.

— Moi, dit Jacques, avant Geneviève, sauf si on remonte aux souvenirs d'enfance, toutes les femmes que j'ai connues faisaient partie de la Résistance. Pour elles, comme pour nous, l'amour n'était pas une fin en soi. Il ne comptait pas plus à nos yeux, j'imagine, qu'à ceux des révolutionnaires ou des chevaliers des croisades.

— Eh bien, nous sommes d'accord, dit Blomart. Je ne prétends pas que tout votre problème, à Geneviève et à toi soit là, mais c'en est sans doute un de ses aspects importants : ta femme n'était pas dans la Résistance. L'aventure de sa vie, c'était le mariage. Pour toi, c'était la fin de l'aventure.

— C'est étrange, dit Jacques, il m'apparaissait plutôt comme une chance que Geneviève n'ait pas été dans la Résistance. Quand je suis revenu préparer l'agrégation, j'étais las du drame, des ruses, de l'insécurité...

— Comme nous tous, dit Blomart. Nous avions perdu la guerre, mais nos idées avaient triomphé, nous voulions refaire la France, et nous étions aussi, il faut l'avouer, avides de ces belles carrières dont les Allemands avaient failli nous priver. Nous avions surtout besoin de tranquillité pour œuvrer. Et la France réclamait des enfants. Nous nous sommes fait, nous aussi, une idée très haute de l'amour, je veux dire de celui que nos femmes devaient nous porter. Nous leur avons beaucoup demandé.

Mais Jacques n'écoutait plus. L'évocation de la grande période de sa vie le ramenait en arrière, avec une émotion dont il n'était guère coutumier :

— J'ai vu Geneviève. Elle expliquait Baudelaire. Elle m'a paru belle et bonne comme la paix. Tu as parlé de « vocation tragique » de l'amour. Elle avait, elle, une vocation joyeuse...

— Joyeuse, tragique, à certaines époques, c'est la même chose.

— Mais, joyeuse ou tragique, elle a perdu cette vocation. Tu sais, pour être tout à fait franc, c'est elle qui m'a dit qu'elle ne m'aimait plus. Alors, si tu affirmes qu'elle n'est pas malade. je suppose que je dois la prendre au mot.

« En effet, pensa Blomart, Elle ne me paraît pas de la race des femmes qui parlent pour ne rien dire. »

— Peut-être tout de même pas, répondit-il. Elle est au bord de la dépression nerveuse. C'est une maladie comme une autre.

— Si elle n'était pas malade, dit Jacques, pourquoi aurait-elle attendu dix ans pour découvrir qu'elle n'était pas heureuse? Il ne faut pas nous égarer : jusqu'à ces derniers temps, nous avons, Geneviève et moi, je te le répète, été très heureux. Très heureux *tous les deux*. Et maintenant, la vie de Geneviève va devenir moins « austère », comme tu dis. Le plus dur est fait. Les enfants grandissent, ils vont déjà à l'école. Bientôt, elle aura du temps à elle, de la liberté...

— Justement, cette crise, c'est aussi le signe qu'elle prend conscience d'elle-même. Méfie-toi, vieux.

Blomart s'était levé, la main tendue. Jacques le retint par cette main :

— Pratiquement, demanda-t-il, pratiquement, que conseilles-tu?

— Qu'elle commence par prendre quinze jours de repos, dit Blomart en s'éloignant. Elle en a grand besoin.

IX

Il fut décidé que Geneviève partirait pendant les vacances de Noël, tandis que Florence et Nicolas seraient confiés à une maison recommandée par les Armand, près de Morzine.

Pour Geneviève, Blomart avait indiqué un hôtel à Crans. Il avait conseillé à Jacques d'accompagner sa femme, mais celui-ci, qui se demandait déjà comment il ferait face à la dépense, avait objecté qu'il n'en avait pas les moyens, que d'ailleurs il devait terminer plusieurs articles et mettrait à profit sa tranquillité pour travailler, qu'enfin Geneviève avait exprimé le désir d'être « toute seule ». Il n'ajoutait pas qu'il n'aurait pas renoncé de gaieté de cœur à cette chance d'être libre de ses mouvements à Paris, qu'Hélène, il s'en était assuré, ne quittait pas pour les vacances.

Dès le moment où elle avait su qu'elle partait, Geneviève avait retrouvé son calme, du goût aux occupations quotidiennes, l'amour patient des enfants et, pour Jacques qui téléphonait, prenait les billets, retenait les places, une gratitude tendre. Si elle n'avait craint de paraître capricieuse, elle aurait dit :

— C'est arrangé, je vais bien. Je n'ai plus besoin de vous quitter.

Elle envisageait la dépense avec inquiétude, son voyage solitaire avec timidité, le départ des enfants, leur remise en des mains étrangères dès la gare de Lyon, avec déchirement. Elle aurait voulu être plus vieille d'un mois pour que cette épreuve soit terminée et la famille reconstituée, en bonne santé... comme elle est maintenant, en somme, se disait-elle. C'était absurde. Elle se reprochait, elle dont c'était le rôle de la protéger, de faire éclater cette cellule, elle s'estimait responsable des hasards que chacun allait courir. Si jamais il arrivait quelque accident aux enfants, par sa faute, parce qu'elle avait voulu les quitter sans nécessité... Elle conjurait le sort. Et pourtant, au fond d'elle-même, elle savait que tout recommencerait comme avant, si elle renonçait à ce voyage. Il était plus raisonnable, en fin de compte, de l'accepter.

Jacques et Geneviève passèrent une nuit seuls dans l'appartement après le départ des enfants. Ils avaient dîné, l'un en face de l'autre, d'œufs au bacon, dans la cuisine. Soudain vacants, dans un silence inusité, ils tenaient enfin cette occasion de « faire le point » que Geneviève avait naguère tant souhaitée. Mais ils ne parlèrent que des enfants : Florence était si gentille dans son costume de ski, étroite et longue, les cheveux fraîchement coupés, attentive à ce grand événement que représentaient sa première séparation d'avec les parents et le premier séjour à la montagne. Florence n'était ni une enfant ni une réduction de femme. C'était un être achevé, ni mâle ni femelle, capable de responsabilités et de décision, qui ressemblait au jeune garçon de « Crin Blanc ». Si elle était inquiète, elle ne le montrait pas. Elle acceptait l'épreuve et elle assumait son frère par surcroît. On pouvait lui faire confiance : elle reviendrait avec une décoration pour ses progrès à ski, se ferait apprécier de ses nouveaux camarades et de leurs éducateurs et ne laisserait pas tomber Nicolas.

Pauvre Nicolas, comique dans son over-all d'emprunt qui datait d'avant la guerre et le faisait ressembler à un ours! La main dans celle de sa sœur, il suivait le mouvement, puisque celui-ci était inexorable. Mais si Florence avait résisté, s'il n'avait pas été tout seul en proie à la panique parmi cette famille résolue, comme il aurait éclaté en sanglots et fait rater ce départ! Son costume, raccourci par Geneviève, mais non rétréci, trop large de jambes, trop large d'épaules, accentuait cette impression déchirante qu'il partait pour une aventure qui n'était pas à sa taille. Au moment des adieux, il avait ébauché la grimace du lâcher-tout, mais son grand œil, plus bleu que jamais derrière les larmes, s'était tourné vers Florence impassible, puis vers sa mère contractée et il n'avait vu nulle part de recours. La situation était grave. Elle exigeait que même Nicolas fît son devoir. Oh, Nicolas, pardon. Vois-tu, je donnerais tout pour te coucher ce soir. C'est cruel de penser que vous êtes, mes enfants, parmi ce tas de gosses fatigués, barbouillés, dans le train, au lieu de dormir dans vos lits blancs. Je n'aurais pas dû vous laisser partir. J'aurais dû vous ramener avec moi de la gare, au lieu de te détacher de moi, Nicolas. Tant pis pour le ridicule et l'impression que j'aurais donnée. S'il vous arrive malheur, on s'en moquera bien, de l'impression. Qui se préoccupera de vous déshabiller quand il fera chaud, de vous couvrir après le coucher du soleil? Pourquoi l'idée ne m'est-elle pas venue de vous emmener plutôt à Crans? Mais alors, nous aurions aussi bien pu rester ici et prendre nos repas au restaurant, cette solution aurait été moins coûteuse... Nous aurions pu...

Geneviève et Jacques furent gais et tendres ce soir-là. Jacques s'efforçait d'accepter l'état de sa femme comme une maladie et il consentait de bonne grâce aux sacrifices nécessaires pour l'en guérir. Certes, il aurait préféré une congestion pulmonaire, avec courbe de température à laquelle eût répondu une courbe de soins. Mais puisqu'il avait décidé de jouer le jeu, il le jouait, à sa manière, sans récriminations ni retour sur le passé. Il donnait ce voyage et, content de lui, heureux de sa propre liberté prochaine, il se montrait presque câlin. Il regardait Geneviève avec un petit sourire, comme une enfant à qui l'on passe un caprice. En même temps qu'elle lui en était reconnaissante, ce sourire l'irritait. Le fait qu'ils se trouvaient seuls dans l'appartement les ramenait à leurs brefs mois de jeune mariage, créant entre eux un climat artificiel d'amoureux qui les gênait. Chacun se rappelait les premiers jours éblouis de la vie commune, l'étonnement devant l'amour et l'immense liberté de deux êtres qui viennent d'accéder à l'existence adulte. Aujourd'hui, moins de dix ans plus tard, ils se retrouvaient comme amputés, deux infirmes incapables de se rejoindre par leurs propres moyens, obligés de pousser devant eux leurs enfants pour combler la distance qui les séparait. Chacun ressentait l'absence de l'amour mais aussi la présence d'une solidarité que, seule, probablement, la mort dénouerait. Étrange soirée qui évoquait les tête-à-tête anciens, rompait le rythme de tant d'années de vie familiale, annonçait les jours désertés de la vieillesse, la redoutable existence à deux de l'avenir, consolidée par son échec même, le commun échec, ciment méconnu des couples.

Ils se couchèrent de bonne heure car Geneviève partait tôt le lendemain. Elle ferma les volets dans la chambre des enfants, rangea les jouets, inspecta les armoires où le départ de leurs propriétaires n'avait pas fait grand vide — le nécessaire de chaque enfant, pour deux semaines, tenait dans une si petite valise que c'en était émouvant — considéra un dessin de Florence qui représentait une femme avec cette légende : « vieille, laide, méchante », le rangea dans le sac qu'elle emportait à Crans et s'immobilisa devant les deux lits non défaits, les deux lits gigognes qui occupaient presque toute la place et qui resteraient dressés jusqu'au retour des enfants puisqu'il n'y aurait pas de jeux, pas de mouvement dans cette chambre pendant quinze jours. Elle avait beau se dire que ces vacances qu'ils allaient tous prendre, où chacun se reposerait des autres, n'avaient rien d'extraordinaire, qu'elles représentaient même une habitude dans beaucoup de familles unies, elle ne pouvait se défendre de l'angoisse d'avoir déclenché un mécanisme dont la maîtrise lui échappait : elle avait fait le vide ici et ce qui en résulterait ne dépendait plus d'elle. Demain, son mari serait seul dans l'appartement familial.

Mais, dès qu'un tournant de la voie lui eut caché la silhouette de Jacques agitant son mouchoir à l'écart de la foule, car il avait suivi un moment le train à la course, dès qu'elle eut gagné son coin près de la fenêtre, elle n'éprouva plus que du bien-être. Elle avait toujours eu du goût pour les transports en commun, surtout pour les métros et pour les trains. Elle aimait la détente qui succède à l'énervement du départ, la communauté qui se crée vite à l'intérieur d'un compartiment, l'anonymat, la remise de sa personne à une machine, la régularité du mouvement et du bruit. Elle regrettait qu'il y eût des gares et des arrêts. Elle détestait les changements. Son rêve aurait été de rouler des jours et des nuits, à la même allure, sans interruption.

Depuis des années, Geneviève n'avait pas pris le train sans les enfants dont la présence ne rendait sensibles que les inconvénients du voyage. Aujourd'hui, elle avait devant elle toute une journée où elle ne serait qu'une passagère. Aucune lettre, aucune voix familière ne pourraient l'atteindre tant qu'elle ne serait pas arrivée à destination. Elle n'avait même pas à s'occuper d'elle-même : ce petit carton dans son sac, ce ticket pour le deuxième service que Jacques lui avait remis par la portière alors que le train avait déjà démarré, — « Tenez, Madame, voici pour votre déjeuner » — ce numéro qui pendait au-dessus de sa tête, répondaient de tout. Quel luxe!

Elle tira de sa valise un livre qu'elle ne lut guère. Tantôt somnolente, tantôt tournée vers la fenêtre, sans désir de réintégrer vite le noyau de l'individualité, elle éprouvait une impression diffuse et plaisante. Le compartiment était plein. En plus d'elle s'y trouvaient deux femmes avec leurs enfants et un couple. Elle ne s'intéressa qu'au couple : il se composait d'un homme d'environ vingt-cinq ans et d'une femme plus âgée, — elle est au moins aussi vieille que moi, se dit Geneviève, notant ses rides — qui se livrait à des enfantillages câlins, tantôt frottant son nez froncé contre celui de son amant, tantôt lui glissant dans la bouche un bonbon qu'il attrapait d'un air gêné.

Elle retrouva ce couple dans le car qui montait de Sierre à Crans et se demanda s'il descendrait comme elle à l'Éden. Le véhicule progressait lentement dans la nuit blanche, entre deux remblais de neige, avec sa charge de passagers silencieux comme la montagne. De temps à autre, il s'arrêtait, déposait quelques personnes devant un hôtel dont on ne voyait que les lumières au-dessus de la neige amoncelée de part et d'autre de son entrée. A chaque arrêt, le conducteur quittait son siège et grimpait sur le toit de la voiture pour y prendre les valises et les skis des passagers qui descendaient. Bientôt, il ne resta plus dans le car que Geneviève et le jeune couple. On arrivait à l'Eden. Une fois de plus, le conducteur grimpa sur le toit. En riant, le jeune homme hissa sur ses épaules les skis de sa compagne et les siens. « Je vais déjà les déposer, dit-il, puis je reviens prendre les valises. » La jeune femme le suivit, portant un petit sac d'Air France. Geneviève n'avait qu'une valise, fort lourde. Elle hésita : ne vaudrait-il pas mieux aller d'abord jusqu'à la réception de l'hôtel qui se trouvait à une trentaine de mètres et demander qu'on la vînt chercher? Elle décida de la porter elle-même. Quand elle arriva devant le hall de l'hôtel, elle heurta du pied l'escalier de pierre, en un vieux geste retrouvé, pour enlever, d'un coup sec, les blocs de neige collés à ses semelles. Mais des plaques gelées, brillantes, restèrent accrochées au bas de son pantalon. Devant le bureau, elle échangea un sourire avec la jeune femme qui donnait son nom au portier, ainsi que celui de son compagnon. Deux noms différents. Geneviève prononça le sien avec timidité : « Madame Brincas. » Les deux syllabes lui parurent rendre un son étrange. A lui seul, ce nom ne constituait pas une identité plus solide qu'un numéro. Geneviève cessait d'être une voyageuse anonyme pour devenir une cliente incongrue et un peu suspecte : une femme seule. Personne ici ne savait même s'il existait un Monsieur Brincas.

C'était l'heure du dîner. Geneviève prit un bain, se brossa les cheveux et descendit dans la salle à manger. Le parquet ciré, la vive lumière, le cliquetis de l'argenterie, le bruit civilisé des conversations et des rires contrastaient avec la rudesse du dehors. Non sans raideur, consciente d'être le point de mire des regards, elle gagna la table que le maître d'hôtel lui indiquait, près d'un pilier. De là, elle ne voyait que quelques clients : un couple à sa droite, une femme entourée de trois enfants à sa gauche et, de biais, au bout de la rangée des tables, le long du mur, un homme seul.

Quand elle se fut assise, tout comme à l'instant où elle s'était installée dans le train, mais plus personnelle, plus chaude, la joie l'envahit. Devant elle, pour elle, étaient disposés une nappe blanche, un menu, des fleurs, un couvert qu'elle n'avait pas mis. Son bain l'avait reposée et la vapeur avait donné un reflet soyeux à sa chevelure. Elle sentait que son visage était détendu. Sans effort, elle se tenait bien droite sur sa chaise et elle éprouvait de la pitié, mais peu de sympathie pour la jeune femme qui déjà quittait la salle à manger, chuchotant des recommandations à sa troupe d'enfants qu'elle allait mettre au lit. Neuf années de vie familiale en un jour abolies, Geneviève se voyait elle-même dans les yeux du vieux couple intéressé par sa présence à la table voisine : sans lien, sans passé, jeune, jolie.

En dépit de l'application qu'elle mit à savourer, plus que la nourriture, le plaisir d'être servie, elle eut vite fait de dîner et, quand elle quitta la salle à manger, la plupart des clients étaient encore attablés. L'homme seul, occupé à éplucher son fruit, leva les yeux sur elle à son passage et elle nota qu'il avait un visage tourmenté d'intellectuel sous des cheveux curieusement taillés, longs et raides, partagés par une raie presque médiane, qui retombaient en une épaisseur féminine sur ses oreilles. Elle en conclut, sans savoir pourquoi, qu'il devait être allemand. Et il lui fut antipathique car il lui sembla lire sur son visage une angoisse, réplique de la sienne. Les hommes qui ne sont pas heureux, c'est de leur faute. Les rois de la terre n'ont pas le droit d'être insatisfaits.

Avec volupté, elle s'installa dans sa chambre où le lit, couverture et drap cornés, attendait qu'elle s'y glisse. Luxe suprême, elle avait trop de place. Toutes ses affaires rangées, il restait un tiroir vide à la commode et plusieurs cintres libres. Souriant d'aise, elle déposa ses chaussures devant la porte, alluma la petite lampe de chevet, éteignit le plafonnier et, envahie de bien-être, écrivit une lettre enthousiaste à Jacques. Dès maintenant, elle savait qu'ils avaient eu raison de faire ce sacrifice. L'argent du voyage ne serait pas perdu. Elle allait revenir bien portante et toute la famille retrouverait le bonheur. Merci, Jacques.

Puis elle prit un livre dans la pile qu'elle avait déposée sur la table de chevet. Elle en attaqua la lecture avec gloutonnerie, comme peut manger qui a été longtemps privé de nourriture et se trouve subitement libre de se rassasier. Elle se fit penser à cet Allemand qu'elle avait vu, au début de l'occupation, avaler tout seul dans une pâtisserie un gros Saint-Honoré.

Quand elle éteignit la lumière, il était deux heures du matin, et la tête lui tournait un peu.

X

Jacques avait passé une moins bonne soirée. Après le départ de Geneviève et le long retour en métro, où sa pensée, rêveuse, avait suivi sa femme, il avait retrouvé avec malaise l'appartement déserté. La douceur de la veille et celle de leurs adieux l'enveloppait d'une triste tendresse.

Dans la salle de bains, il remarqua le vide : plus de brosses à dents près des siennes, plus de pantoufles, plus de crèmes ni de poudre. A la patère restait accrochée la vieille robe de chambre de Geneviève, celle qu'elle mettait le matin pour faire le ménage. Le « nous sommes sérieux » de Blomart revint à la mémoire de Jacques, souvenir désagréable d'une occasion où il s'était montré sot, menace que la présence de Geneviève avait contenue et que son absence libérait. Un moment, oppressé, il regarda dans la glace son image d'homme seul.

Mais il répugnait aux divagations tragiques. Une estime fondamentale lui interdisait d'ailleurs d'associer à la personne de Geneviève toute possibilité de dérèglement.

Jacques retourna dans le living-room et s'assit à sa table.

Pour la première fois depuis bien longtemps, il pensait à Geneviève comme à une femme qui existait hors de la cellule familiale et, sans aller jusqu'à l'imaginer dans son individualité, il essayait de se la représenter par rapport à lui, qui risquait de l'avoir déçue.

Il ne voulait pas douter que la crise passerait, mais il s'efforçait de comprendre comment ils en étaient, Geneviève et lui, arrivés à cette crise.

Et les propos de Blomart ne l'aidaient guère. Il ne voyait pas ce qu'il aurait pu, sans se renier, faire qu'il n'avait pas fait ni pourquoi ce qui s'était appelé tant d'années le bonheur s'était détérioré sans raison.

Bien sûr que leur amour avait évolué, que le désir entre eux s'était apaisé. Était-ce anormal après neuf années de mariage? D'ailleurs, avec la fatigue d'une existence chargée pour l'un comme pour l'autre de travail et d'obligations et la présence, si proche de leur chambre, d'enfants qui grandissaient, ils ne pouvaient plus se conduire en jeunes amoureux. Pourtant, la veille, ils étaient désœuvrés, il n'y avait personne dans l'appartement, et Geneviève s'était dérobée. Il n'avait pas insisté. Elle était lasse et lui-même, lui-même n'en avait pas eu tellement envie.

Jacques ne doutait pas de l'importance de l'amour physique. Bien au contraire, il était persuadé qu'une femme heureuse physiquement, si elle est d'autre part intelligente, est une femme satisfaite. Dans les premiers temps de leur mariage, l'entente de leurs corps l'avait émerveillé comme une sûre promesse de bonheur. Et, bien que les manifestations de cette entente fussent devenues de plus en plus rares, une pudeur particulière lui interdisait de la remettre en question. Le corps de Geneviève était, au cours des années, devenu un bien familial, une chair pure et domestiquée. A la chair de sa femme entre toutes les femmes, non par jalousie mais plutôt par une espèce de profond respect, Jacques refusait aujourd'hui la liberté, les faiblesses, les exigences.

C'était donc de son propre côté, où ne jouait aucun interdit, qu'il dirigeait son investigation.

Il devait s'avouer que, la veille, il avait pensé plus à Hélène qu'à Geneviève et que, s'il avait été gentil avec celle-ci, c'était aussi qu'il était content de la voir partir. Au fond, la vérité était là : il faut se quitter pour se retrouver. Jacques sourit : l'effet de la séparation ne tardait pas à se produire. Un moment, il eut même l'idée de décommander Hélène, tant s'imposait la nostalgie d'une journée désœuvrée avec Geneviève, d'heures flâneuses et tendres à elle consacrées, où s'évanouirait leur malentendu.

Le déséquilibre chez Geneviève était apparu au moment où il avait commencé de s'intéresser à Hélène. Fallait-il voir là une simple coïncidence ou l'effet d'une intuition? Pourtant cet intérêt, à l'époque, était bien innocent. Où Geneviève avait manqué d'habileté, c'était en refusant sa bienveillance à Hélène. Elle l'avait, lui, de cette façon déçu, braqué, et aujourd'hui il était vrai que l'intérêt qu'il portait à Hélène était moins innocent. Mais était-ce bien grave? Existait-il des maris totalement fidèles? Sans doute était-il, lui, parvenu à ce moment de la vie où l'homme a besoin d'un peu de renouvellement. Une épouse intelligente comprend ces choses.

Mais Geneviève absente avait trop de pouvoir. L'énervement des dernières semaines reculait dans un passé anecdotique. Jacques cessa de réfléchir. Un instant, il s'abandonna à l'entière douceur de l'amour conjugal. Toutes les relations humaines lui parurent claires. Rien ne menaçait son foyer. Les médecins d'aujourd'hui avaient une fâcheuse tendance à jouer les psychiatres. Tous les ménages connaissent des crises. La pire erreur est de dramatiser. Geneviève avait besoin de repos, c'était tout.

Jacques tourna le bouton de sa radio et se mit au travail.

Comme chaque semaine, il devait porter dans l'après-midi son article au Journal.

Dispersant livres et notes où bon lui semblait, sur le divan, la table, les chaises, il éprouvait de l'allégresse. La femme de ménage apparut à la porte, armée de l'aspirateur et de ses chiffons, mais il la renvoya :

— Je travaille, Marthe. Vous reviendrez.

Une telle phrase, il y avait longtemps qu'il avait envie de la prononcer. Le célibat avait du bon.

Fumant cigarette sur cigarette, fredonnant, sifflotant, éparpillant les cendres au vent des pages tournées, Jacques rédigea sa chronique avec la joie toujours renouvelée que lui procuraient la réalité supérieure de la chose écrite, l'étonnement devant soi-même et les rapports inattendus qu'il percevait entre les idées, ces vérités que son intelligence visait, atteignait et couchait en phrases précises sur le papier.

A une heure, l'article était terminé et Jacques se sentait « vidé ». Il aurait aimé entendre l'appel familier : « Jacques, c'est servi! » Il lui coûta de faire lui-même réchauffer dans la cuisine le repas préparé par la femme de ménage. Il aurait souhaité boire sa tasse de café en compagnie de Geneviève, rire avec les enfants. Oubliant que sa femme ne lui prêtait guère audience depuis des mois, il regrettait de ne pouvoir lui lire son article. L'idée lui vint de téléphoner à Hélène : il pourrait le lui lire, à elle... Mais il repoussa cette tentation. D'une part, il redoutait tout imprévu dans leurs rapports, ne voulant ni paraître s'ingérer autrement qu'en conseils dans la vie privée d'Hélène ni risquer de se heurter, lui, à une déception. D'autre part, il tenait à garder son prestige auprès de son étudiante et l'air d'un homme dont les instants sont comptés. Dans leurs relations, il continuait à jouer le rôle de l'adulte, elle, celui de l'enfant. Longtemps, elle s'était obstinée à l'appeler « Monsieur ». Mais comme il lui avait représenté qu'il ne pourrait, si elle n'employait son prénom, continuer à utiliser le sien, elle ne l'appelait plus d'aucune manière. Elle disait « B'jour », avec un sourire mystérieux, à la fois timide et complice, une façon rauque de mettre en valeur l'r final et elle laissait, après ce bonjour, flotter entre eux un silence où ils logeaient tout ce qu'ils ne pouvaient se dire, une affection qui n'avait pas de nom, ni amitié, ni amour, ni amitié amoureuse, ni camaraderie, ni déférence, ni sollicitude, qui était tout cela ensemble et se voulait indéfinie et surprise de rien. « B'jour », avait dit Hélène, rencontrant Jacques à une heure du matin devant sa porte, une certaine nuit. Et lui avait répondu : « Ah, vous voilà! » Elle portait un foulard sur la tête, ses joues étaient pâles, ses lèvres sans fard. Dans son ciré noir serré à la taille, descendue seule de sa voiture, elle avait un air vagabond, libre et perdu. Elle avait levé vers lui un visage qui ne l'interrogeait pas, comme si elle trouvait normal de le voir là. Ses yeux étaient tristes, élargis par des ombres. Et lui qui n'avait pensé, dans le taxi, qu'à la serrer dans ses bras, la protéger, l'écraser, la guérir du mal de jeunesse, la châtier des sottises qu'elle commettait et des inquiétudes qu'elle lui donnait, se tenait à distance. Dans la rue sombre et quasi déserte, il se trouvait ridicule, indiscret. « Je passais », avait-il dit. Il sentait, à un mètre de lui, derrière son dos, la porte de l'immeuble prête à le happer et il se raidissait pour la fuite. Hélène, du même regard, voyait Jacques et la porte. Elle avait avancé d'un pas dans leur direction. Une interrogation était apparue sur son visage, une attente plutôt, et ses deux mains s'étaient levées à hauteur de la poitrine de Jacques. « Je rentrais chez moi », avait-il repris. Et il avait perçu de la détresse dans sa voix quand elle lui avait demandé :

— Voulez-vous que je vous ramène?

— Non, non, avait-il protesté. Rentrez, rentrez vite.

Soudain, il n'avait plus souhaité que cela. Qu'elle eût fini de traîner dans la nuit. Il l'avait lui-même poussée dans le vestibule et il était resté en bas, tandis que l'ascenseur l'emportait. Il avait prêté l'oreille au bruit de sa clef dans la serrure et quand l'ascenseur était redescendu, vide, au rez-de-chaussée, il était reparti à pied, content.

Ils n'avaient pas reparlé autrement que par téléphone, le lendemain matin, de cette rencontre. Après son entretien avec Blomart au sujet de Geneviève, Jacques avait expliqué à Hélène que la santé de sa femme exigeait des soins et qu'ils ne pourraient provisoirement se retrouver en dehors de la Sorbonne. Il s'était imposé de ne quitter la maison que pour les nécessités de son travail. Peut-être avait-il seulement, à son insu, pour affirmer vis-à-vis de lui-même son bon droit, grossi ces nécessités.

A trois heures, Jacques alla porter son article au Journal, rue Saint-Joseph. Il aimait cette rue, secrète comme un rendez-vous, qui le menait en effet au rendez-vous qu'il avait chaque semaine avec sa jeunesse et avec une vie qu'il aurait pu choisir. Il ne venait jamais sans plaisir au Journal. Il se félicitait que son existence le conduisît régulièrement de la rive gauche à la rive droite, de la forteresse de la Sorbonne à ce vieil immeuble à la fois solennel et mouvant.

Il franchit la voûte et s'engagea à pied dans l'escalier. Comme toujours, il y avait un chantier au premier étage et l'odeur de peinture se mêlait à celle du papier.

Comme toujours, le rédacteur en chef réclama certaines modifications dans son article et Jacques s'irrita des exigences de la mise en pages. Il lui fallut remanier sur place une chronique qu'il jugeait excellente, dans cette pièce, mi-passage mi-lieu de rencontre, où se rejoignaient les vrais journalistes qui employaient une partie de leurs nuits à courir après les nouvelles et ceux qui, comme lui, venaient de l'extérieur. Pouvait-on peser son mot dans de pareilles conditions?

En attendant l'épreuve, il passa chez Taquet. C'était l'heure où celui-ci était inoccupé. Jacques était sa récréation hebdomadaire. Quand il l'avait dans son bureau, il ne semblait jamais pressé. Jacques devinait qu'il offrait à Taquet ce que celui-ci représentait pour lui-même, l'image de ce qu'il avait choisi de ne pas être.

Comme Jacques, Taquet était normalien, mais il avait eu trente ans au lieu de vingt pendant l'Occupation. Le journalisme l'avait gardé. Il avait pris l'allure et les costumes des hommes importants. Son bureau ressemblait à la fois à une loge d'artiste et à une salle de conseil d'administration. Sur la cheminée s'amoncelaient les cartons. Il en tendit quelques-uns à Jacques.

— Représente-moi à ce cocktail de l'ambassade des États-Unis, veux-tu... et mardi, viendras-tu à mon déjeuner au Ritz?

Jacques ne pouvait s'empêcher d'accepter les invitations de Taquet car il croyait toujours qu'elles lui réservaient quelque révélation ou quelque rencontre passionnante.

— Eh bien, dit Taquet, comme chaque fois, en jouant avec ce magnifique coupe-papier à pommeau d'ivoire qui ne lui servait jamais à couper des livres — eh bien, que dis-tu des événements?

Et, comme chaque fois, Jacques lui exposa son point de vue en déplorant l'attitude du Journal à l'égard de la guerre d'Algérie qu'il trouvait trop soumise aux vœux du gouvernement. Cette attitude lui posait des problèmes. Il se demandait s'il allait continuer à faire partie de l'équipe.

A la porte, on entendait comme un bruit de réfectoire. La secrétaire sonnait pour annoncer les visiteurs et Jacques, sous l'œil attentif de Taquet, s'échauffait. Il était assis dans un fauteuil de cuir bas. Taquet, derrière son bureau, le dominait. Jacques voyait, sous la table, se nouer et se dénouer ses jambes. Le bord du pantalon de Taquet était impeccable. Il portait des chaussettes élégantes et ses chaussures aux fines semelles cambrées ne faisaient pas un pli. La réussite matérielle de Taquet en imposait à Jacques en dépit de lui-même. Mais sa revanche, c'était cet intérêt, cette nostalgie qu'il lisait dans son œil. Taquet, emprisonné dans sa réussite, prouvait à Jacques qu'au moment du choix, il ne s'était pas trompé.

— Des types comme toi et moi n'ont jamais été faits pour diriger une feuille de chou, eut-il la coquetterie de déclarer en conclusion de leur entretien.

« Des types comme moi, sûrement pas », pensa Jacques en recevant des mains de Taquet le livre que celui-ci venait de prendre parmi quelques autres et qu'il lui tendait :

— Tiens, celui-ci me paraît intéressant.

— B'jour, dit Hélène en descendant de voiture.

— Quel synchronisme! s'exclama Jacques et il porta à ses lèvres la longue main nue qu'elle lui tendait.

Il avait vu la 2 CV se ranger devant chez lui, vite, faisant crisser ses pneus contre le trottoir, à l'instant où il sortait de l'ascenseur. Il aimait l'exactitude, les envies satisfaites au moment du désir et — même les raisonnables ont besoin de merveilleux — il avait tendance à grossir l'importance des présages et des coïncidences. Ce synchronisme lui parut un excellent signe pour la soirée.

Hélène retira promptement sa main, se réinstalla au volant, ouvrit à bout de bras la portière pour Jacques qui fit le tour de la voiture.

— Où allons-nous? demanda-t-elle, le pied déjà posé sur la pédale d'embrayage.

Il avait d'abord pensé l'emmener dans un cinéma des Champs-Élysées, après quoi ils seraient allés dîner au self-service de la rue Pierre-Charron. Puis, calculant que ses vacances n'étaient guère coûteuses, comparées à celles de Geneviève et des enfants, il s'était accordé un des restaurants italiens de la rue des Canettes. Mais il n'avait pas prévu qu'il répondrait :

— Chez Novy.

Geneviève et lui étaient allés une fois chez Novy, invités par les Armand, le soir de sa soutenance de thèse, et l'endroit était resté pour eux le symbole du luxe. Ils s'étaient promis d'y retourner « faire la fête » un jour. Mais à chaque occasion de fête, ils avaient, d'un commun accord, reculé devant la dépense. Et les années avaient passé. Il y avait beau temps qu'ils ne parlaient plus d'aller chez Novy.

Un remords menaça la joie de Jacques, glissa, disparut. Au creux de sa veste, il vérifia qu'il avait assez d'argent dans son portefeuille, se joua mentalement la petite comédie de découvrir que son article lui serait payé 20 000 francs et qu'il avait mérité de s'offrir une folie qui lui tiendrait d'ailleurs lieu de réveillon, sourit à Hélène :

— Ça vous va?

Jeune et n'ayant jamais manqué d'argent, prêtant d'ailleurs à Jacques, outre la supériorité de l'intelligence et de l'âge, une puissance matérielle que l'apparence démentait pourtant,

— C'est bien la boîte russe qui n'est pas loin de chez moi? répondit-elle du bout des lèvres, rue... rue...

— Rue Faustin-Hélie.

— Je n'y suis jamais allée... Comme vous voulez...

— Enfin une occasion de vous faire découvrir quelque chose! C'est un endroit merveilleux, vous verrez... J'espère qu'il n'a pas baissé...

— C'est élégant? Il faut que j'aille me changer?

Jacques estimait qu'une robe en valait une autre. Il avait derrière lui trop d'heures agacées où il avait attendu Geneviève qui « se changeait » pour que l'expression même ne l'irritât point.

— Non, dit-il avec autorité, vous êtes très bien ainsi. Et il effaça cette petite ombre qu'elle venait de mettre au tableau, écrasa le mot entre ses dents, en même temps que l'action qu'il représentait :

— Ne vous « changez » pas. — Il posa la main sur celle d'Hélène qui tenait le volant. — Vous serez la plus belle, comme partout, comme toujours.

Il ne perçut pas le frémissement de souris affolée qui parcourut cette main dans la sienne.

Sans prononcer d'autres paroles, ils gagnèrent la rue Faustin-Hélie. Jacques, heureux, sifflotait. Peut-être aussi pour se donner une allure désinvolte. Hélène rangea la 2 CV derrière une grosse Chevrolet marquée d'un CMD d'où descendaient des femmes en vison et des hommes ventripotents qui continuaient à bavarder entre eux sans prêter attention au chasseur empressé à les abriter des premiers flocons de neige. Mais le chasseur, lui, ne se préoccupait pas de la jeune fille en duffel-coat et de l'homme en loden qui, tête nue, bras dessus bras dessous, franchissaient au pas de course les quelques mètres qui séparaient leur 2 CV de l'entrée lumineuse.

Penché sur le menu, Jacques conseilla :

— Esturgeon au raifort? Qu'en dites-vous?

Il se rappelait qu'ils avaient mangé de l'esturgeon au raifort le soir où ils avaient dîné chez Novy.

— Esturgeon au raifort? répéta-t-il, regardant Hélène avec des yeux brillants.

Mon Dieu, qu'elle était belle, cette fille! Parmi la clientèle d'hommes âgés et de femmes sophistiquées, sa jeunesse était plus évidente. Elle se nimbait d'une innocence tendre qu'il n'avait jamais remarquée et que soulignait le petit sapin de Noël placé juste derrière elle. Les lumières faisaient étinceler des gouttelettes de neige fondue dans ses cheveux. De sa robe bleue fermée haut, surgissait sa pâleur. Elle aurait eu tort de se changer! Telle qu'elle était, elle attirait tous les regards. Il était fier qu'elle fût à sa table. Mais elle ne s'intéressait ni au menu ni aux hommages. Elle semblait absente. Et pourtant sous son impassibilité palpitait une vie contenue, un avenir dont il se promit qu'il serait en tout cas le témoin.

De nouveau, il prit la main d'Hélène et la serra sur la banquette de velours rouge.

— Esturgeon? répéta-t-il tendrement.

— Je n'ai pas faim, répondit-elle et choisit des blinies au caviar, ce qui le contraria à cause du prix et parce qu'il aurait aimé communier avec elle dans l'esturgeon.

Mais Jacques avait décidé que ce soir était fête :

— Une vodka, pour commencer? proposa-t-il.

Hélène croyait aimer l'alcool. Elle lui attribuait une vertu purificatrice, accusant en revanche la nourriture de vulgarité. Elle était assez jeune pour ne pas se préoccuper de diététique et tout faire de travers.

Ils burent leur vodka d'un trait, les yeux dans les yeux. Mais la joie ne brillait que dans ceux de Jacques.

Hélène chipotait ses blinies et finit par les laisser dans son assiette avec la moitié du caviar et toute la crème. Jacques hésita, puis :

— Vous n'en voulez plus? demanda-t-il.

Elle fit « non » de la tête et ajouta :

— J'aimerais mieux une autre vodka.

Le regard perdu, l'air d'être seule au monde et agressivement fière de l'être, elle écoutait la voix profonde d'un colosse russe qui ne la quittait pas des yeux tout en chantant. Quand il eut fini, l'orchestre joua des airs de danse puis l'homme vint s'asseoir dans le box voisin, tandis qu'un tzigane lui succédait. Celui-ci était presque un vieillard et il paraissait n'avoir jamais vu la lumière du jour. Dans sa chair blanche et bouffie luisaient, sous l'enflure des paupières, ses yeux de noctambule. On devinait ses journées lasses, l'écœurement de ses réveils, ses somnolences au lit derrière les volets clos, ses dépressions crépusculaires. Mais il était dix heures du soir, sa nuit commençait. Heureux jusqu'aux entrailles, rejetant en arrière un triple menton qui se perdait dans son cou, narines dilatées, bouche lippue, il chantait à pleine voix le bonheur de vivre et de boire et qu'importe si on en crève. La transe le gagnait. Il dressait maintenant sa guitare plus haut que sa tête et il en tirait, par légers pincements, des sons qui vibraient, inachevés, érotiques, irritant les nerfs, dans la demi-obscurité de la salle silencieuse. De temps à autre, le colosse russe opinait et son regard passait du tzigane à Hélène : « Fameux », lui dit-il par-dessus la barrière de velours rouge.

— Mangez encore un peu, murmura Jacques quand la lumière électrique fut rendue.

Hélène fit encore « non » de la tête, sans le regarder. Et ce fut au moment où il avançait la main vers son assiette en répétant : « Mangez encore un peu », qu'il vit les larmes dans ses yeux.

Son allégresse fit place à une joie grave. Elle n'avait pas besoin de rien lui dire. Il savait que ces larmes scellaient leur amitié. Il était cruel, bien sûr, de penser que jamais il n'aurait auprès d'Hélène d'autre droit que de lui serrer la main, d'autre joie que de la regarder vivre, mais il n'éprouvait plus cette cruauté. Quand le chanteur russe invita Hélène à danser, il la suivit des yeux en souriant. Il entrevoyait une longue suite d'années qu'ils vivraient séparés, mais parallèlement. Il s'imaginait heureux entre un foyer à nouveau équilibré et cette Hélène qui lui apporterait la part de poésie dont tout être a besoin. De temps à autre, hors de tout lien, ils se rejoindraient comme ce soir. Leur amitié n'enlèverait rien à Geneviève et ne gênerait pas Hélène. Il était content de n'être plus jaloux. Dire qu'il s'était torturé, cette fameuse nuit, à l'idée qu'Hélène ne dormait pas chez elle! C'était mal. Ce soir, leurs relations avaient trouvé leur harmonie. Hélène ferait ce qu'elle voudrait, leur affection ne risquait rien, il en répondait. « Ma petite enfant », chuchota-t-il quand elle revint s'asseoir à sa table. La tendresse lui débordait du cœur.

A présent, les artistes s'étaient rassemblés, comme pour une prière, autour d'une table centrale dont les bougies éclairaient seules la salle. Vieux ou jeunes, beaux ou laids, tous dotés du même merveilleux naturel, ils chantaient en chœur d'anciens airs du pays, ressuscitant, comme chaque soir, inventant, du fond de leur nostalgie, un monde révolu ou rêvé.

Jacques avait le sentiment de vivre une heure rare et solennelle. Il signait mentalement un pacte : celui de donner à Hélène tout ce qu'un homme qui n'est pas libre peut offrir à une femme.

Leur retour fut silencieux comme l'aller. Hélène, pour une fois, roulait lentement. La neige ne tombait plus mais elle s'était amoncelée sur les branches noires des arbres, accentuant leur dessin, et, dans le sous-bois, sur l'asphalte, les phares faisaient luire des flaques d'eau.

— Bonsoir et merci, dit Hélène, arrêtant la voiture devant l'immeuble de Jacques.

Il n'avait pas pensé qu'elle le ramenait Porte de Saint-Cloud et qu'elle aurait à rentrer seule. L'imminence de leur séparation le surprenait, déchirant sa joie. Devant eux s'ouvrait une nuit vide, pour chacun solitaire.

— Je ne tolérerai pas, dit-il du ton de la plaisanterie, que vous retraversiez le Bois toute seule.

Elle eut un petit rire :

— Je ne rentrerai pas par le Bois.

— Qu'importe. Ce soir, vous êtes sous ma responsabilité. Je ne veux pas que vous rentriez seule. Je vous accompagne jusque chez vous.

Elle rit de nouveau, avec une nuance de mépris :

— Et il faudra que je vous ramène ensuite. Il n'y a pas de raison pour que cela finisse.

Pour la première fois de sa vie, Jacques regretta de n'avoir pas de voiture.

— Je prendrai le métro, dit-il, ou un taxi... ou bien je rentrerai à pied. Ce n'est pas un problème.

Il respirait fort et s'en aperçut :

— Je vous ramène, obéissez, ordonna-t-il en allumant une cigarette.

— Comme vous voudrez.

Ils reprirent le même chemin en sens inverse, croisant quelques voitures arrêtées qui leur faisaient, avec leurs phares, des signes que, seule, Hélène comprenait.

— Eh bien, me voici chez moi, bonsoir et merci, répéta-t-elle.

Jacques avait retrouvé la paix de l'âme.

— Je vais rentrer à pied, dit-il avec entrain. Excellent exercice... D'ailleurs, je n'ai aucune envie de me coucher. Je n'ai pas sommeil.

Il baissa la vitre et jeta sa cigarette.

— Merci pour cette soirée, Hélène.

Il n'éprouvait plus de difficulté à la quitter : le simple fait qu'il lui souhaitait bonne nuit à sa porte, ainsi que ce devait être, transformait leurs adieux et lui donnait l'impression d'un heureux accomplissement. Il attendrait devant l'immeuble quelques minutes encore après qu'Hélène y aurait disparu. Il verrait s'éclairer, en haut, les fenêtres de son studio, et puis il traverserait la nuit froide, avec sa joie.

Il pressa la joue contre l'épaule d'Hélène :

— C'était une grande soirée. 23 décembre. Mon réveillon. Le vôtre aussi, peut-être. Une date en tout cas que nous ne devons oublier ni l'un ni l'autre. Nous n'avons guère parlé, et pourtant, j'en suis sûr, nous n'en avons jamais tant dit. Moi — sa voix avait pris un accent gamin, — moi, j'ai signé un pacte...

— Ah? Et... que dit-il, ce pacte?

Il fit claquer sur le col de fourrure d'Hélène un petit baiser et il s'écarta promptement d'elle :

— Il dit que les petites filles doivent aller dormir, premier article.

Elle n'attendit pas le deuxième article :

— Les petites filles!

Son visage avait pris une expression mauvaise :

— Eh bien, les petites filles n'ont pas envie d'aller dormir. Ce sont les messieurs mariés qui veulent dormir.

Elle hésita un instant :

— Les petites filles ont envie d'aller danser... Moi, je vais téléphoner à Slavko.

Derrière la vitre embuée, quelques secondes, lourdes comme des pavés, s'écoulèrent. Les rares voitures étiraient dans le brouillard un feu croisé de cordons rouges qui tremblotaient, hallucinants. Hélène entendit cogner le cœur de Jacques et le sien s'était déchiré, inondant sa poitrine d'une douleur physique intolérable.

Mais Jacques répondit :

— Je l'avais oublié, celui-là... Je croyais que vous n'y teniez guère.

La réponse vint, comme une gifle :

— En effet. Mais il est *libre*, lui.

En Jacques, le professeur qui refuse de se laisser bafouer ne dormait jamais longtemps :

— Je ne peux pas faire que je ne le sois point, rétorqua-t-il d'une voix glaciale. Amusez-vous bien.

Il était descendu trop vite pour que, lancée dans le mouvement de la haine, elle eût eu le temps de faire retour à la tendresse et de le retenir.

A longues enjambées, il gagna le métro Muette. Là, il hésita quelques secondes, puis il fit « non » de la tête, à plusieurs reprises, et se dirigea vers le boulevard de Beauséjour. La colère l'empêchait de souffrir.

Hélène souffrait. Immobile à son volant, elle vit Jacques disparaître dans la nuit. A chaque pas qu'il faisait, il lui arrachait les entrailles.

Ils ne pouvaient pas se quitter ainsi. Elle allait le rejoindre, s'expliquer. Elle ne pouvait pas le quitter du tout. Il était le seul élément solide de sa vie, le seul être qui ne fût pas une ombre ou un pantin, son point d'appui; fièvreusement, elle embraya.

Devant le métro Muette, elle attendit. Mais Jacques devait être déjà sur le quai ou parti. Laissant sa voiture en plein passage clouté, elle descendit l'escalier en toute hâte. Elle n'avait pas de ticket et perdit du temps à en acheter un. Quand elle arriva sous le panneau indiquant la direction Porte de Saint-Cloud, le portillon en bas se rouvrait et quelques personnes montaient les marches qu'elle descendait, de l'autre côté de la rampe. Le quai était désert. Alors, elle se rappela que Jacques avait eu l'intention de rentrer à pied.

Scrutant les passants, elle prit en courant la direction du Bois. Devant la gare de la Muette, elle hésita. Devait-elle s'engager dans le boulevard de Beauséjour? Ce fut assez pour que surgît un homme, une de ces projections nocturnes de la misère humaine que suscite à coup sûr le passage d'une femme seule. Écartant les pans de son manteau, il la frôla, lui jeta, dans sa bouche ouverte, des paroles obscènes et s'arrêta non loin d'elle. Elle fit demi-tour, prise de peur. Elle n'osait pas se retourner pour voir si l'homme la suivait et elle rejetait l'air pour se débarrasser de ce souffle, de cette souillure. Elle démarra vite, en direction de l'avenue Mozart.

Une ou deux fois, elle crut voir Jacques. Mais elle réfléchit qu'elle avait pris un itinéraire absurde. Elle le poursuivit cependant : absurde, la vie l'était aussi. Lentement, elle parcourut la rue Michel-Ange jusqu'à la porte de Saint-Cloud. Devant l'immeuble de Jacques, elle s'arrêta. Il n'était guère plus de minuit et demi. Elle attendit quelques minutes. Son envie de rejoindre Jacques se diluait. « Je vais compter jusqu'à deux cents, décida-t-elle. S'il n'est pas arrivé, je monterai chez lui. » Mais elle n'eut pas la patience d'attendre si longtemps. A 76, elle descendit de sa voiture et pénétra dans l'immeuble. Devant la porte des Brincas, sur le palier pauvre, la rancœur l'envahit de nouveau. Leur domaine! Leur médiocre domaine! Elle éprouvait du dégoût à y pénétrer, profitant de l'absence d'une femme à qui Jacques la sacrifiait et qui l'enchaînait en exerçant sur lui le chantage de la fatigue et de la faiblesse. Une femme bien plus forte qu'elle, en vérité. A quoi servait de rejoindre Jacques? Elle n'aurait jamais que les miettes de sa liberté, les miettes de sa vie.

Elle ne sonna pas à la porte.

En bas, sur le trottoir, non loin de sa voiture, un homme s'était posté. La peur la reprit si fort qu'elle tremblait, tandis qu'elle s'installait à son volant. Elle n'en finissait pas de partir. L'homme la regardait. Il allait bondir, rouvrir la porte qu'elle venait de claquer, l'assommer. Quand elle démarra, il n'avait pas bougé.

A la Porte d'Auteuil, elle décida de ne pas rentrer par

le Bois et tourna à droite. Jacques débouchait du boulevard de Beauséjour au moment précis où elle s'engageait dans la rue d'Auteuil, mais elle ne le vit pas et, s'il regarda la voiture, comme toutes les 2 CV, elle allait trop vite et il y avait trop de brume pour qu'il pût la reconnaître ou lire le numéro.

Hélène n'éprouvait plus rien que le besoin de ne pas rester seule. Toutefois, la pensée de Slavko ne l'effleura que pour être aussitôt rejetée. Elle allait téléphoner à Jacques. Il restait encore ce moyen de le rejoindre. Mais elle n'obtint pas de réponse. Alors, elle prit une feuille de papier. Longtemps, elle resta, le regard perdu, sans écrire un mot. Puis, d'une plume lente, elle traça quelques lignes :

« Pardonnez-moi mon attitude de ce soir, Jacques, j'ai tellement souffert de ne plus vous voir ces dernières semaines. Je m'étais juré de vous expliquer calmement qu'il valait mieux mettre fin à nos relations. Mais devant votre air heureux, comme s'il n'y avait pas de problème, toute explication m'a semblé vaine. Le problème n'est qu'en moi, je le vois bien.

« Il est deux heures du matin. Je n'ai plus que le désir de poser ma tête sur votre poitrine et de vous entendre me dire que notre amour est impossible.

« Hélène ».

Plusieurs fois, elle relut sa lettre avec la satisfaction que donne l'expression écrite du désespoir. Puis elle tourna un moment en rond dans la pièce avant de se jeter sur son divan, où le téléphone de nouveau la fascina. Cette fois, Jacques répondit :

— Jacques...

— ...

— Jacques, je viens de vous écrire.

— Alors, ce n'est pas la peine de me téléphoner.

Il avait raccroché.

Les yeux dilatés, elle garda longtemps le récepteur à la main. Puis elle déchira sa lettre en tout petits morceaux, reprit l'appareil et composa un autre numéro.

— Alain... Alain, pardonne-moi de t'appeler si tard. Tu m'as dit un jour que tu ferais n'importe quoi pour moi. Peux-tu venir? Oui, tout de suite. Viens, Alain, viens.

Le lendemain, Jacques sut qu'il avait du chagrin avant d'avoir repris conscience, à son réveil. Comme un malade, il resta au lit et, comme remède immédiat, il essaya la lecture du *Monde* qu'il n'avait pas eu le temps d'ouvrir le soir précédent. A la seconde page, il remarqua un manifeste d'intellectuels préconisant une solution politique en Algérie, amorcée par l'ouverture immédiate de négociations avec les chefs nationalistes. Parcourant la liste des signataires, il y remarqua le nom de François Charron, un de ses anciens condisciples, qu'il n'avait pas rencontré depuis plusieurs années.

« Je vais lui téléphoner, décida-t-il. Tant pis pour ce qu'en pensera Taquet. »

XI

A Crans, les jours passaient, blancs.

Chaque matin, quand la femme de chambre ouvrait ses volets, Geneviève constatait qu'il neigeait. De sa fenêtre, elle ne voyait rien que le rideau des flocons et un arbre dont, seul, le dessous noir des branches vertébrait ce monde cotonneux.

Mais le 28 décembre, au réveil, la lumière lui blessa les yeux. De grandes traînées bleues déchiraient l'ouate du ciel, sur la montagne en face que, de son lit, elle n'avait encore jamais vue. Geneviève se leva plus tôt que de coutume. Dehors, dans un instant, étincellerait la splendeur vierge que la foule des skieurs ne tarderait pas à souiller. Pour la première fois depuis son arrivée, l'envie lui vint de louer des skis et un équipement. Saurait-elle encore prendre son départ, droit dans la pente, ralentir sa vitesse par quelques christianias sur les bosses qui ne manquent pas de se trouver en haut des pistes et se laisser aller, l'équilibre affermi, au long schuss grisant dans la neige poudreuse? Elle rejeta cette tentation. La location d'un équipement complet représentait une grosse dépense et, d'autre part, elle n'éprouvait pas une suffisante confiance en soi pour aborder seule une piste dont elle connaissait l'arrivée large et douce mais qui, descendue des trois mille mètres du mont Lachaux, devait réserver à une skieuse rouillée bien des occasions de désespoir. Elle opta pour une promenade à pied.

Devant la porte de l'hôtel, deux hommes occupés à « farter » leurs skis lui sourirent.

— Bonjour, voulez-vous venir avec nous? Elle doit être bonne, là-haut, la poudreuse!

— Merci, je n'ai pas de skis.

— Vous ne savez pas skier?

— Si... ou plutôt je savais. J'ai dû oublier.

— Allez louer des skis! On fait une descente et on vous retrouve en bas du téléphérique.

— Non, non, merci! Je préfère marcher.

— Alors, peut-être à une autre fois. Bonne promenade.

Ils avaient la voix chantante et l'accent suisse.

Passé le village, elle s'engagea dans un chemin qui menait sous bois. Déjà des traces de skis marquaient la neige et, si elle prenait soin de les suivre, son pied n'y enfonçait pas trop. Au bout de quelques centaines de mètres, elle rencontra un écriteau qui portait une flèche avec l'inscription : Promenade, Saut du Diable. A partir de ce point, aucun chemin, aucune piste n'apparaissaient plus. Mais indiquant, crut-elle, la route à suivre, des pas avaient imprimé dans la neige les traces de fortes semelles caoutchoutées, à stries, neuves. Elle s'amusa à placer ses pieds dans ces empreintes qui, relayant celles des skis, la supportaient et ce jeu lui permit de constater qu'elles étaient sans doute celles d'un homme qui marchait à grandes enjambées. Les pas grimpaient à travers le sous-bois. Parfois elle était obligée, pour les suivre, de se courber sous les branches. Mais elle se disait : Où il a passé, je passerai bien aussi. D'ailleurs, comment découvrir autrement le Saut du Diable? Aucune pancarte ne l'indiquait plus. Geneviève se trouvait dans un total silence, une absolue blancheur que brisait seule, de temps à autre, la chute d'un paquet de neige. Mais la présence de ces empreintes régulières, apparemment décidées vers un but, la rassurait. Leur auteur ne devait pas la précéder de beaucoup car elles étaient très fraîches. Piquée au jeu, elle avançait, pressée comme par un rendez-vous qu'elle aurait eu avec cet inconnu. Elle imaginait un amoureux de la solitude et de la nature, un familier de la montagne, un homme robuste mais déjà mûr, préférant la joie de la marche à la griserie de la piste. Peu à peu, elle se le représenta sous les traits de Pierre Aubin. Elle voyait Pierre Aubin immobilisé dans un défilé rupestre qui la regardait venir en souriant et elle lui criait : je savais que c'était vous. Elle se hâtait vers cette joie. Pierre redescendrait avec elle, à pas lents cette fois, vers l'hôtel : « Et dire que vous étiez là et que je l'ignorais!... moi, je viens chaque année pour Noël. Je ne supporterais pas le climat d'Istanbul sans ces vacances à la montagne. » Et tous les jours, jusqu'à son départ, ils se rencontreraient. Elle cesserait d'être cette déracinée, cette flottante que les clients de l'Eden s'irritaient de voir deux fois par jour apparaître, seule et silencieuse, dans la salle à manger. Pierre prendrait ses repas à l'hôtel, en face d'elle, et son regard désormais s'arrêterait à lui, au lieu d'errer dans la pièce ou de se perdre en elle-même où il n'y avait rien. Les derniers jours seraient merveilleux. Semblables chances n'arrivent jamais dans les romans mais elles se produisent parfois dans la vie. Ils riraient, ils causeraient, ils quitteraient la salle à manger ensemble, indifférents aux autres. Pierre Aubin ou un homme qui lui ressemblerait...

Mais les pas s'arrêtaient net et le fourré devenait plus épais. A droite, le terrain grimpait vers la montagne en côte assez douce. A gauche, il descendait abruptement. Geneviève s'arrêta, intriguée, car aucune empreinte n'allait non plus dans la direction du retour. Haletant sous l'effet de la marche rapide et d'une soudaine oppression, elle scruta le sous-bois et découvrit enfin, descendant sur sa gauche, les marques des semelles à stries. Les suivre devenait malaisé à cause de la pente et des arbres nains qui barraient la route. Certains d'entre eux avaient été débarrassés par un passage récent de leur poids de neige à présent déposée en monticules irréguliers sur l'épaisse couche au sol et, de ce fait, le paysage perdait sa bienheureuse majesté pour revêtir un aspect chaotique et malpropre. Mais Geneviève n'hésita pas une seconde. Cet étincelant matin, ce grand ciel vide, cette blancheur qu'avaient seuls traversée le pas d'un homme et le sien dans les mêmes empreintes, appelaient une joie humaine, une rencontre privilégiée. Écartant les branches, accrochant ses vêtements à leurs aspérités, elle s'engagea dans la descente. Mais parvenue à une petite corniche, elle s'arrêta : elle entendait des râles.

Alors elle se pencha et ce qu'elle vit, une trentaine de mètres plus bas, la glaça : un homme vêtu d'un blouson gris, coiffé d'un bonnet de laine à pompon, gesticulait dans la pose d'un sauteur qui prendrait un élan grotesque, puis, à grand ahan, dans un envol dérisoire, franchissait un minuscule torrent qu'il aurait pu traverser d'un pas et ricanait son triomphe.

Geneviève resta plusieurs secondes à contempler ce spectacle, bien en vue à la pointe de son rocher. Mais, à un mouvement de tête que fit l'homme dans sa direction, elle s'enfuit vers le haut de la pente à travers les branches qui lui fouettaient le visage et bourraient de neige son encolure et ses poches, enfonçant jusqu'aux chevilles dans la couche vierge, poursuivie par les râles du fou, n'osant se retourner.

Enfin, à travers les arbres, elle aperçut une étendue blanche : la montagne nue et, en bas de celle-ci, bien moins loin qu'elle n'aurait cru, la gare du téléférique ou s'agitaient des silhouettes sombres. Lorsque enfin elle se laissa tomber sur un banc, en plein soleil, parmi des garçons et des filles affairés et joyeux, elle comprit la mimique de l'homme : un fou qui, se prenant pour le diable, exécutait son saut.

Mais, de toute la journée, elle ne put chasser une impression de souillure : elle était, elle aussi, une folle à qui le destin avait décoché une grimace, une femme mauvaise et justement punie, une gâcheuse. Le soleil éclatait, la beauté triomphait, les humains allaient et venaient, la mine rougeaude, l'œil bienveillant. Exclue de la fête, elle appela au secours Jacques et les enfants, et l'appartement de la Porte de Saint-Cloud, niche miséricordieuse.

Le soir, tandis qu'elle prenait le café dans le salon, elle vit entrer un des deux skieurs qui l'avaient saluée le matin. Il se dirigea droit vers elle :

— Je vous cherchais, dit-il.

Il s'assit à sa table :

— Je ne vous dérange pas?

Oh! non, il ne la dérangeait pas. Elle l'aurait embrassé si elle avait osé.

Il rit un moment, tout seul, des yeux qu'il avait bleu pâle et cernés de rides joyeuses :

— Vous avez eu bien tort de ne pas venir avec nous ce matin. De la poudreuse comme ça, on n'en voit pas souvent...

Il tendit un paquet de cigarettes :

— Vous fumez, Mademoiselle?

— Non, merci.

— Tant mieux, je n'aime pas les femmes qui fument... Mais il faut que je me présente. Michel Morey. Et vous?

— Geneviève Brincas.

Elle cachait le doigt qui portait son alliance.

— Je voulais déjà faire votre connaissance hier soir. Mais je n'ai pas osé. Ce matin, la présence de mon copain m'a donné du courage. Vous habitez Paris?

— Oui. Et vous?

— Les Parisiennes, je les reconnais du premier coup d'œil. Moi, j'habite le Chili. J'ai une scierie là-bas. Il y a trois ans que je n'étais pas venu en Europe. C'est long... Je vous observe depuis deux jours que je suis dans cet hôtel. Vous avez l'air triste, on dirait. Et pourquoi ne skiez-vous pas, Mademoiselle?

Elle hésita. C'était délicieux de jouer les jeunes filles.

— Je suis mariée, dit-elle.

— Oh, je vous demande pardon. — Il sourit, regarda l'alliance. Il était plus naturel qu'un enfant. — Vous ne m'avez pas attendu?

Elle sourit aussi :

— Eh non. Il m'aurait fallu attendre trop longtemps.

Elle regretta cette phrase qui mettait sur la voie dangereuse des questions concernant l'âge. Mais il en savait assez pour ce soir.

— Ça ne vous empêche pas de skier, déclara-t-il avec bon sens. Comment était la promenade, ce matin?

— Affreuse.

Elle raconta son aventure avec des rires. Il s'esclaffa :

— Ah, ah! j'aurais voulu vous voir! Je suis sûr que vous trembliez de peur. C'était, je pense, l'idiot du village. Ils ne sont pas méchants, en général, les idiots suisses. Il faudra que je demande à Émile s'il connaît celui-ci... Bien fait. Cela vous apprendra à refuser mes invitations. A propos, j'étais venu vous en faire une, d'invitation. Mon copain habite avec sa sœur et des amis dans un chalet. Nous allons tous danser ce soir. Vous venez?

Elle hésita. Elle avait si peu souvent dansé, si peu joué, si peu ri avec des camarades gais! C'était tentant. Mais beaucoup plus intimidant qu'une invitation au bal du Conseil d'État. Elle regardait la bonne face enfantine qui attendait sa réponse. Ce garçon ne devait pas avoir plus de vingt-cinq ans et son copain, la sœur, les autres, une bande d'étudiants sans doute...

— Je vous remercie... mais je ne connais pas vos amis, je n'ose pas accepter. Et puis, je suis ici pour me reposer, me coucher tôt.

Il n'insista pas :

— Dommage. Mais je comprends. Si vous le permettez, je vais rester encore quelques instants avec vous avant d'aller les rejoindre.

Il commanda un café qu'il paya.

— Je prends les deux? demanda le garçon.

Il opina d'un hochement de tête et elle réprima ses protestations, gênée, contente.

Huit jours de solitude hautaine fondaient comme neige au soleil dans cette enfantine présence. D'autres pensionnaires occupaient maintenant le salon. Seul à une table, « l'Allemand » les observait.

— Pour ce soir, reprit Michel Morey, je comprends. Mais demain, venez skier avec moi. La nuit est froide. La neige sera encore excellente. Vous venez?

— Mais je vous ai dit que je n'avais pas d'équipement.

— Louez-en un.

— Je n'ai rien, même pas un pantalon de ski, même pas un anorak. Et il y a tant d'années que je n'ai pas skié.

— Mettez-vous debout.

Elle s'exécuta en riant.

— Vous avez à peu près la même taille que la sœur d'Émile. Je vais lui demander de vous prêter un costume. Et je peux vous trouver des skis. Vous n'aurez qu'à louer des chaussures. D'accord?

— D'accord.

— Et on pique-niquera là-haut, à la gare du téléférique. Je commanderai les pique-niques demain matin, quand j'aurai vu le ciel. Mais je suis tranquille. Il fera beau.

Il cligna de l'œil :

— Je vous attends demain matin, à neuf heures devant l'hôtel. Pas besoin de vous occuper de rien.

Il s'était levé :

— Il faut que je m'en aille et je le regrette, croyez-moi. Dormez bien, à demain.

Il avait déjà franchi la porte quand il revint :

— Avant de vous mettre au lit, faites donc un peu de culture physique, puisque vous n'avez pas skié depuis longtemps. — Ce conseil s'accompagnait d'un nouveau clignement d'œil.

— La piste est difficile?

Il rit :

— Je ramasserai les morceaux.

Elle resta dans le salon à feuilleter *Match*. Elle n'avait pas, comme les jours précédents, hâte de retrouver sa solitude, l'éclairage limité de la lampe près du lit, le *Banquet* de Platon jadis annoté par Jacques. Elle était comme un enfant qui aurait longtemps regardé une ronde avec dédain et qu'un gamin gentil serait venu chercher pour le faire entrer dans le jeu. Alors seulement il s'aperçoit qu'il a eu froid, qu'il a été triste et il a peur que le jeu ne cesse et d'avoir à quitter les mains chaudes et la gaieté des autres. Elle aimait bien ce soir cette pièce laide, la lumière crue du lustre et les humains médiocres.

L' « Allemand » ne tarda pas à s'approcher :

— Puis-je m'asseoir à votre table?

Elle hocha la tête à contrecœur. Celui-là ne faisait pas partie de la ronde.

— Gérard Dulac...

Il n'était pas allemand.

Il était maigre. Il avait un museau de rat et d'admirables yeux noirs mouchetés d'or, avides, dont le regard collait à elle.

De nouveau, elle hocha la tête, sans répondre, et feignit de s'absorber dans sa lecture. Il prit une revue qu'il feuilleta.

La présence de cet homme ramenait les puissances mauvaises mises en fuite par Michel Morey. Elle se leva. Il fit de même :

— Excusez-moi, Madame — lui ne s'y trompait pas — il y a huit jours que je souhaite vous connaître. Et mon séjour s'achève. Je pars demain soir. Voulez-vous que nous marchions un peu, la nuit est si belle.

— Non, non, je vais me coucher. Je dois me préparer à une grande journée de ski demain.

Ah, ah! Elle était du côté des gens gais, bien portants, actifs, sans problèmes. Ce vilain visage intelligent qu'il lui présentait, cette angoisse trop reconnaissable, elle les réprouvait, les effaçait, les piétinait.

Il répéta d'une voix vibrante :

— La nuit est si belle. Venez au moins jusqu'à la porte. Venez voir la nuit.

La nuit s'épanouissait, criblée d'étoiles, immobile et froide.

— J'ai eu raison?

Sa main furtive avait touché la manche de Geneviève, le temps d'une seconde, assez pour que ce contact lui fît horreur.

— Oui, dit-elle, mais j'ai froid et j'ai sommeil.

Tant pis pour la splendeur nocturne. Elle s'était enfuie, sourde à la voix qui la poursuivait :

— Vous ne voulez même pas me donner votre adresse pour que je vous envoie mes livres?

Non, elle ne voulait rien de lui, rien, rien. Et elle se

moquait bien qu'il fût écrivain. Elle voulait rester dans la ronde enfantine.

Le lendemain, elle ouvrit les volets de bonne heure. Le soleil n'avait pas encore dissipé les nuages mais elle connaissait assez la montagne pour savoir que la journée serait belle.

Plusieurs fois dans la nuit, elle avait été réveillée par des mouvements de bras exécutés en rêve : appel et rotation.

A huit heures, la femme de chambre apporta, en même temps que le petit déjeuner, un fuseau bleu ciel et un anorak blanc à capuchon bordé de fourrure.

— Le Monsieur a commandé les pique-niques, déclara-t-elle.

S'examinant dans la glace, Geneviève se trouva superbe. Il suffisait de ce costume pour la métamorphoser en une femme de l'espèce triomphante. Mais la métamorphose n'était qu'extérieure : inattendu, traître, le trac l'empoigna. Qu'allait-elle faire de ce bel équipement! Elle avait été stupide d'accepter cette invitation! Le malheureux garçon! Elle allait lui gâcher sa journée.

Il était devant la porte, fartant ses skis, comme la veille, mais seul. Il s'arrêta de chantonner pour la regarder d'un œil appréciateur :

— Vous êtes splendide! Ah! ces Parisiennes! — Il attachait décidément de l'importance à la qualité de Parisienne. Il s'affaira quelques instants, planta son ski dans la neige, attrapa l'autre. Elle cherchait en quels termes lui annoncer qu'elle renonçait, qu'elle le rejoindrait pour le pique-nique, qu'elle avait accepté sa proposition dans un moment d'enthousiasme parce qu'il était si gentil, mais que vraiment...

Il reprit :

— Je suis bien content de vous voir. J'avais peur que vous ne me fassiez faux bond. La neige sera excellente. Un peu tassée, pas trop rapide. Juste ce qui convient pour vous remettre en jambes... J'ai commandé les pique-niques. Si vous alliez les chercher pendant que je finis de farter... Ah, attendez.

Il empoigna une paire de skis :

— J'ai trouvé ça pour vous. Levez le bras.

Le bout de ses doigts atteignait juste la pointe de la spatule.

— Épatant ! J'ai vos mesures dans l'œil ! Je vais farter vos skis aussi, pour que vous ne colliez pas. Mais légèrement. Il ne faut pas que vous alliez trop vite ! Je ne pourrais pas vous suivre !

Il lui décocha son clin d'œil gentil et taquin :

— C'est bien ce que vous voulez, n'est-ce pas ?

— Oh oui, c'est ce que je veux. Et même si vous aviez des peaux de phoque pour la descente... ou des raquettes... Je m'engage dans une de ces aventures ! Vous allez avoir des regrets, je le crains.

— Ne vous faites pas de souci pour moi.

Il l'accompagna chez Alix où ils louèrent des chaussures.

— Tu te paies notre tête, Alix, regarde ce que tu nous offres, des godasses en carton. Tes rossignols, on n'en veut pas. Allez, allez, cherche. — Il cherchait aussi, dans les coins. — Ça, c'est mieux. — Il avait déniché une magnifique paire de chaussures à triple laçage.

— Celles-là sont retenues, gémit Alix.

— Essayez-les.

Elle regardait Alix. Puisqu'elles étaient retenues... Mais Alix ne les lui arracha pas d'une main courroucée. Il attendait, comme Michel Morey, de savoir si elles lui iraient.

Elles lui allaient.

— Eh bien, il n'y a plus qu'à régler les fixations.

Ils étaient deux maintenant qui ôtaient des vis, les replantaient, mesuraient des courroies, lui prenaient une cheville, lui poussaient le talon.

— Enfoncez... là... bien à fond.

Ils rabattaient le crochet à l'avant et sa chaussure était toute plate, son pied serré, pris au piège.

— Penchez-vous en avant... Encore un peu...

Ça ne lâchait pas.

Le vin était tiré, il faudrait le boire.

Dans le téléphérique, elle se taisait. La montagne se déployait, tantôt plus proche, tantôt plus lointaine, offrant au regard ses maisons de poupées, ses forêts naines, une bande étroite où s'enchevêtraient des files de petits humains rapides et ses étendues blanches. On montait, on montait toujours. A la première gare, Michel Morey fit déposer son sac à dos. « Nous reviendrons pique-niquer ici », dit-il. Autour d'eux, des garçons et des filles brillants de santé, les cheveux décolorés par le soleil, plaisantaient et barvardaient sans regarder le paysage. Il apparaissait que beaucoup d'entre eux avaient déjà descendu la piste plusieurs fois dans la matinée. Certains interpellaient Michel Morey et lui donnaient des renseignements sur l'état de la neige. Le ciel était tout bleu, comme la veille. Il ne s'agissait plus d'un jeu d'enfants. Dans quelques instants, elle serait déposée à trois mille mètres d'altitude, confrontée avec cette montagne qu'elle était seule à mesurer du regard. Et du fait qu'elle en redescendrait ou non par ses propres moyens dépendait une victoire ou une défaite importante. Ce garçon qu'elle ne connaissait pas l'avait, d'un clignement d'œil, réintégrée dans le grand jeu cosmique. La panique la gagnait. Elle le regardait. Il souriait. « Je vais redescendre en téléphérique », se dit-elle. Mais la machine, avec des hésitations, s'immobilisait, Michel Morey la poussait devant lui, sa main calme sur son épaule :

— On y est.

Plutôt mourir que de subir la honte de redescendre en téléphérique. Elle les descendrait sur son derrière, s'il le fallait, les trois mille mètres du mont Lachaux. D'un geste désinvolte, comme les autres, elle reçut à bout de bras ses skis des mains du contrôleur et les porta quelques pas sur son épaule avant de les chausser.

Un instant, elle resta debout, au côté de Michel Morey, leurs skis perpendiculaires à la pente, bâtons plantés dans la neige, à regarder le cercle parfait des montagnes à l'horizon. Déjà, quelques skieurs avaient pris le départ avec des « pi-houou ! » joyeux. En trois ou quatre zigzags, aussi précis et prompts que ceux des hirondelles, ils avaient descendu plusieurs centaines de mètres et s'abandonnaient maintenant à la vitesse, schuss, accroupis, leurs bâtons sous les aisselles. Hommes-oiseaux, femmes-oiseaux, les êtres les plus enviables du monde.

— On y va? demanda Michel Morey.

— Je me demande...

Le départ était rapide. Plus elle considérait la pente, plus celle-ci l'effrayait.

— Partez le premier, dit-elle, et ne vous occupez pas de moi. D'une manière ou de l'autre, j'arriverai en bas.

Il rit :

— Faudra bien... Bon, je pars pour vous montrer le chemin. Surtout, suivez bien mes traces. Je connais la piste par cœur. N'ayez pas peur. Je ne vous ferai pas de misères. C'est un peu difficile au début, mais ensuite c'est du velours. Il n'y a plus qu'un passage dur, juste avant d'arriver à la gare. A ce moment-là, vous aurez des ailes.

Il passa un bras autour de son épaule :

— Ça va?

— Ça va.

Ça va, petit frère. Je te fais confiance. N'avons-nous pas passé ensemble toutes nos vacances d'enfants?

Il avait exécuté une pirouette sur ses bâtons et, droit dans la pente, il était parti. Mais, après quelques mètres, il ralentit son allure, décrivant des zigzags beaucoup plus larges que ceux des autres hommes-oiseaux. D'un mouvement sec il s'arrêta et se retourna. Elle était partie aussi, mais en dérapage. Impossible de se placer dans l'axe d'une pente aussi raide.

— Vous avez raison! cria-t-il.

Quelle chance!

Un passage plus facile se présentait, un petit schuss suivi d'un christiania à droite, son bon côté. Elle s'en tira.

— Mais vous avez du style!

Campé sur ses bâtons, la tête rejetée en arrière, il l'attendait.

— Ne m'attendez pas! cria-t-elle.

Des hommes et des femmes-oiseaux passaient près

d'elle, l'évitant d'un battement d'ailes. Elle entendit un garçon qui disait :

— C'est la pin-up à Michel.

— Salut, Michel, criaient-ils et, en le dépassant, pour se moquer, ils accéléraient leur vitesse.

— Salut, répondait-il d'une voix placide.

Elle essayait de suivre ses traces mais, par peur de la pente, elle élargissait encore les zigzags.

— Eh! ne remontez pas! cria-t-il une fois, venez plutôt de mon côté!

Elle se le tint pour dit. Ses jambes d'ailleurs s'affermissaient. Elle retrouvait les gestes et l'équilibre anciens. Elle termina tout droit jusqu'à lui, dans ses traces, mais elle manqua son arrêt et tomba, le nez sur ses pieds.

— Enfin! dit-il. Je me demandais si vous alliez vous décider.

Il la laissa se relever, sans l'aider. Elle riait :

— C'est merveilleux! Je suis contente! Je suis contente!

Il portait une énorme paire de lunettes d'où n'émergeaient que sa bouche et son menton.

— Vous avez du cran, déclara-t-il. J'en étais sûr. Et une bonne technique! Vous êtes tombée le nez en avant.

— C'était pour vous baiser les pieds. Je vous suis tellement reconnaissante! Sans vous, j'aurais quitté la montagne sans avoir chaussé de skis.

— Si j'ai pu vous faire plaisir, j'en suis très heureux, dit-il avec simplicité.

La suite du parcours était en effet plus facile.

— Je ne veux plus que vous m'attendiez, dit Geneviève. Nous nous retrouverons au téléphérique.

Il l'attendait quand même. Il descendait quelques centaines de mètres, s'arrêtait, remontait en ciseaux, prenant élan sur ses bâtons, bondissant, infatigable. Elle le grondait :

— Je n'aime pas que vous m'attendiez. L'idée que je vous gâche votre plaisir me gâte le mien.

Il protestait :

— Si c'est permis! Me gâcher mon plaisir! J'ai l'air de m'ennuyer?

— Je ne sais pas quel air vous avez. Toute votre figure est derrière vos lunettes.

Il les enleva. Était-il possible qu'un nuage passe jamais dans des yeux pareils? Était-il possible que ce visage reflète autre chose que la joie de vivre?

— Et votre mari, que dirait-il si vous vous perdiez? Il me tuerait! Je dois veiller sur vous.

Jacques devenait le vindicatif possesseur d'un trésor. Que la vie était simple! Que la vie était belle! Geneviève aussi exécuta une galipette en repartant. La sueur refroidie lui tendait les joues. C'était bon. La piste, à présent bien damée, était rassurante. Elle écoutait Michel :

— Lancez-vous, n'ayez pas peur, vous serez freinée plus loin.

Elle se lançait. Parfois, elle faisait malgré elle un petit saut exaltant sur un monticule. Une remontée les freinait. Il l'attendait en haut. Il lui passait un bras autour des épaules. Ils respiraient ensemble, en promenant leurs regards dans la lumière. Il disait : « Encore huit jours et vous descendrez aussi vite que moi. » C'était délicieux, ce bras autour d'elle. Non pas troublant. Délicieux. — « Vous voyez ce petit pont, là-bas? Un jour, j'ai parié avec un copain que je le prendrais schuss. Je l'ai pris mais j'ai éclaté, juste dessus. Fracture en vrille. Deux mois de plâtre. Ce n'était pas trop cher. On est bête quand on est jeune. » — Elle ne trouvait rien à répondre. Elle disait : oui, non, elle riait. Comme pour le ski, il lui aurait bien fallu huit jours de cette vie pour rattraper sur le plan du dialogue la bienheureuse simplicité de Michel Morey. Toutes les phrases qui lui venaient à l'esprit étaient lourdes, haïssables.

— On y va? demandait-il. Elle acquiesçait. Il repartait. Elle le suivait. La montagne n'était plus une impassible ennemie. Apprivoisée par Michel Morey, elle était la souple, coopérante compagne de leurs jeux. Mais elle n'avait pas dit son dernier mot.

La gare du téléphérique était proche. Toutefois, il restait à franchir le passage difficile. Soudain, Geneviève s'aperçut que les ailes ne lui avaient pas encore poussé et qu'elle n'avait plus de jambes. Elle tomba plusieurs fois, sans grâce, à quelques mètres de distance. Ses chevilles fatiguées ne maintenaient plus les skis parallèles. Ils s'engageaient dans des traces divergentes d'où elle n'avait pas la force de les tirer. Elle ne maîtrisait plus sa vitesse et préférait l'interrompre d'une chute plutôt que de tenter un christiania. Ses jambes tremblaient. Elle ne parvenait même plus à se maintenir, suprême ressource, en position de chasse-neige. Elle perdit un ski qui ne descendit heureusement que de deux ou trois mètres, arrêté qu'il fut par un rocher. Michel le planta dans la neige.

— Déchaussez l'autre, ordonna-t-il d'une voix douce. Vous n'en pouvez plus. Je vais vous ramener en taxi.

Était-ce le désastre? Non, non, elle s'y refusait. Si Michel voulait bien la laisser assise un moment dans la neige, elle allait reprendre son souffle et repartir sur ses skis. Le passage le plus dur était d'ailleurs franchi. Michel souriait.

— Vous n'avez pas une petite sœur? Je voudrais me marier avec une femme comme vous.

Oh! le vert paradis des amours enfantines!

Michel, dans une de mes vies antérieures, tu as certainement été mon époux.

— Vous êtes fourbue comme un cheval. Déchaussez, je vous dis, je vous ramène en taxi.

Mais bien sûr. C'était un temps où les hommes étaient rudes et les femmes leur obéissaient.

Michel a planté dans la neige le second ski à côté du premier.

Il lui tourne le dos :

— Montez, ordonne-t-il.

Quoi? A cheval sur son dos?

— Mettez les pieds sur mes skis... et accrochez-vous à moi... Ça y est? On part?

— Et mes skis? On les laisse là?

— Je reviendrai les chercher.

Michel Morey est maître absolu de leur double poids et de la montagne. Il descend à l'allure qui lui plaît et Geneviève est contente que cette allure soit lente, parce que c'est délicieux d'être accrochée à Michel Morey. Non pas troublant. Délicieux.

De retour à l'hôtel, elle trouva une courte lettre de Jacques.

« Mon chéri,

« Je capitule. L'appartement vide en cette période de fêtes est trop triste. Je veux passer le Nouvel An avec toi. Je te donne le choix : si tu es suffisamment reposée et que tu acceptes l'idée de rentrer quelques jours plus tôt que prévu, reviens le 30. Sinon, c'est moi qui te rejoindrai. Avertis-moi par télégramme. En tout cas, tu es en vacances jusqu'au retour des enfants. Si tu décides de rentrer, nous prendrons nos repas au restaurant. La solution vacances à Paris serait évidemment la moins coûteuse. Mais choisis en toute liberté. Les deux articles que je viens d'achever paieront les vacances à Crans.

« Je t'embrasse tendrement,

« Ton Jacques. »

Le 30 était le lendemain.

Michel Morey l'attendait dans le salon pour le thé, c'est-à-dire pour un énorme goûter suisse. Les pieds au repos dans les après-skis, tout le corps las et chaud, les joues brûlantes, à égalité de vie avec les autres, qu'il était bon de ne plus être seule! Était-il possible que le pain fût un aliment si savoureux, les confitures si délectables, le beurre si frais! Était-il possible qu'un peu de joie physique, un peu de gentillesse, suffise à chasser l'angoisse, à détourner des impossibles quêtes, à donner envie de crier que la vie est belle? Était-il possible que demain, à cette heure, elle fût dans le train du retour?

— Excusez-moi, dit Michel, j'ai promis à Émile de dîner ce soir avec eux et la bande. Il faut que je m'en aille. Voulez-vous venir danser avec nous, après?

Danser? Non, je n'ai pas envie. Avec toi, petit frère, j'ai vingt ans, mais avec toi seul. Quelle figure ferais-je dans une bande?

— Non, merci, le ski m'a fatiguée. Je tombe déjà de sommeil. C'était une merveilleuse journée. Je vous remercie. Je vous remercie tellement. Et je pense que je dois vous dire au revoir. J'ai reçu une lettre de Paris. Je pars demain.

Oui, un nuage pouvait passer dans ces yeux-là. Oui, la joie pouvait s'effacer de ce visage, en disparaître de manière pathétique, car que peuvent exprimer des joues rondes, un nez retroussé, des rides creusées par le rire, sinon la joie ou son absence? Qui donc disait : « La parole n'est pas mon langage »? Ce n'était pas non plus celui de Michel Morey. La joie le déserta et il se tut. Mais bientôt sa physionomie s'éclaira :

— Télégraphiez que vous vous êtes fait une entorse.

Quelle drôle d'idée! Et à quoi bon? De toute façon, c'est fini, nous deux, petit frère. C'était fini avant que j'aie lu la lettre de Jacques. On ne reste pas plus d'un jour dans le vert paradis des amours enfantines quand on a trente-trois ans. La lettre de Jacques, c'est même une gentille occasion d'en sortir.

— Il faut que je rentre à Paris. — Elle rit : — De toute manière, il ne me restait plus que trois jours à passer ici. Et je suis si courbatue que je n'aurais pas pu recommencer à skier avant une semaine... Je me souviendrai longtemps de cette journée. Chacun de mes gestes me la rappellera...

Il était par nature respectueux des liens officiels. Il n'insista pas. Mais, tout de même, il restait la nuit.

— Si vous partez demain, je n'irai pas avec la bande ce soir. J'ai tout le temps de voir la bande. J'irai dîner chez Émile, puisque j'ai promis, et je reviendrai vous chercher à l'hôtel. Nous ferons une promenade, voulez-vous?

La nuit était aussi brillante que la veille. Par la route gelée, enfin délivrée des voitures, ils allèrent jusqu'à Montana où ils entrèrent dans un café et burent du vin doré. Elle révéla l'existence de Florence et de Nicolas. Il tira de son portefeuille une photographie : celle d'une fiancée qu'il avait laissée au Chili. Il avait aussi ses problèmes. Il semblait même attendre de Geneviève qu'elle les résolve :

— Je l'aime bien, elle est jolie, elle est gentille. Elle n'est pas sotte. Mais elle n'a pas... comment dire? beaucoup de classe. Je ne suis pas fou d'elle. Mais, à vingt-sept ans, si le grand amour n'est pas venu, c'est qu'il ne viendra pas, n'est-ce pas?

Sait-on, sait-on jamais? A trente-trois ans encore, on espère qu'il viendra.

— Croyez-vous qu'il vaut mieux faire un mariage d'amour ou un mariage de raison?

Sur ce point, elle avait des idées.

— Ah, faites un mariage d'amour.

Tant pis pour le petit visage qui souriait, bête, sous des boucles trop hautes. Son arrêt venait peut-être d'être signé par une inconnue dans un café de Montana.

Sous le porche de l'hôtel, ils se dirent adieu. La main de Michel avait glissé le long de son poignet sous l'élastique qui maintenait fermée la doublure du manteau. Heureusement qu'elle éprouvait cette fatigue dans ses membres. Ou malheureusement. Il fallait trouver à travers cette fatigue la force de s'arracher à la main de Michel.

— Au revoir, Michel. — D'un geste prompt, elle l'embrassa sur les deux joues, se dégagea. — Au revoir, merci d'avoir été si gentil. — Elle courait presque.

Il la rattrapa :

— Vous ne m'avez même pas donné votre adresse. J'irai à Paris avant de repartir pour le Chili. Vous voulez bien que je vous téléphone?

Il nota son adresse sur sa carte d'abonnement au téléphérique.

— Mol, ça veut dire quoi? Ah, Molitor!... Je vous téléphonerai.

— Oui, oui, téléphonez-moi.

Que ferai-je de toi à Paris, petit frère?

XII

— Et l'Algérie, Geneviève, ne crois-tu pas que nous devrions penser davantage à l'Algérie? Je te faisais reproche de ne t'intéresser à rien en dehors des enfants et de ta maison... mais moi aussi je m'endormais. J'ai réfléchi dans cet appartement silencieux. J'ai renoué avec des gens que je n'avais pas vus depuis longtemps...

Comme Jacques avait la mine sombre sur le quai tandis qu'il scrutait les wagons! Et ne percevait-elle pas à présent, sur ses traits marqués, sa pâleur grise, dans sa voix même, une tension?

Ou n'offrait-il que l'aspect anémié des citadins et s'était-elle en dix jours déshabituée de son mari de même qu'elle avait oublié ses costumes stricts, la saleté de Paris, la laideur étriquée de l'appartement?

Mais non, Jacques était triste, à la façon des hommes, c'est-à-dire morne.

Qu'était-il arrivé à Jacques? Dans le taxi, il lui avait tenu la main... Oh, sans impatience. Le geste même était plutôt celui d'une retombée et c'était bien comme un poids qu'elle l'avait reçu, comme le double poids et la double chaîne de leurs vies associées. Il levait aussi de temps à autre vers elle un regard où affleuraient une attente, une exigence insolites. Et il l'accompagnait dans chacune de ses démarches, jusqu'à leur chambre où elle ouvrait ses valises et dans la salle de bains où le miroir lui renvoyait enfin, rond, hâlé, un visage de jeune fille. Mais, mon Dieu, il s'accrochait à elle, il l'avait rappelée, il avait besoin d'elle.

Hélène... Quelque chose s'était passé entre Hélène et Jacques, un événement qu'elle, Geneviève, ne pouvait aborder de front sans risquer de réduire à néant la victoire que représentait son séjour à Crans. A peine rentrée, elle retrouvait le vieux danger. Déjà se nouait entre ses yeux cette crispation, cette douleur... Un événement s'était produit que Jacques essayait d'oublier dans l'enthousiasme pour une cause. Eh bien, non, elle n'y regarderait pas de trop près, elle apporterait à Jacques l'aide qu'il lui demandait, c'est-à-dire sa présence, à la distance d'où l'on écoute.

— Il ne suffit pas de lire les journaux, de discuter dans les dîners tout en se demandant s'il est plus poli de laisser au voisin l'aile ou la cuisse du poulet, il faut agir, il faut agir en Algérie. Il existe plusieurs mouvements d'intellectuels auxquels je ne comprends pas que je ne me sois pas déjà intéressé. En un sens, tu as eu raison de nous obliger à la séparation. Dans cette rupture des habitudes, toi, tu t'es retrouvée et moi, je me suis réveillé. J'ai pris conscience de ma responsabilité. Nous courons à la catastrophe, j'en ai la conviction, et non seulement en Algérie où nous finirons par tout perdre, faute d'avoir accordé à temps les concessions indispensables, mais en France, où la logique de la guerre conduira au renversement du régime et à l'abandon de nos libertés. Il est temps de se réveiller.

Ne t'es-tu pas plutôt réveillé d'Hélène, Jacques? Mais c'est un nom que nous ne prononcerons pas, non plus que ne sera prononcé, à mon propos, le mot « neurasthénie », Tu étais endormi et moi fatiguée. La séparation t'a réveillé, m'a détendue, et nous voici dispos pour affronter de nouveau la vie ensemble, nous voici prêts pour une aventure à caractère scout, décidés aux simulations salutaires. Mais la vérité, ma vérité à moi, il faudra bien que je la trouve. Où? Dans quelle fissure? Le temps presse... L'Algérie... Je me demande si je suis capable, moi, d'agir en Algérie.

Jacques regardait sa femme. Il arborait à présent

presque un air de bonheur. L'appartement où il avait souffert, sans témoin, s'était enfin rempli d'une présence. Il n'était pas mauvais que Geneviève fût rentrée avant les enfants. Ces quelques jours qu'ils passeraient seuls allaient leur permettre de se retrouver tous deux, de reconsidérer leur vie familiale. En vérité, il n'était pas fait, lui, pour les aventures extra-conjugales. Il se demandait même, et c'était une cuisante blessure d'humiliation, s'il comprenait les femmes. La scène de Geneviève, la scène d'Hélène... Les scènes l'irritaient, le démolissaient comme des échecs personnels. Hélène avait été trop méchante. Elle se débrouillerait avec ses Slavko. Au moins, Geneviève était gentille. Et elle était adulte. Il garderait secrète la souffrance qu'il avait subie pour l'amour d'elle car, bien sûr, il n'avait tenu qu'à lui... Il ne lui dirait pas qu'il s'était solidarisé avec elle au moment du choix. C'était dommage qu'on ne puisse, entre mari et femme, se faire certaines confidences et qu'on dût ainsi taire les sacrifices qui vous coûtaient le plus.

— Je te trouve dans une forme splendide, disait Jacques. Mais tu ne m'as toujours pas raconté en détails ton séjour à Crans.

Pauvre Jacques, il était sans ruse. Elle l'avait écouté. Elle lui avait rendu service. A lui. Donnant, donnant.

— Tu sais, il n'y a pas de détails. Je dormais, je lisais, je mangeais bien. La montagne était belle, je marchais beaucoup. J'ai été heureuse de me retrouver quelques jours seule.

Il y a bien eu cette promenade au Saut du Diable où j'ai senti passer le vent de la défaite et cette journée d'hier où je n'étais pas seule...

— Moi, tu vois, je ne la supporte pas, la solitude. A la fin, j'étais atteint de téléphonite. Je relançais les gens... Mais ils étaient tous occupés par les réunions familiales, les fêtes, les lendemains de fête... Je me trouvais comme une vieille croûte oubliée sur une malle.

Une vieille croûte sur une malle... L'expression faisait partie du folklore familial. Jeune femme, en peignoir, à la porte du premier studio, triste pour une matinée de solitude : « Quand tu me quittes pour aller faire tes cours, il me semble que je suis une vieille croûte sur une malle. » Et plus tard, lorsqu'ils jouaient, jeunes parents, à se projeter dans un incroyable avenir : « Quand Florence sera mariée, tu nous vois, comme deux vieilles croûtes sur une malle. »

Jacques, cette fois, avait touché une corde sensible. Michel Morey et le ski se virent soudain renvoyés à un monde de rêve. Petit frère de rêve en un jour aboli. Le vrai frère était là, avec les longs souvenirs et le vocabulaire commun. Et pourtant...

— Moi, je la supporte, la solitude. Je crois même que j'en ai besoin et j'aimerais que, de temps à autre, tu me donnes ainsi une ou deux semaines.

Cela du moins devait être dit. Il faut que la vie soit possible.

Il lui pressa la main.

— S'il suffit d'une ou deux semaines par an pour te rendre bonne mine et belle humeur, j'en ferai le sacrifice... Ce n'est pas trop cher payé.

Et parce qu'une tension de son être se relâchait enfin :

— Vous les femmes, dit-il en soulevant et laissant retomber cette main qu'il tenait, vous êtes de drôles de créatures.

Il voyait un visage enfantin et maussade, deux yeux noirs noyés de larmes. Mais il voulait bien, au moment où elle s'en retranchait, admettre Geneviève, un instant de réconciliation, au nombre du troupeau absurde et séduisant.

Le lendemain, une gerbe de roses arriva par Interflora, accompagnée d'un carton : Gérard Dulac. Elle revit le regard affamé, le museau de rat, et le fou accomplissant le Saut du Diable. Le fou, le diable, Gérard Dulac, c'était tout un et ils n'avaient pas été longs à trouver son adresse. Il ne serait pas facile de leur échapper. Mais leur émanation, c'était ces fleurs splendides. Elle les disposa dans un vase avec une lente tendresse, frôlant des doigts, pour le plaisir, la rondeur dure des boutons. En une journée, elles s'épanouirent, découvrant leur richesse fragile, offrant leur cœur secret et, le surlendemain, jour de l'arrivée des enfants, Geneviève ramassa les premiers pétales tombés. Un moment, elle les conserva au creux de sa paume et, d'un geste irraisonné, les baisa. Au soir, elle jeta toute la gerbe. Jacques ne l'avait pas remarquée.

Geneviève et Jacques prirent part à une réunion d'intellectuels contre la guerre d'Algérie, qui se tenait rue Lhomond, chez un jeune écrivain.

Ils grimpèrent un vieil escalier de bois jusqu'au sixième étage où, dans un vaste atelier obscurci par la fumée des cigarettes, ils trouvèrent une vingtaine de garçons et de filles rassemblés, qui écoutaient un personnage plus âgé, sembla-t-il à Geneviève, que la plupart d'entre eux. A l'arrivée des Brincas, celui-ci s'interrompit pour serrer la main de Jacques, lui déclarant dans un français un peu précieux quelle joie et quel honneur c'était pour le mouvement d'accueillir un éminent professeur de la Sorbonne. Il s'inclina fort bas devant Geneviève et, portant ses doigts à ses lèvres, l'examina d'un regard qui la gêna. Jacques connaissait déjà beaucoup des assistants car, tandis qu'ils gagnaient un divan occupé par plusieurs personnes qui se serrèrent pour leur faire place, il les présentait au passage à Geneviève par leur nom, et, avec chacun, il échangeait la même poignée de main chaleureuse. L'installation de Jacques et de Geneviève donna lieu à quelques chuchotements et mouvements divers qui brisèrent cinq minutes l'attention recueillie qui flottait dans la pièce à leur arrivée. Le maître de maison était un garçon d'apparence jeune, au visage fin et contracté, dont le cou, joli comme celui d'une fille, émergeait d'une chemise lâche. Il vint leur apporter un verre de bière dont l'odeur se mêlait, avec d'autres relents, à la fumée. A l'oreille de Geneviève, Jacques expliqua que l'homme qui parlait au moment de leur arrivée était un célèbre avocat berbère. Non loin d'eux, vêtu d'un blouson, la mine boudeuse et les joues grenues, une jeune Arabe était calé dans un fauteuil, près d'un homme d'une cinquantaine d'années assis à ses pieds, qui portait le même blouson et le regardait de cet œil à la fois tyrannique et amoureux que les mères réservent à leurs enfants. Jacques se contenta de faire à celui-ci un petit signe de la main.

L'avocat berbère avait repris la parole. Sa voix était charmeuse, « gidienne », pensa Geneviève. S'habituant à la mauvaise lumière, celle-ci découvrait que les membres de la réunion n'étaient pas tous aussi jeunes qu'ils lui avaient paru d'abord. Certains avaient des cheveux blancs, des rides profondes. La plupart des femmes portaient sur leurs visages peu soignés les marques de la fatigue mais aussi un air de hauteur que soulignait l'alternance lente du mouvement de la main qui élevait la cigarette à leurs lèvres et du balancement de leur tête en arrière pour rejeter la fumée, yeux mi-clos.

Parmi elles, se trouvait une superbe fille d'une vingtaine d'années, accoudée contre une bibliothèque, le menton fier, le front large sous des cheveux courts coiffés à la diable. Les yeux rivés sur le Berbère, dans la pièce surpeuplée, elle portait comme la marque de la solitude. Jacques lui décocha un regard rapide et sut que sa femme avait vu ce regard. A Hélène non plus, on n'échappait pas facilement. Elle surprendrait Jacques, diversement incarnée, sur les chemins mêmes où il la fuyait.

Mais, qu'ils fussent assis à même le sol, parmi les cendriers et les verres souvent renversés, qu'ils fussent allongés ou debout, il y avait dans la posture de tous les assistants le même naturel et, sur leurs visages, la même expression ardente et libre.

L'orateur disait son amertume :

« Fils de Berbère, Français d'éducation, je ne représente que moi. Je suis de ceux qui ont cru jadis à l'honneur des Français et à l'honneur d'être français... »

Il racontait les déceptions, les humiliations, les tortures, et comment on avait précipité d'un balcon son confrère « X » qu'on conduisait au jugement, camouflant cet assassinat en suicide. Et comment il lui était devenu impossible d'aimer la France et de s'aimer soi-même jusqu'au jour où il avait découvert cette France dont la voix pure finirait par crier plus fort que toutes les ignominies commises en son nom, jusqu'au jour où il avait retrouvé la vraie France qu'il voyait en ces lieux si bien représentée.

Suivit la lecture de rapports d'indigènes où sans cesse revenaient les mêmes mots : otages, tortures, exécutions...

La réunion devint houleuse.

— Oh! que cela finisse! cria une femme.

— Oui, que cela finisse, reprit le maître de maison, d'une voix étonnamment forte et vibrante qui contrastait avec son apparence. Que cela finisse, clama-t-il dans le soudain silence. Mais non pas à tout prix. Que cela finisse par l'indépendance de l'Algérie...

— Ou par son autonomie, dans le cadre d'une communauté à forme fédérale ou confédérale, rectifia Jacques en allumant avec soin une cigarette.

— On verra cela plus tard, crièrent d'autres voix. Ce que nous voulons, c'est le retrait immédiat et inconditionnel des troupes françaises.

Jacques ne dit plus rien, mais il se prit la tête entre les mains.

A partir de ce moment, il garda le nez baissé, les sourcils froncés, et Geneviève sut que ce ne serait pas ce soir, en tout cas, qu'ils agiraient ensemble en Algérie.

Mais l'hostilité de Jacques ne gênait pas les autres. L'homme chauve au blouson s'était dressé et il essayait d'extraire de son siège le jeune Arabe qui s'accrochait d'une main à l'appui du fauteuil et de l'autre au verre qu'il n'avait fait que remplir et vider, vider et remplir, depuis l'arrivée des Brincas.

— Tu as assez bu, disait l'homme d'une voix métallique. Tu as assez bu. Va leur raconter maintenant ce qu'ils t'ont fait.

Le gosse ne répondait rien. Il se contentait de faire non de la tête et d'essayer de porter son verre à ses lèvres.

A ce moment, des pleurs d'enfant s'élevèrent de l'autre côté d'une cloison et une femme en pantalon et chandail noirs, les cheveux coupés court, l'allure garçonnière, quitta promptement la pièce et revint, portant sur un bras un garçonnet en pyjama qui ressemblait à Orson Welles.

— Tu vois, ce sont tous des amis, dit-elle d'une belle voix grave, tandis que l'enfant plissait les yeux pour essayer de reconnaître les personnes présentes et que son visage à elle se colorait d'un afflux d'amour maternel qui la métamorphosa.

Geneviève entendit Jacques grommeler entre ses mains évasées à la base de son menton et elle crut distinguer le mot « pagaille ».

Et c'est encore le mot dont il se servit quand ils rentrèrent, tard dans la nuit.

« Pagaille », « simplification des problèmes », « sentiment », « absence de réalisme », « bavardage »...

— Ce sont des communistes? demanda Geneviève.

— Même pas... des intellectuels, comme ils se proclament. Touchants et inefficaces.

— Moi, dit Geneviève, pour l'essentiel, je pense comme eux au sujet de l'Algérie.

— Moi pas.

Février passa, et mars... En apparence, la vie Porte de Saint-Cloud n'avait guère changé. Jacques, sans nouvelles d'Hélène, avait enfin téléphoné chez celle-ci après le retour de Geneviève mais il n'avait pas obtenu de réponse. Inquiet, il s'était décidé à lui envoyer un billet et, quelques jours plus tard, une carte lui était parvenue, de Megève : Hélène allait bien, elle comptait passer deux mois à la montagne avec des amis. Elle n'indiquait pas son adresse. Eh bien, puisqu'elle avait de l'argent à gaspiller, en même temps que sa jeunesse, c'était tant mieux pour elle. Il s'en désintéressait.

Sa méchanceté, ce fameux soir où ils avaient dîné chez Novy, avait blessé trop profondément Jacques, à l'heure de la plus grande tendresse, pour qu'il pût la lui pardonner. Quand il fut rassuré pour l'essentiel au sujet d'Hélène, il cessa vite d'y penser et l'importance de Geneviève à ses yeux, sans qu'il en prît conscience, décrut corrélativement.

Elle ne s'en plaignit pas. Les efforts de Jacques, au cours de la semaine qui avait suivi son retour de Crans, l'irritaient plus qu'ils ne la touchaient. C'était trop tard. Elle avait fait la part du feu. Pendant des années, elle avait joué sans faiblir son rôle de femme heureuse, si bien joué ce rôle qu'elle avait ignoré que c'en fût un jusqu'au moment où elle s'était effondrée et n'avait pas trouvé en son mari le secours qu'elle cherchait. Le temps où ils pouvaient encore se retrouver sur le plan de l'amour était révolu et l'échec, constaté par elle et mis en formules, irrémédiable, car les femmes, lorsqu'elles ont formulé une conclusion, s'y tiennent, et elles y adaptent leur conduite avec une logique obstinée.

Geneviève quittait enfin cette période floue de la jeunesse qui ne se résout aux situations franches que dans le drame. Elle y voyait clair : il n'y avait pas de drame. Tout ce qu'elle demandait au mariage à son tour, désormais, c'était l'harmonie dans son foyer et la sérénité. N'est-il pas plus aisé de vivre quand on connaît sa situation et ses limites et qu'on les accepte? Même si cela signifie s'accepter comme cadavre. Mais encore fallait-il que Jacques ne s'avisât point à contretemps de s'occuper trop d'elle.

Dans cette décision que Geneviève avait prise de faire la part du feu, dans ce retour que Jacques avait entrepris vers elle, tout n'était d'ailleurs pas négatif. Il était vrai qu'ils ne formeraient plus jamais un couple, mais ils avaient constitué une équipe. Subitement mûris par l'expérience d'une séparation au cours de laquelle chacun avait, à sa manière, goûté à la « vraie vie », où chacun, à part soi, s'était reconnu enchaîné, obligé d'admettre que les autres jours ne pouvaient éclore que par chance insigne ou par accommodement difficile à l'intérieur d'une discipline qu'ils venaient à nouveau de choisir, ils se retrouvaient meurtris, amputés même, mais chacun éprouvait en ses profondeurs une robustesse nouvelle ainsi que la conscience du lien qui les attachait l'un à l'autre.

Geneviève savait que plus jamais elle ne se livrerait à des scènes qui n'étaient que manifestations de faiblesse et de dépendance. Elle admettait que Jacques, en l'épousant, avait fait pour elle tout ce qu'il pouvait faire. Il était vain, et peut-être injuste, de lui demander de se souvenir que Geneviève existait encore en Mme Brincas. Désormais, elle assumerait sa vie personnelle, ce qui signifiait bien sûr que, sur un certain plan, elle s'était à jamais séparée de Jacques, mais aussi qu'en contrepartie elle l'acceptait également tel qu'il était et le laisserait en paix. Et Jacques était, comme beaucoup d'hommes, assez naïf, comme beaucoup d'hommes assez peu épris d'absolu pour voir dans cette paix que sa femme lui donnait une marque d'amour. Le couple Brincas avait achevé sa crise d'adolescence pour devenir un bon ménage.

Mais l'adolescence au cœur de certaines femmes ne finit jamais. Dans les journées anormalement chaudes de cette fin de février et de ce mois de mars, Geneviève promenait, avec ses enfants, une bondissante envie de revivre. L'air était frais, le soleil déjà brûlant. Sur son cou dénudé, entre ses doigts, passait la double caresse de cette fraîcheur et de cette chaleur. Depuis des années, elle n'avait éprouvé le printemps que par réminiscence. Celui-là, elle le ressentait comme un acte d'amour : l'eau effleurait le bord du lac, les oiseaux, dans les arbres encore noirs, lançaient, çà et là, trois notes brèves. Parfois, l'un d'eux, appelé plus fort par le printemps, soutenait son chant comme un défi.

Les bourgeons se tendirent vers l'éclatement. Geneviève rejetait la tête en arrière et sa poitrine se tendait aussi. Parfois elle marchait, oubliant que les enfants la suivaient. Depuis huit années, ils lui imposaient leur rythme. Il arrivait qu'elle leur imposât, sans même s'en douter, le sien. La croyant seule, des hommes l'abordaient. De lentes voitures frôlaient le trottoir, s'arrêtaient à sa hauteur, repartaient, attendaient plus loin. Elle se demandait s'il y avait des femmes assez folles pour monter dans ces automobiles où le conducteur les guettait, vissé sur son siège, presque invisible, sa puissance se mesurant à celle de sa machine. Fuyant cette obsession basse qui dérangeait son rêve, elle longeait la berge du lac par les sentiers inaccessibles aux voitures. Elle rencontrait là d'autres promeneurs dont le regard croisait le sien et elle savait qu'il lui arrivait de soutenir ce regard avec trop d'audace et de curiosité. En admettant que Jacques n'était plus tout pour elle, elle avait du même coup rendu la vie au monde extérieur. Elle ne se demandait pas encore par quel miracle elle rejoindrait celui-ci sans quitter son foyer, mais il lui réservait désormais une promesse qu'elle interrogeait avec avidité. En ce printemps, Geneviève éprouva le désir comme un commencement de volupté. Il lui semblait que cela se voyait, qu'elle aurait dû s'éteindre un peu. Mais, apparemment, seuls les inconnus de la rue et du métro remarquaient son éclat.

Et toujours se levait en elle le souvenir de Pierre Aubin. Sans cesse, revivant l'instant où leurs regards s'étaient croisés dans son salon, elle retrouvait le même élan vers lui, comparable à celui qui la portait, chaque matin, vers le lit de Nicolas.

Elle finit par penser que cet homme cristallisait son besoin d'aimer, grâce à son absence même, et par se soupçonner de frigidité sentimentale, comme d'autres femmes, ont, paraît-il, le malheur d'être physiquement froides. D'ailleurs, si l'on pensait aux catastrophes dont la vie est ponctuée, à la médiocrité dont elle est tissée, l'amour n'était-il pas un luxe auquel il était sage de renoncer?

Mais elle n'y renonçait pas. En elle, une vocation était née. Comme d'autres veulent peindre ou écrire, malgré toute la fatigue, malgré tous les devoirs, en plus de la fatigue et de tous les devoirs, elle savait ce qu'elle voulait de la vie : c'était l'amour.

XIII

En Algérie se poursuivait la guerre qui n'osait pas dire son nom et Jacques, comme il l'avait résolu, agissait. Il participait maintenant à un mouvement d'universitaires qui préconisait une solution de raison, allant bien au-delà des « réformettes » administratives auxquelles, disait-il, personne ne croyait plus, mais sans mener toutefois à l'indépendance immédiate, car celle-ci ne pouvait être, pour les Algériens eux-mêmes, qu'une brève illusion. Ils n'étaient pas mûrs pour elle, ils n'en avaient pas les moyens. Ce qu'il fallait, c'était leur donner une réelle autonomie interne, assortie du maintien de liens particuliers avec la France.

Ce langage, en dépit de l'application nouvelle qu'elle apportait à lire les journaux, Geneviève le comprenait moins bien que celui des « intellectuels » de la rue Lhomond. Un soir, elle accompagna Jacques à un colloque auquel prenaient part une majorité de juristes. La discussion fut si technique qu'elle ne put la suivre et la distance entre les moyens préconisés pour mettre fin à la tragédie et la tragédie elle-même semblait si grande, la solution proposée demandait tant de délais... Avec leur pondération ou la chaleur concertée de leurs interventions, l'ordonnance cartésienne de leurs arguments, leurs mots d'esprit, leur inébranlable honnêteté et leur bonne conscience, les professeurs ne semblaient guère se préoccuper de la question de savoir si la violence, celle des fellagha, celle des Européens, pouvait être ou non justifiée et s'il fallait ou non « que cela cesse » comme avait crié la femme rue Lhomond. Pendant le colloque, Geneviève regretta la pagaille de la rue Lhomond, la fumée, l'alcool, les cris, toutes les manifestations de la vie, l'apparition de l'enfant et même la présence du petit Arabe à l'expression mauvaise. « Touchants et inefficaces », avait dit Jacques. C'étaient les professeurs qui lui paraissaient à elle inefficaces et non touchants. Elle osa l'avouer à son mari, qui sourit :

— Je ne te vois guère en anarchiste, pourtant.

Et c'était vrai. La preuve ne s'en fit pas attendre.

Un matin que Jacques faisait cours, le téléphone sonna. Geneviève prit l'appareil avec cette promptitude nouvelle qu'elle apportait à répondre.

Dès le « allô » elle reconnut la voix vibrante qui avait crié : « Que cela finisse, mais non pas à tout prix! » L'homme ne se nomma point. Il lui rappela seulement qu'elle était venue un soir chez lui, en compagnie de son mari.

— Est-ce à mon mari que vous voulez parler?

— Non, *à vous*.

Il ne semblait pas pressé de révéler ce qu'il avait à lui dire car il laissa quelques secondes s'écouler dans le silence. Nerveuse, étonnée d'avoir été désignée avec cette fermeté, Geneviève l'interrogea :

— Et... de quoi s'agit-il?

— De rien qui se puisse dire par téléphone. Serait-il possible que je vous rencontre?

Elle hésitait.

— Je veux vous demander un service.

Et, comme elle se taisait toujours, sachant bien déjà qu'elle accepterait de rencontrer ce garçon mais craintive et cherchant ses mots :

— Voulez-vous rendre service? répéta-t-il, et c'était presque un ordre.

Elle remarqua qu'il n'avait pas dit « me rendre service ».

Et, à croire qu'elle avait su d'avance où elle donnerait son premier rendez-vous clandestin, elle lui indiqua comme lieu de rencontre un café proche de la gare d'Auteuil. Ils s'y retrouveraient le soir même, à six heures et demie, moment de la journée où elle descendait souvent pour quelque course.

Michel Martinelli — encore un Michel — attendait, déjà installé à une table, quand Geneviève arriva. Elle revit avec joie ce visage où, dans la finesse des traits, la ligne ascétique de la bouche, la pâleur, la jeunesse fanée, s'inscrivait le tourment mais qui rayonnait de lumière intérieure si bien que, comme le visage de certains religieux, il frappait à la fois par son inquiétude et par sa sérénité, par sa maturité et par son enfance. Quand Michel Martinelli se leva pour saluer Geneviève, il déposa sur la table une serviette de cuir qu'il avait tenue sur ses genoux et elle remarqua ses mains qui offraient le même contraste que son visage : petites, aux phalanges très apparentes, aux ongles parsemés de taches blanches, indices de décalcification, mais dotés de lunules importantes, signe de vitalité, c'étaient des mains fragiles mais joyeuses, aptes aux jeux comme des mains d'enfant.

Il souriait, à présent qu'elle était assise en face de lui, découvrant une denture à l'émail très blanc qui s'accordait avec son joli cou dégagé de la chemise ouverte, annonçant le poitrail et tout le corps, et, dans ses yeux, brillait un éclair de malice. Était-ce parce qu'elle avait eu un frère taquin que Geneviève trouvait tant de plaisir à se voir regardée de cet air? Il ne lui avait pas fallu trente secondes pour se livrer à cet examen et pour évoquer le poitrail de ce garçon, quand la plupart des hommes ne possédaient même pas une poitrine, se réduisaient à un costume sombre, une cravate, des manières et une tête à celles-ci assortie. Michel Martinelli était le plus spiritualisé des hommes, mais il était certain qu'il avait un corps. Une ressemblance l'apparentait à Michel Morey, à Pierre Aubin, à tous les hommes auprès de qui Geneviève se sentait bien : il possédait la grâce très rare du naturel et, tout comme Michel Morey et Pierre Aubin, il donnait l'impression de n'être pas pressé.

— Que boirez-vous?

Elle jeta un regard au verre déjà vide, sur la table :

— Une bière, comme vous.

— Garçon, deux bières! cria-t-il de sa voix de soleil.

Il se tut jusqu'au moment où le serveur, ayant déposé les deux verres, se fut éloigné, puis, toujours souriant :

— Voilà, dit-il. Un de nos amis algériens est recherché par la police. (Elle revit le jeune Arabe à l'expression butée, cramponné à son fauteuil, et se douta de ce qu'on voulait d'elle. Folie!) — Michel Martinelli marqua une soudaine hâte : — On a pu le cacher chez des copains (le mot chantait). Mais — il reprit son tranquille débit — voilà où vous intervenez : il avait avec lui de l'argent... une grosse somme, destinée au F.L.N. Voulez-vous garder cet argent?

Comparée à l'énormité du service qu'elle avait craint d'avoir à refuser, la proposition paraissait bénigne.

— Si je m'adresse à vous, c'est que tous nos amis sont suspects. Vous ne courrez, vous, pratiquement aucun risque : vous n'êtez venus, votre mari et vous, qu'une seule fois chez moi, expliqua-t-il sans amertume.

Il s'adressait à elle, non pas à Jacques. Il l'avait choisie. Ce choix la portait en un lieu où elle était heureuse de se trouver, parmi des gens vers qui allait sa sympathie et dont le plus sympathique était en ce moment devant elle, en train de lui dire qu'ils l'avaient reconnue pour une des leurs. Elle vit en imagination l'endroit où elle cacherait l'argent, à l'intérieur du vieux pèse-bébé. Elle si lente et indécise, il semblait qu'elle eût une réponse pratique toute prête pour chaque proposition que lui ferait ce garçon.

Un scrupule la poussait à dire : « Il faudra que j'en parle d'abord à mon mari. Mon appartement est le sien, il faut qu'il soit d'accord avec moi. » Jacques accepterait-il? Elle rejeta ce scrupule et cette facilité. La question de savoir ce qu'en penserait Jacques devait être remise à plus tard. Il fallait d'abord trouver par elle-même les raisons du oui ou du non. Une chose importante arrivait, une occasion de vérité et d'action qui ne s'était jamais présentée, la possibilité d'une délivrance. Et le même élan qui lui avait fait crier mentalement : folie! à l'idée de cacher un Arabe antipathique la poussait à dire oui. Il fallait pourtant réfléchir :

— Puis-je vous laisser quelques instants? Je reviens dans cinq minutes.

Face à ce visage aussi fragile que le sien mais brûlé par de plus hautes flammes, devant ces mains aux ongles décalcifiés croisées sur la serviette noire, elle ne pouvait pas réfléchir. Elle ne pouvait que dire oui, oui à tout, oui, comme les apôtres au Christ.

Elle marcha boulevard Exelmans, le long des arcades. Point ne lui fut nécessaire d'aller bien loin. Dès qu'elle s'était retrouvée à l'air libre, sous le ciel pâle du crépuscule, la seule question pour elle importante s'était précisée : A quoi servirait cet argent? Était-il destiné à une entreprise de paix ou à la guerre? Aussitôt, dans sa cervelle qu'il écorchait comme il déchirait son siècle, avait défilé le cortège interminable : nationalisme, fanatisme, terrorisme... D'un côté comme de l'autre. Et elle, lâche, au milieu, incapable d'agir, paralysée parce qu'elle avait horreur de toute violence collective, organisée, aveugle. Il restait qu'elle voulait être l'alliée de Michel Martinelli. Il allait lui expliquer : cet argent, c'est pour la beauté, c'est pour la bonté, c'est pour la santé, c'est pour la gaieté, c'est pour la vérité. Quand elle revint, un troisième verre s'alignait à côté des deux autres, devant lui, mais il était toujours dans la même attitude, un peu penché en avant, souriant et réceptif.

— Cer argent, demanda-t-elle, est-il destiné seulement à une propagande?

— Non, je ne pense pas. Il est destiné, comme je vous l'ai dit, au F.L.N., pour sa propagande ou pour son armement. Peu importe d'ailleurs, c'est la même chose.

Elle se taisait. Elle était maintenant sûre que Jacques, consulté, n'accepterait pas de cacher cet argent. Le garder chez elle, à son insu, représentait sans doute une trahison dont elle n'était pas capable. Mais le vrai problème résidait ailleurs. Elle s'imagina en prison, devant des juges. Que trouverait-elle à dire pour sa défense? Rien. A ses propres yeux, elle n'aurait pas de justification, sauf celle-ci : qu'elle avait foi en ce garçon et qu'elle ne pouvait supporter l'idée qu'elle allait refuser de répondre à son appel et le renvoyer, avec sa serviette sous le bras.

— Ah! j'aurais mieux aimé cacher l'Algérien, dit-elle. Au moins, c'était un homme traqué. — Mais, comme Michel Martinelli lui lançait un regard aigu, elle se hâta de poursuivre : « mais je ne peux pas ».

Où le mettre? Dans le salon, en plein milieu de la famille? Ah! elle n'était pas mûre pour les grands sacrifices. Bourgeoise, petite bourgeoise!

— Alors?

Michel Martinelli n'avait rien perdu de sa gentillesse ni de son calme.

— Alors, je ne peux pas cacher l'Algérien parce que je n'ai pas d'endroit où le mettre et... que je ne suis qu'une petite bourgeoise, voyez-vous. Quant à l'argent, je le prendrai, par sympathie pour vous. Je n'arrive pas à savoir si c'est mal ou si c'est bien. Devant des juges, je ne trouverais rien à dire pour ma défense. Mais je ne peux pas vous refuser ce service.

Michel Martinelli la regardait avec curiosité, et il semblait qu'elle lui fît non pas de la peine, mais peine à voir.

— En ce cas, dit-il, je ne peux pas accepter. Ce n'est pas un service qu'on rend par sympathie pour quelqu'un. La sympathie personnelle n'est pas ici un mobile suffisant, vous le comprenez bien.

Elle le comprenait fort bien, mais elle savait aussi que Michel Martinelli avait la tête des gens du côté de qui elle voulait être. Si elle ne rendait pas le service qu'il lui demandait, elle était de l'autre côté, où elle ne voulait pas être, et c'en était fini pour elle de s'intéresser à l'Algérie.

Et pourtant elle était soulagée qu'il la déliât lui-même. Tellement soulagée que cette délivrance correspondait sans doute à son secret espoir.

— C'est drôle, poursuivait Michel Martinelli, pour moi, il n'y a pas de problème, C'est un choix très simple et qui ne me cause pas le moindre scrupule de conscience.

Il sourit de nouveau :

— Ne vous faites pas de souci (c'était lui qui la consolait). Je trouverai quelqu'un... ma mère, peut-être. C'était seulement pour ne pas l'empêcher de dormir... il n'y a aucun risque en vérité.

Ils étaient à présent debout à la porte du café, dans le soir doux. Il tenait sa serviette sous le bras.

— Excusez-moi, dit-elle.

Il la regardait avec gentillesse, sembla sur le point de dire quelque chose, avança une main comme pour une caresse, émit seulement un petit rire semblable à celui qu'une mère peut avoir pour son enfant que le chariot emporte sur la table d'opération. Et elle partit en courant.

Quelques jours plus tard, pour en avoir le cœur net, elle demanda pourtant à Jacques :

— Si on te proposait de cacher un membre du F.L.N. recherché par la police, accepterais-tu?

— Non.

— Pourquoi?

— Parce que c'est en ma qualité de citoyen d'un pays libre que je veux influer dans le sens qui me paraît juste sur le cours des événements en Algérie. J'ai la parole et j'ai ma plume pour cela. Mais je cesse d'être le citoyen d'un pays libre si je ne respecte pas la loi que je me suis donnée par la voie de mes représentants légitimes, même si je suis, d'autre part, en complet désaccord avec leur politique.

— Et de l'argent, le cacherais-tu?

— Pas davantage.

— Pourquoi?

— D'abord pour les mêmes raisons. Et peut-être mon refus serait-il encore plus catégorique, car le fait de venir au secours d'un homme traqué peut être auréolé d'une certaine noblesse alors que l'argent, par sa nature même, ne procure aucune garantie concernant l'usage qui en sera fait. Il est fongible, comme disent les juristes.

Il n'ajouta pas : Pourquoi me poses-tu ces questions? L'idée qu'on avait pu demander pareils services à sa femme ne l'effleurait certes pas,.. et il n'eut pas la curiosité d'interroger : et toi?

Sur ce plan aussi, il l'avait abandonnée.

Cet entretien n'en procura pas moins à Geneviève une satisfaction. Comme chaque fois qu'une question de quelque importance, concernant la famille entière, se posait, ils se trouvaient d'accord. Tant pis s'ils parvenaient à cet accord par des voies différentes. Et Jacques avait raison de renoncer à l'entraîner dans ses voies. Elles étaient trop indirectes. Elle n'y serait d'aucune utilité et s'y perdrait.

L'attitude de son mari et son propre échec auprès de Michel Martinelli rejetèrent plus que jamais Geneviève dans un monde d'amour et de rêve. Elle renonça même à lire les journaux : s'il se passe quelque chose d'important, pensa-t-elle, je le saurai toujours par Jacques. Les absences de celui-ci, le soir, lui donnaient un peu de temps libre. Elle aima mieux le consacrer à la lecture de romans ou d'ouvrages classiques, où enfin elle trouvait plaisir et enrichissement, avec le sentiment de se préparer à sa vie personnelle. Que serait celle-ci? Tout ce qu'elle en savait, c'était que, comme au temps de l'adolescence, elle l'attendait de l'extérieur et de l'avenir et qu'elle ne pourrait exister qu'en marge de l'autre, la vie quotidienne et familiale.

Geneviève consacrait toujours à ses enfants la majeure partie de son temps et le rythme de ses journées n'avait pas changé. Florence et Nicolas étaient inscrits à l'école primaire pour la rentrée d'octobre, mais, en attendant, ils restaient à la maison chaque après-midi, comme par le passé. Et, chaque après-midi, comme par le passé, Geneviève les promenait et surveillait leur travail. Elle apportait même plus d'amour à ses tâches maternelles, sachant que, dans quelques mois, elle en serait en partie dégagée. Tout en aspirant au moment où son esclavage cesserait, elle souffrait de voir s'achever cette période obscure et charnelle pour la mère autant que pour les enfants. Avec Nicolas en particulier, le cordon ombilical n'était pas encore coupé. Elle regardait amoureusement la chair intacte de son fils, ses cheveux, le blanc-bleu de ses yeux, passait la main sur la douceur de son cou, s'amusait à pétrir ses traits tellement enfantins qu'on se demandait comment ils finiraient par dessiner un visage d'homme. Elle pensait : dans dix ans, il aura des boutons et de la moustache, et moi j'aurai presque quarante-quatre ans. Elle refermait les bras sur lui. De la moustache et des boutons, Nicolas, quel sacrilège! Elle le serrait contre son cœur. Elle était une mère abusive. A l'horizon de l'avenir s'amoncelaient les complexes, les vices, les châtiments. Ce serait sa faute... Une mère doit servir ses enfants, non se servir d'eux... surtout un fils. Mais il se trouvait que ce fils était le seul de la famille qui acceptât les caresses. Dans deux ans, pensait Geneviève, Nicolas aura huit ans. Il voudra peut-être devenir louveteau. Elle l'imaginait en costume de louveteau, un couteau passé dans la ceinture, un foulard noué autour du cou. Elle souriait... Dans deux ans, ce louveteau ne se laisserait plus câliner. Dans deux ans, elle ne pourrait plus refermer les bras sur personne.

Elle entrevoyait la longue vieillesse qui aurait commencé pour elle à trente-trois ans, la vieillesse aux bras vides, aux mains utilitaires... Quarante ans peut-être de vie encore, à se tenir debout, seule, fermée dans sa chair. Quarante ans de silence, de bonne éducation, de mort vivante... Quand Nicolas aura deux ans de plus, se dit-elle, il me faudra un autre bébé... Mais au train où allaient les choses, il n'y avait guère de chances... Et, lancinante, la même question la harcelait : Comment font les autres, comment font les autres femmes pour vieillir sans désespoir, puisque seule la jeunesse donne l'amour et que l'amour est tout? Que mettre, que mettre à la place de l'amour?

Dieu? Elle avait peut-être envie de Dieu, mais elle était persuadée que Dieu n'était qu'une invention des hommes destinée à combler un besoin qui était suffisamment puissant et général pour faire naître les religions. L'existence des dieux la rassurait en la plaçant, une parmi tant d'autres, dans le flot des temps et des humains tourmentés de bonheur, d'amour et d'absolu. Puisque, depuis le commencement des siècles, avaient existé des dieux, c'était que son besoin n'était pas anormal, c'était simplement que les autres, qui semblaient avancer sans angoisse vers leur vieillesse et vers leur fin, ou bien étaient plus comblés qu'elle, ou mieux élevés, ou plus étourdis. Mais il n'était pas vrai qu'elle fût une névrosée.

Un doute pourtant la tourmentait : l'amour serait-il un don qu'elle ne possédait pas? Son insatisfaction venait-elle, non de son exigence, mais de son incapacité? Peut-être n'avait-elle pas su entretenir l'étincelle qui avait tout de même jailli autrefois entre elle et Jacques? Peut-être était-elle seule coupable?

Autour des Brincas, les couples qu'elle aurait pu envier étaient rares. Il en existait un, pourtant : les Armand, ces amis qu'ils avaient reçus en même temps qu'Hélène et Pierre Aubin. Chez les seuls Armand, Geneviève reconnaissait la présence de l'amour, d'autant plus vivace qu'ils avaient derrière eux vingt-cinq années de vie commune jalonnées d'épreuves : la guerre, la captivité de René, l'accident de Mica, la maladie d'un enfant. Geneviève recherchait la compagnie des Armand et les observait avec un intérêt passionné. Elle enviait la simplicité de Mica, le naturel de ses gestes, sa façon de rire et d'être sans âge, même les jours de fatigue, et ce regard confiant qu'elle posait sur René et qui affirmait, sans doute aucun, que cette femme aimait son mari comme il l'aimait, que peu importaient les rides et les dégradations quand deux êtres forment un couple. Mica n'était pas une de ces personnes dévouées et tristes qui semblent avoir accédé à la sainteté par l'extinction de leurs propres feux. Elle avait des envies, des caprices, des rires. Elle était chaleureuse et charnelle. Non, Mica ne s'était pas sacrifiée, si par sacrifice il faut entendre la mutilation de sa propre nature. L'amour l'avait prise, telle qu'elle était, pour l'épanouir. Il y avait eu entre Mica et René Armand une rencontre, un amour donné, que Jacques et Geneviève Brincas n'avaient pas eu la chance d'obtenir du destin. On le fait, son destin... Peut-être. Mais elle aurait eu beau assigner comme seul but à son existence d'aimer Jacques et de s'en faire aimer, au sacrifice même de sa vie entière, elle n'aurait pas fait surgir de leur union un amour semblable à celui qui rayonnait des Armand.

Si elle y pensait de près, Geneviève devait s'avouer que

même l'amour maternel, elle ne l'avait connu dans sa plénitude qu'à la naissance de Nicolas. Si Nicolas n'avait pas existé, elle n'aurait pas eu cette impression d'être comblée, d'avoir fait l'expérience totale d'un sentiment humain. Florence était à beaucoup d'égards un enfant plus satisfaisant que son frère, mais jamais n'avait existé entre elle et sa mère cette entente profonde qui liait Geneviève à son fils, ce désir de lui, même quand elle le grondait, cette acceptation de la chair, même malade. Elle pouvait faire comme si cette différence n'existait pas, elle ne pouvait la nier. Avoir Nicolas pour enfant, c'était une chance aussi merveilleuse que de trouver l'amour dans le mariage.

Rarement vocation d'amour fut plus consciente que celle qui saisit Geneviève Brincas à l'âge de trente-trois ans. Et, il faut bien le dire, vocation d'adultère. Mais, à cet égard, elle conservait un peu de l'hypocrisie et du flou de sa jeunesse. Si elle poussait son besoin jusqu'à ses conséquences, elle ne le suivait pas dans ses développements.

Ce besoin n'apparaissait pas facile à satisfaire. Ce que Geneviève Brincas attendait de la vie, ce n'était pas une aventure, c'était l'amour. C'était un être qu'elle pût aborder avec le même naturel, la même fougue, la même tendresse que Nicolas, auprès de qui fussent permis et même réclamés les gestes irrationnels, et, déposé le carcan de la vie sociale, retrouvées l'enfance et l'éternité. Le plaisir? Le plaisir comptait pour peu dans ses revendications. Elle n'y pensait même pas. Le plaisir n'était pas son problème. Trop longtemps, Jacques lui avait donné le plaisir à la place de l'amour. Elle n'en voulait plus. Promise à son épanouissement, elle cassait délibérément cette mécanique que le désir n'actionnait même plus. Elle attendait un amant avec la même ferveur et la même délibération qu'une jeune fille un fiancé.

Mais comment viendrait-il? Son existence ordonnée, étiquetée, la gardait de tout imprévu, et les hommes qu'elle rencontrait dans les salons ne lui paraissaient pas aimables. Michel Martinelli était à jamais sorti de sa vie. Pierre Aubin, reverrait-elle un jour Pierre Aubin?

On sait bien que ce qui reste d'une existence, en définitive, c'est la mémoire des heures exceptionnelles, c'est-à-dire, sous une forme ou sous une autre, les souvenirs de notre amour. N'aurait-elle, à l'heure de sa mort ou plutôt dans ces longues années qui sont l'antichambre de la mort, n'aurait-elle pour tout viatique que le souvenir des premières semaines avec Jacques, déjà perdu, irréel comme les souvenirs d'enfance? Était-ce fini? Sa moisson était-elle faite? Le spectre de la vieillesse, qui la priverait de tout, battait de son aile poussiéreuse en ce printemps sacré. Non, Geneviève ne laisserait pas la vieillesse la saisir sans arracher encore à la vie sa meilleure part. Il se trouverait bien quelqu'un dont elle voudrait et qui voulût aussi de toute cette tendresse qu'elle avait à donner, dont il lui fallait se débarrasser, sous peine de ne jamais pouvoir se mettre à rien d'autre.

Aucun raisonnement de pondération ne prenait plus sur elle, aucune comparaison entre la douceur de son sort et le malheur d'autrui ne lui servait de rien. Justement, puisqu'elle se trouvait dans une de ces périodes où le malheur n'était pas chez elle, puisqu'elle était encore un peu jeune, il fallait en profiter. Le temps pressait, la vie passait. Bientôt, l'amour ne la concernerait plus. Et elle n'aurait pas eu son compte.

Geneviève avait une fois entendu raconter d'une femme du monde qui se trouvait à quelques mètres d'elle, l'allure réservée, même hautaine, qu'elle trouvait ses amants dans la rue et elle avait, toute la soirée, considéré cette femme avec l'horreur sacrée qu'on éprouve pour les monstres. Aujourd'hui elle ne lui paraissait plus un monstre. Elle-même regardait les hommes dans la rue avec un intérêt nouveau. Parfois, elle en croisait qu'elle avait regret de voir disparaître.

Le printemps inondait la ville, énervait le métro, les regards se cherchaient et les contacts. Un jour qu'elle était allée faire des courses aux Champs-Élysées, Geneviève fut prise dans la cohue qui attendait derrière le portillon fermé. Il y avait eu, disait-on, un suicide à la station Muette, qui provoquait cet encombrement. Embarrassée de ses paquets, Geneviève heurta du coin de l'un d'eux un homme devant elle. Il se retourna. « Excusez-moi », dit-elle. Sans répondre, il la considéra longuement. Elle feignit l'indifférence mais elle éprouvait une émotion, une inquiétude soudaines. L'homme pouvait avoir son âge. Il était brun avec de larges yeux ombrés, une forte mâchoire. Sur le quai, il resta près d'elle. Quand le métro arriva, elle eut peine à monter dans l'encombrement mais, de force, la poussant de son corps devant lui, il parvint à se faire aussi une place dans le wagon. Il appuyait le dos contre la porte et Geneviève reposait de tout son poids sur lui, en équilibre instable, une main et un paquet coincés entre lui et un autre passager. Aux stations suivantes, tous deux descendirent pour laisser sortir quelques personnes, mais, chaque fois qu'ils remontaient, ils se retrouvaient l'un contre l'autre, toujours serrés dans la foule qui ne diminuait guère. Leur silence, leur absence d'expression, la vie anonyme qui les pressait leur conféraient une espèce de majesté dont ils étaient conscients, semblable à celle qui habite certaines divinités animales.

A un moment, Geneviève voulut dégager son sac sur l'anse duquel tirait un passager et sa main resta en l'air, tout près de la poitrine de l'homme. La main que Geneviève élevait était la droite et la main gauche de l'homme, à dix centimètres, commença d'avancer, en un mouvement d'aiguille de montre, imperceptible et fatal, que Geneviève, de tout son être, guetta. Quand le petit doigt de l'inconnu enlaça le sien, quelques secondes avant l'arrêt porte de Saint-Cloud, elle était consentante. Et il y eut dans cette étreinte plus d'érotisme et plus de possession que dans bien des adultères consommés.

Le métro s'immobilisait. Il fallait descendre. L'homme la suivit. Elle entra chez le boulanger. Il attendit devant la vitrine du bijoutier.

— Bonsoir, dit-il quand elle passa devant lui.

Pour la première fois, il souriait, la lèvre qu'il avait mince au-dehors et charnue à l'intérieur s'étirant sur sa mâchoire dure. Sans souci de la décence, ni du ridicule de ses deux mains encombrées de paquets auxquels venait de s'adjoindre un pain :

— Vous êtes descendu à cause de moi? demanda-t-elle.

— Il serait plus vrai de dire que je ne suis pas descendu à cause de vous. Ma station est Ranelagh. Vous êtes mariée?

Quelle misère que les paroles!

— Oui, dit-elle.

Lui ne portait pas d'alliance.

— Vous avez des enfants?

Elle fit encore oui, de la tête. Tout était dit. Mais ils restaient immobiles, face à face, devant la bijouterie.

— Vous pouvez sortir ce soir?

Folle qui voyait de la majesté dans ce qui n'était qu'une très vulgaire rencontre!

Elle se dirigeait déjà du côté du passage clouté pour faire le tour de la place.

Mais il avançait, lui aussi :

— Dommage, dommage que vous ne puissiez pas sortir, car je quitte Paris demain. Je retourne à Dakar. C'est mon dernier soir ici, ma dernière possibilité de vous rencontrer. Je vous jure que c'est vrai...

Il porta la main à sa veste :

— Je vais vous montrer mon passeport. Vous verrez que c'est vrai. Je travaille à Air France, là-bas.

Elle eut un geste de protestation gênée :

— Mais je vous crois, je vous crois.

Il présentait déjà le document où elle ne lut que son nom.

— Eh bien, au revoir, dit-elle.

— Vous me permettez de faire encore quelques pas avec vous?

— Bien sûr...

Devant l'immeuble où elle habitait, ils se dirent adieu.

Il sourit :

— Je vais reprendre le métro. J'habite avenue Mozart, chez mes parents.

Un instant encore, avec l'extrême liberté de ceux qui n'auront pas à vivre, ils s'interrogèrent des yeux, cherchant une vérification, explorant les possibilités interdites, tranchant dans le vif.

— Au revoir, bonne chance. Je n'oublierai pas notre rencontre.

Lorsqu'elle fut rentrée chez elle, Geneviève prit conscience de ce qu'il y avait eu de touchant et d'honnête dans le geste de cet homme lui montrant son passeport. Elle chercha son nom dans l'annuaire du téléphone, avenue Mozart, le trouva, et toute la soirée se retint pour ne pas l'appeler et lui dire qu'elle non plus n'oublierait pas cette rencontre. Que serait-il arrivé s'il n'avait dû repartir le lendemain pour Dakar? Elle ne s'attarda pas à cette question. Déjà le regard de Pierre Aubin se posait à nouveau sur elle. « Je n'aurais plus attendu Pierre Aubin », se dit-elle. Et elle fut heureuse de retrouver cette attente, comme la forme qu'avait désormais, pour elle, prise la pureté.

XIV

— Te rends-tu compte, disait Jacques, que le régime est mûr pour sombrer dans cette affreuse aventure algérienne? Et après sa chute, quoi?

— De Gaulle, dit Taquet.

— C'est à ne pas croire... Je pensais qu'il y avait des risques qu'on ne courait pas deux fois dans sa vie...

— Tu veux dire?

— Le fascisme.

Taquet bondit :

— De Gaulle, ce n'est pas le fascisme! Je dirais plutôt qu'il est notre plus solide barrière contre celui-ci.

— Et moi, je dis qu'il en est l'étape nécessaire. Au XXe siècle, le pouvoir personnel conduit au fascisme...

Jacques regagna la Sorbonne à pied. Il se sentait vieux et seul. Le Journal commençait à le dégoûter, l'enseignement lui pesait. Depuis quelque temps, il n'avait plus avec Taquet de véritable conversation. Il se fatiguait de le voir, derrière son bureau, jouer au grand personnage. Pour finir, le Journal suivait toujours le vent...

Le regard de Jacques se posa sur la Seine. Plus jeune, il y avait de cela quelques années seulement, il bondissait d'un de ses bords à l'autre, d'un avenir dans un autre. Le fleuve lui semblait la charnière de sa vie. Aujourd'hui, il le franchissait d'un pas lourd, sa serviette lui pesait au bout du bras. Il avait envie de la jeter pardessus le pont. Au Mouvement aussi, les dissensions apparaissaient. Jacques éprouvait qu'à trente-cinq ans il n'avait aucune influence, précisément parce qu'il était un homme de cause, ce qui l'avait rendu inapte à devenir un homme de parti. Il renifla et ramena ses oreilles contre son crâne. Un bavard, voilà ce qu'il était devenu. L'homme de cause était devenu un causeur. Le tour de sa vie était joué. Il se faisait l'effet d'un demi-solde.

A la Sorbonne il trouva, parmi son courrier de professeur, une enveloppe portant une écriture dont la vue, par ce chemin qui frappe la sensibilité plus vite que l'intelligence, avant même qu'il l'eût identifiée, le ranima. Elle contenait un billet de deux lignes :

« Je me marie dans quinze jours, voulez-vous être mon témoin? » Hélène.

Suivaient l'indication de l'adresse et du téléphone qu'il connaissait par cœur.

Jacques examina rapidement les autres enveloppes et, sans les ouvrir, les glissa dans sa poche, puis il se dirigea vers la cabine téléphonique de la Sorbonne. Mais il n'obtint pas de réponse à son appel.

Dès son retour à la maison, il annonça la nouvelle à Geneviève qui la reçut avec calme.

— Tu vois, dit-elle, il était inutile de tant te tracasser à son sujet. Elle fait comme tout le monde.

Jacques pourtant se tracassait encore. Il ne pensait plus qu'à ce mariage. Plusieurs fois, il téléphona chez Hélène dans la soirée. En vain. Le lendemain, il l'appela avant neuf heures.

Elle était sans doute au lit, le téléphone à portée de la main, dans ce studio où il n'était jamais entré mais où, à une certaine époque, il l'avait si souvent imaginée qu'il croyait le connaître. C'est à peine en effet si elle laissa la sonnerie retentir. « B'jour », dit-elle, comme s'ils s'étaient quittés la veille dans les meilleurs termes. Il fut surpris que sa voix à lui rendît un son aigre :

— Félicitations, félicitations... voilà une heureuse nouvelle. Je suis très honoré que...

Mais elle ne le laissa pas poursuivre. Changeant de registre, adoptant ce ton un peu tragique, âpre et contenu, qui avait toujours exercé sur Jacques tant de pouvoir et, à son insu, ordonné leurs rencontres et leur séparation :

— Puis-je vous voir? demanda-t-elle.

— Certainement. Quand voulez-vous?

— Ce soir, à six heures? Au Balzar?

L'heure ne lui convenait pas car il devait rencontrer à sept, dans un autre quartier, un professeur d'Alger qui avait des ennuis avec le gouvernement. Et il n'était jamais retourné au Balzar depuis leurs anciens rendez-vous. Il conservait aux lieux de son bonheur un respect fétichiste, même si le souvenir de ce bonheur ne le hantait guère. Le choix d'Hélène le heurtait.

— Parfait, répondit-il, voulant marquer par cette obéissance même sa désinvolture et son détachement.

Hélène entra, la démarche souple, les jambes encore allongées par des talons hauts et fins. C'était la première fois que Jacques la voyait chaussée autrement que de ballerines. Elle portait une robe printanière en jersey grège, soulignée d'un petit galon qui se fermait par un nœud faussement sage, entre les seins. La jupe souple ne marquait ni la taille ni les hanches, ne laissant deviner que l'équilibre et la ligne de ce corps où, seules, les jambes et la poitrine étaient précises. Jacques professait, comme beaucoup d'hommes, le mépris de la parure au profit de la personne. Il n'en fut pas moins sensible au mystère nouveau que cette robe conférait à celle qui la portait.

Dès qu'Hélène entra au Balzar, un reflux de l'ancienne tendresse l'envahit, en même temps qu'il s'étonnait naïvement de retrouver la même silhouette juvénile, les mêmes cheveux mi-longs, souples, dégradés de part et d'autre de la frange enfantine et provocante, les mêmes yeux de velours où jouait une lumière.

L'annonce de ce mariage si rapide avait fait lever en lui le soupçon qu'Hélène était enceinte, et de Slavko, ce qui s'appelait gâcher sa vie. Il s'était attendu à retrouver une pauvre fille à la dérive qui l'appelait pudiquement au secours en lui demandant d'être son témoin. Il l'imaginait la taille déjà déformée, la chevelure négligée. Il se sentait un peu responsable de ce gâchis. Il arrivait avec un petit sermon tout prêt : « Vous verrez, vous en aurez beaucoup de joie, de cet enfant. Et, pour votre fiancé, je tâcherai de hâter sa naturalisation et de lui obtenir une bourse du C.N.R.S. Et vous, un peu plus tard, vous vous remettrez à l'agrégation... mais si, mais si... Ce serait une perte pour l'enseignement que vous ne soyez pas agrégée ! »

Il la retrouvait plus soignée, plus femme, l'apparence heureuse et toujours aussi jeune.

Enceinte, elle l'était pourtant, ainsi qu'elle ne tarda pas à l'annoncer. Mais, guidée par un instinct sûr, elle avait choisi pour père de son enfant, non point Slavko, mais un élève de l'École nationale d'administration qui en sortait cette année même dans l'inspection des Finances.

Elle tint à expliquer qu'elle avait pour la première fois couché avec son fiancé la nuit qui avait suivi le dîner chez Novy. « Pour que les choses soient égales, parce que, ce soir-là, quand vous avez décidé de rentrer chez vous, chez votre femme absente, c'était pire pour moi que si vous aviez fait l'amour avec elle... »

Jacques n'était pas habitué à ce langage. Chaque parole l'égratignait, ressuscitait, pour les bafouer, les sentiments qu'Hélène lui avait naguère inspirés. A fleur de peau, il était tout blessé. Mais son imagination s'amusait à remonter le cours du temps, envisageait les possibilités enfuies. Que serait-il arrivé s'il n'était pas rentré Porte de Saint-Cloud, cette nuit-là? Pour ce qu'ils le faisaient, l'amour, Geneviève et lui. Il fut tenté de dire, doucement : « Imbécile. » Mais ce n'était qu'un jeu. En vérité, il savait qu'Hélène avait eu raison de se faire faire un enfant par un garçon de son âge. En vérité, il faisait bloc avec Geneviève, bloc avec sa famille, bloc avec le Jacques de ce soir-là.

Et s'il restait muet, c'était qu'il s'était préparé à un rôle qu'il n'avait pas à jouer. Les dés étaient jetés maintenant pour Hélène, comme ils l'étaient pour lui, si bien jetés que, soudain, prenant conscience qu'elle n'avait nul besoin de lui, il cessait à nouveau de s'intéresser à elle.

— Eh bien, c'est parfait, déclara-t-il en regardant sa montre.

Il n'y avait plus trace d'aigreur dans sa voix.

— Je serai ravi de connaître votre fiancé qui me paraît un garçon fort brillant. Il me semble que vous avez fait un excellent choix, et si j'ai, dans une faible mesure, comme vous voulez bien le dire, et involontairement, pesé dans la balance en faveur de ce garçon, j'en suis enchanté. La seule chose que je regrette, c'est que vous allez sans doute renoncer à l'agrégation... ce sera une perte pour l'enseignement.

Une de ses phrases, au moins, avait servi.

— Au fait, comment s'appelle l'élu?

Le nom était précédé d'une particule. Une égratignure de plus, mais si légère... Pour une fois, Jacques se permit une pensée perverse : quand elle aurait accouché, Hélène ferait une maîtresse charmante.

— Fort bien, fort bien... Et, maintenant, je dois vous quitter... J'ai un rendez-vous important à sept heures.

— Je peux vous déposer quelque part?

Ah, non, alors!

— Non, merci. J'ai un autobus direct.

Dans les yeux d'Hélène, la lumière s'était éteinte, avait reparu le regard de noyée. Elle posa une main sur celle de Jacques. Le brusque échauffement qu'il en ressentit venait-il d'elle ou seulement de lui? Ces réactions épidermiques étaient imprévisibles... Bah! cela n'avait guère d'importance. La fin de partie qui se jouait entre eux n'était que le rappel d'un bien petit jeu...

— Vous serez mon témoin?

Une fois de plus, il ne sut pas qu'Hélène souffrait, d'une seule blessure, mais déchirante, celle qu'éprouve la jeunesse quand sonne le glas du rêve, lorsqu'il dégagea sa main pour appeler le serveur d'un doigt bref :

— Bien sûr que je serai votre témoin, dit-il, bien sûr.

Le 27 mars, jour du trente-quatrième anniversaire de sa femme, Jacques s'avoua que la chasteté s'était installée entre eux. C'est peut-être ce qui me manque, pensa-t-il. Il prit des résolutions mais il ne les tint pas. La vie courait. Un soir sur deux il sortait, soit en compagnie de Geneviève, soit pour se rendre à quelque réunion. Quand, par hasard, il avait la possibilité de se coucher tôt, il appelait : « Tu viens, Geneviève? » — « Oui », disait-elle. Elle ne se hâtait pas et, lorsqu'elle arrivait enfin, ou bien elle éteignait tout de suite sa lampe ou bien c'était lui que le sommeil avait gagné. Parfois elle lisait, avec une attention qu'il n'osait pas déranger.

Cette distance qui séparait leurs deux lits, Jacques ne trouvait plus l'élan pour la franchir, ni le bon moment, ni la manière de s'y prendre...

Il ne réussissait pas à savoir si l'interdiction venait de Geneviève ou de son manque de désir à lui ou de leur attitude à tous deux. Il aurait bien aimé qu'elle prît l'initiative. Plus le temps passait, plus les choses devenaient difficiles. Depuis l'épisode d'Hélène, les femmes, y compris la sienne, avaient fait leur réapparition dans l'existence de Jacques. Les jeunes filles, en particulier, l'attiraient. Il ne pouvait s'empêcher de les chercher dans ses auditoires. Mais Hélène lui avait servi de leçon. S'il n'était plus si sûr qu'il n'aurait pas de maîtresses, il était décidé à leur accorder le moins d'importance possible. Le sentiment, il le garderait pour Geneviève qui n'avait jamais été plus sereine, plus jolie, plus agréable à vivre et à montrer. Il fallait sans doute en venir aux vieilles formules bourgeoises et diviser sa vie. Mais c'était plus facile à dire qu'à faire. Jacques n'avait pas de maîtresse en vue. Il regrettait Hélène. Il était parfois triste et sans envie de rien, étonné.

Au début d'avril, Jacques reçut une invitation à remplacer un de ses collègues dans un congrès qui se tenait à Rome. Le voyage était payé par avion et le « per diem » offert relativement élevé. « Les vocations des hommes, avait dit Blomart, ce sont les femmes qui en supportent les inconvénients. » S'il faisait, pour une fois, profiter Geneviève de cet avantage? Jacques calcula que, s'ils voyageaient tous les deux par le train, elle pourrait l'accompagner. Il commençait à se demander s'il avait eu raison jusqu'alors d'estimer que le bonheur, dans une existence, ne devait venir que par surcroît. Il avait peut-être ainsi perdu le sien. Pour la première fois, il avait envie de gâter Geneviève et, puisqu'il voyait de la grisaille partout, de mettre un peu de rose dans leur vie conjugale. Ils n'avaient jamais voyagé seuls tous deux, depuis leur voyage de noces en Touraine. Les châteaux de la Loire, c'était tout leur tourisme, leurs seules vacances ensemble à un pas d'adulte, bras dessus bras dessous, sans traîner des biberons, des voitures, des enfants par la main...

Jacques rentra Porte de Saint-Cloud, tout joyeux à l'idée de la surprise qu'il réservait à sa femme.

— Madame, dit-il, Madame, j'ai une proposition à vous faire.

Geneviève voyait bien que Jacques s'apprêtait à lui offrir un plaisir. Mais que ce « Madame » était donc irritant! Il lui donnait envie de dire non, tout de suite, avant de savoir de quoi il s'agissait.

— Hum? fit-elle.

— Madame, si vous le souhaitez, je vous emmène à Rome.

A Rome, Seigneur!

— Quand?

Jacques la regardait. Eh bien, il s'était attendu à des protestations : mais comment ferais-je? Où trouverons-nous l'argent? Je ne peux pas quitter les enfants... Pourquoi me proposes-tu des choses que je ne peux pas accepter, tu le sais bien... Elle disait : « Quand? »

Elle avait fait des progrès. Trop. A vrai dire, Jacques en perdait un peu du plaisir qu'il avait escompté.

— Tu crois que tu pourras quitter les enfants?

— Oh, je m'arrangerai.

Rome c'était le voyage des voyages, celui dont elle avait le plus rêvé pendant les années de guerre et d'occupation. Avec la mer, le symbole de la liberté.

— Quand partons-nous, Jacques?

— Au mois de mai.

— Pour combien de temps? Que vas-tu faire là-bas?

— Il s'agit d'un congrès organisé par l'A.I.C. On avait d'abord invité Bertaut, mais il est empêché... Il me propose de le remplacer. Je pourrai m'arranger pour que nous restions huit jours là-bas. On m'offre le transport par avion. Je crois que, si nous voyageons en seconde classe par le train, la somme couvrira le prix de nos deux billets. Ce n'est peut-être pas très élégant de ma part à l'égard de l'A.I.C... et je ne serai sans doute pas bien frais à l'arrivée, pour la première réunion. Mais j'ai pensé que tu serais contente de m'accompagner. Je ne me suis pas trompé, à ce que je vois.

Geneviève rayonnait. Jacques appréciait l'avion et s'il avait, d'habitude, peu de besoins, il aimait, en mission, les hôtels confortables, les bons restaurants, l'illusion de n'être pas obligé de compter son argent. Il jouait volontiers à l'étranger les grands personnages. Le sacrifice auquel il s'obligeait en faveur de Geneviève lui coûtait et il aurait aimé le voir mieux reconnu.

— Qui est-ce qui est gentil, hein? Qui est-ce qui se sacrifie pour sa femme?

— Oh, c'est toi, Jacques, c'est toi!... Rome, est-il possible que, dans un mois, nous soyons à Rome! Mais il fera chaud, là bas. Il faut que j'emporte des robes d'été! Il fait très chaud à Rome, Jacques, au mois de mai?

— Cela se pourrait... Que ferons-nous des enfants?

— Les enfants... les enfants... je vais trouver une solution.

— C'est que... il ne faut pas que ce soit une solution coûteuse.

Il n'avait pu se retenir de jeter un peu d'eau sur cet enthousiasme trop juvénile. C'était fait.

— Tu ne crois pas que la mère Gonon accepterait de les garder huit jours comme pensionnaires?

— La « Guenon », tu sais...

Geneviève avait horreur, depuis l'enfance, des directrices d'école et de leurs bureaux où elle n'avait jamais pénétré, pour la semonce ou pour l'éloge, que le cœur battant. Chaque fois qu'elle devait entreprendre une démarche auprès d'une directrice, elle se retrouvait petite fille, effarée d'avoir à franchir la distance qui la séparait de la redoutable matrone postée derrière sa table.

La « Guenon », qui présidait au destin de l'école souriante où Florence et Nicolas apprenaient essentiellement à éviter tout complexe, était d'un autre type que ces épouvantables personnes dont l'espèce semble perdue. Mais, si elle adorait les enfants, elle malmenait leurs parents. Ses vrais élèves, c'était eux. Inaccessible au doute, elle simplifiait tous les problèmes en faisant appel à leur abnégation. Les enfants ne l'appelaient jamais la « Guenon ». Pour eux, elle était « Rose » et ils la tutoyaient. Mais, dans l'intimité, Jacques et Geneviève se vengeaient à leur façon d'avoir été victimes, enfants, de l'autorité des maîtres et de la subir encore, comme parents, jointe à celle de leurs propres enfants.

Sans donner à son enthousiasme le temps de se refroidir, Geneviève attaqua la « Guenon » dès le lendemain. Et elle trouva, pour la convaincre de lui rendre un service insolite, un ton qu'elle n'avait jamais su prendre avec personne. Le désir de Geneviève fut, pour une fois, plus violent que toute considération et triompha, ainsi que tout désir violent. Elle imposa ses enfants à la « Guenon », tout simplement. Le règlement ne prévoyait pas que les élèves pussent être pensionnaires pour une durée de quelques jours et, en aucun cas, les garçons n'étaient admis à l'internat. Mais, au bout d'un quart d'heure d'entretien, la directrice conduisait Geneviève aux deux petits boxes que Nicolas et Florence occuperaient côte à côte, le temps du séjour de leurs parents à Rome. Le professeur Brincas était une personnalité éminente; il avait rendu de grands services à l'école : il était juste de permettre à sa femme de le soutenir dans le rôle social qu'il aurait à jouer au cours du congrès. Mme Brincas était priée de garder le silence sur cette entorse qui allait être faite au règlement. Il ne fallait pas que d'autres parents qui n'auraient pas d'aussi bonnes raisons...

Geneviève, cette fois, envisagea sans déchirement de quitter les enfants. Ils se gonflaient d'importance à l'idée d'être internes. Ils escomptaient en retirer un tel prestige auprès de leurs camarades qu'il y avait lieu de craindre que le secret ne s'ébruitât vite. Chacun félicitait Geneviève d'accompagner, pour une fois, son mari en mission et, dans les propos de certains, ceux des Armand, en particulier, perçait la satisfaction de la voir enfin dégagée de son rôle de mère poule. Il n'était pas difficile de comprendre que ces bons amis avaient été conscients de la crise qui avait menacé la famille Brincas et qu'ils apercevaient dans ce voyage l'annonce d'un heureux dénouement et la preuve, chez Jacques comme chez Geneviève, d'une bonne volonté nouvelle. Eux-mêmes comptaient se rendre à Rome en mai, pour un colloque d'archéologie qui se terminerait à la date approximative où s'ouvrirait le congrès de l'A.I.C. Mais ils avaient l'intention de prolonger leur séjour en Italie par un voyage dans le Sud.

Les Brincas et les Armand firent le projet de se rencontrer à Rome. Les Armand conseillèrent des hôtels, des restaurants dont les adresses se doraient de soleil dans la bouche de René qui connaissait bien l'Italie. Au passage, les noms prestigieux tintaient aux oreilles de Geneviève : Via Veneto, Piazza Venezia, Trastevere, Capitole, Saint-Pierre-aux-Liens, Villa Médicis, Villa Borghèse. Ce voyage où elle avait rendez-vous avec une ville comme avec un amant, s'accompagnait comme d'une sonnerie de cloches. Geneviève se rappelait avec une trace d'amertume et une pointe de malice le pudique silence qui avait entouré son départ pour Crans, comme s'il s'était agi d'une mauvaise action, alors que cette fuite avait représenté sa dernière tentative adolescente pour rejoindre Jacques. Cette fois, elle partait avec son mari, mais vers un bonheur dont elle savait qu'il se trouverait hors de lui et cette connaissance lui donnait une maturité, un équilibre nouveaux que les autres saluaient en elle.

Un soir, elle posa une question qu'elle avait longtemps retenue :

— Crois-tu que nous rencontrerons Pierre Aubin à Rome?

Jacques, la regarda, l'air surpris :

— Je ne vois pas pourquoi il y serait...

— N'est-il pas invité à ce colloque d'archéologie auquel participe Armand?

— Ah, dit Jacques, je n'y avais pas pensé... Cela se pourrait bien.

XV

A Gênes, où ils prirent le petit déjeuner, Geneviève cessa de penser à Pierre Aubin. Le bonheur italien, pour la première fois aperçu, s'installait à la place des jours à venir, imposait au présent le bleu du ciel et l'or de la lumière, les maisons cubiques, jaunes ou roses, à volets verts, qui s'échelonnaient sur les pentes, la ligne aristocratique des cyprès au flanc des collines, les plantes grasses dans les jardins, les apparitions de la mer, l'humble témoignage de la vie humaine, linge suspendu aux fenêtres, pots de fleurs accrochés aux murs — comment les arrosent-ils? — un balcon de fer forgé au cintre admirable, l'accord d'une civilisation avec une nature.

Mais le train traversait à présent une campagne morne, parsemée d'agglomérations sordides. Jacques était absorbé dans la lecture de documents. Le sommeil, qui l'avait fuie toute la nuit, s'empara de Geneviève : elle ferma les yeux. Par la vitre, le soleil dorait ses paupières. C'était assez pour entretenir l'éblouissement, pour nier le wagon sale et les compagnons de voyage défraîchis, pour diriger la somnolence vers un cours paradisiaque, lui imprimer une allure lente de fleuve large et chaud où gazouillaient les voix italiennes qui s'interpellaient alentour. Geneviève tenait toujours à la main le Guide Bleu dans lequel elle avait essayé de préparer sa première visite à Rome. Il tomba doucement sur ses genoux où Jacques le recueillit en chuchotant : « Passionnant, cette lecture. » Elle lui sourit, sans ouvrir les yeux, comme une femme comblée.

Les Armand étaient à la gare, Mica brunie dans une robe décolletée, René, un drôle de nœud papillon à rayures bariolées en guise de cravate, l'œil éveillé et des rires plein la gorge. Jamais Geneviève n'avait encore connu cette joie extrême de trouver au terme d'un voyage l'accueil de l'amitié et, d'élan, elle sauta au cou des Armand.

Paris, au départ, avait été frais et pluvieux. Mais, dans les quelques mètres qu'ils parcoururent, du train à la boîte aux lettres où ils glissèrent une carte pour les enfants et jusqu'à la voiture de René Armand, la caresse de l'air chaud les enveloppa, surprenante aux abords d'une gare moderne et bruyante, à l'égal d'un vieux mur en gros appareil de pierre jaune qui surgit soudain, sur la droite.

— Je vous fais faire le tour de la ville? demanda René.

— Si cela fait plaisir à Geneviève, emmène-là, dit Jacques, Moi, je voudrais aller tout de suite me changer. J'ai une réunion cet après-midi.

— Allons en tout cas d'abord à l'hôtel, décida Mica.

La voiture roulait sur les pavés, secouée comme une diligence, à vive allure, traversant des rues étroites, des places, menaçant d'écraser les piétons.

— Mais tu conduis comme un Italien, dit Jacques.

— Bien pis, fit Mica.

— Et tu nous fais prendre un curieux itinéraire. Ne logeons-nous pas via Porta Pinciana?

— Si, mais c'est plus amusant pour Geneviève.

Où était l'amusement? Les rues n'offraient aux regards que des boutiques et des cafés grouillant d'une foule claire, et voilà que la voiture se trouvait prise dans un embouteillage et que René injuriait les autres chauffeurs en italien, avec des gestes.

— Il n'est pas trop cher, cet hôtel? demanda Jacques lorsque enfin on se remit en route.

Par échappées, apparurent une fontaine, débordante de naïades et d'eau, une façade classique peinte en ocre.

— Pas cher du tout, déclara Mica. Ce n'est d'ailleurs qu'une pension aux derniers étages d'un immeuble.

— Le seul luxe, reprit René Armand, c'est la vue; la même qu'on sert aux hommes d'affaires qui descendent chez Hassler, à la Trinité des Monts.

Geneviève, depuis que la caresse de l'air et cette pierre charnelle l'avaient accueillie à la gare, ne pensait qu'à une chose : se changer pour ressembler à Mica et aux femmes qu'elle voyait dehors et s'en aller à pied, par la ville, offerte au soleil.

— Demain, vous prendrez notre chambre, poursuivit Mica. Nous l'avons retenue pour vous. C'est la meilleure de l'hôtel. Ce soir, vous serez malheureusement assez mal installés.

— Quoi, vous partez demain? demanda Jacques.

— Oui, dit René. Nous avons rendez-vous à Florence avec Aubin. Cet animal n'a pas pu attendre la fin du colloque. Il est parti hier. C'est d'ailleurs sa chambre que vous occuperez cette nuit.

Dire que le soleil se voile, en certaines tristes occasions n'est pas une figure de style.

Une pellicule noire s'était interposée entre les yeux de Geneviève et la lumière. Son chandail lui grattait le cou, la fatigue de la nuit lui tirait les traits et le poids de la déception pesait sur son cœur. Pierre Aubin était venu et il était reparti. Sans l'attendre. Depuis des mois, elle avait rêvé de lui, seule, comme une gamine rêve de Marlon Brando. Aussi loin de lui. Aussi bête.

La voiture montait.

— Nous voici via Porta Pinciana, déclara Mica.

C'était un « beau quartier ». René s'arrêta presque à la porte du Parc.

— Et voilà le Pincio, dit-il. Ça vous plaît, Geneviève?

Quatre jours s'écoulèrent au même rythme, quatre jours pendant lesquels Geneviève explora Rome et Jacques s'astreignit à suivre, matin et soir, les réunions du congrès. Ils prenaient le petit déjeuner dans leur chambre. C'était, avec la nuit, leur seul moment de solitude. Encore leur intimité était-elle fort dérangée par des appels téléphoniques. Geneviève qui, si souvent, s'était vue en imagination déambulant au côté de Pierre Aubin dans la Ville Éternelle, participait, studieuse, à des visites organisées. Mêlée à des groupes de toutes nationalités, elle suivait les guides, écoutait leurs explications, levait le nez en même temps que les autres touristes, vérifiait certains points dans ses livres, s'entretenait en mauvais anglais avec les femmes des congressistes, notait les lieux et les objets qui lui avaient paru recéler une possibilité d'enthousiasme pour y revenir seule et, avant le dîner ou le cocktail, relisait sagement dans son Guide Bleu les pages qui se rapportaient aux « tours » qu'elle avait faits dans la journée.

Jacques disait qu'il se passerait de déjeuner pour visiter avec sa femme les musées qui fermaient à six heures. Mais il déjeunait toujours.

La table des Brincas était fort animée. La jolie femme, au congrès, était rare et celles qui pouvaient prétendre à ce titre avaient toujours beaucoup de succès. Avec des mines, les congressistes s'approchaient, saluaient, baisaient la main, s'asseyaient. En quelques jours, Geneviève reçut plus d'hommages que dans sa vie entière. On se retrouvait dans les mêmes restaurants et les sourires, les clins d'œil, les « hullo » saluaient l'arrivée des Brincas. Parfois, d'une table à l'autre, des toasts étaient portés. Il fallait alors vider son verre en regardant le galant les yeux dans les yeux. C'était irréel, amusant et vain. Pas plus que les visites et l'étude ne faisaient jaillir entre Rome et Geneviève l'étincelle de l'amour, ces succès ne comblaient son attente. Mais les amis avaient eu raison. Mme Brincas jouait à Rome son rôle social. Elle plaisait... Et, si ce voyage n'avait rien d'un voyage de noces, du moins représentait-il pour Geneviève et pour Jacques une évasion réussie.

En ces lieux où elle n'avait d'autre raison d'être que comme épouse du professeur Brincas, la stupidité du rêve depuis des mois entretenu éclatait et Geneviève ne comprenait même plus de quelle liberté intérieure, de quel droit à l'amour elle avait jamais pu se croire détentrice. L'amour? Que réclamait l'amour une femme bien mariée? Quel besoin la tenait? Quelle vocation d'actrice qui n'a pas joué son grand rôle?

Lorsque Jacques détournait à son profit l'intérêt de la table, Geneviève n'éprouvait plus cette irritation de prolétaire dont elle avait parfois été soulevée dans le passé. Privée par la guerre des séjours à l'étranger au temps où ils sont vraiment utiles à l'étude des langues, elle ne disposait d'ailleurs en anglais, la langue la plus employée par les congressistes, que d'un vocabulaire restreint et littéraire, ce qui limitait ses propos à des sourires, des hochements de tête, et des hésitations que Jacques interceptait pour y glisser son mot, ramenant ainsi la conversation dans une direction qui lui convenait.

Jacques, à Rome, retrouvait l'enthousiasme qu'il semblait avoir perdu depuis quelques mois. Il jetait feu et flamme contre une certaine forme du roman moderne français et sa psychologie à la Benjamin Constant, « moins le talent », que les étrangers appréciaient comme une de nos plus pures spécialités. Il attendait, disait-il, l'écrivain vraiment moderne qui se doublerait d'un scientifique et déboucherait des sources précises de notre civilisation et de notre angoisse dans la liberté de la création littéraire. Pour le moment, les meilleurs écrivains français étaient encore les journalistes et les hommes politiques... Et pourtant! ajoutait-il en levant les yeux au ciel... Puis, ayant payé ce tribut à la critique de son propre pays, il dirigeait la conversation vers les sujets qui lui tenaient à cœur et où la France avait sans doute plus grand besoin de défenseurs : — L'Algérie — « mais non, il ne s'agit pas d'une guerre coloniale... croyez-moi, ce n'est pas si simple, nous autres Français n'y comprenons rien nous-mêmes. Il est si difficile d'interpréter la politique de son propre pays, comment pouvez-vous prétendre nous juger? » — et le fait musulman, et Elmiran, le professeur turc que son gouvernement venait de révoquer et qu'il fallait s'arranger pour faire venir en France... Et le sort des pays sous-développés, « les deux tiers du monde, vous ne nierez pas que cela nous concerne ».

En ce printemps romain, par la bouche de Jacques, ressuscitait la France de 1789. Il fallait profiter de toutes les occasions de contact avec des étrangers pour servir la gloire de la France.... et la gloire de Jacques, pensait parfois Geneviève. Mais la gloire de Jacques, comme celle des héroïnes cornéliennes, se confondait avec les grandes gloires. On ne pouvait le prendre en défaut. Le moment où il s'exaltait le plus pour le bien public était aussi celui où il livrait le fond de son âme. Geneviève l'enviait : dès qu'il s'agissait d'un problème autre qu'individuel — et encore! — elle apercevait toujours les deux aspects de la question, ce qui revenait sans doute à dire qu'elle n'en voyait clairement aucun. Elle avait des goûts et des répugnances, mais, dans un débat politique, elle se laissait persuader par le dernier qui parlait, quitte à se redresser, presque aussitôt, dans son ignorance et ses sympathies premières. « Un dé qui finirait toujours par présenter la même face », disait Jacques.

La discussion se prolongeait dans le bar, autour d'un espresso, jusqu'à trois heures, lorsque arrivait pour les congressistes le moment de se rendre à la séance de l'après-midi. Et Jacques disait : « Ils nous font mener une vie de chien. Je vais quitter Rome sans avoir rien vu. Tu en as de la chance... » Et, chaque soir, il y avait un cocktail, chaque soir un dîner.

Le merdredi, après avoir fait le « tour » du Vatican, Geneviève trouva un télégramme à l'hôtel : « Serons Rome demain soir jeudi avec Aubin. Réservez dîner vendredi. Armand. »

Elle se réfugia dans sa chambre. Elle n'éprouvait plus que de l'appréhension et de la honte à revoir un homme auquel elle avait tant pensé et qui lui avait bien prouvé, en quittant Rome la veille de son arrivée, qu'il ne s'intéressait pas à elle. Elle aurait voulu rentrer immédiatement à Paris. Et, cependant, elle calculait que, pour ces derniers jours du congrès, il ne lui restait plus une robe fraîche. Bientôt, ce fut son unique pensée. Elle avait une très jolie robe de cotonnade à fleurs vertes. Peut-être la blanchisseuse réussirait-elle à la tenir prête pour le surlendemain... si elle la lui donnait tout de suite? Et, pour le cocktail de demain, que porterait-elle? Elle relut le télégramme. Il disait : demain soir jeudi. Cela pouvait signifier que les Armand et Pierre Aubin assisteraient au cocktail. Eh bien, pour le dîner de ce soir, tant pis, elle mettrait sa robe noire qu'elle n'aimait pas, et, pour le cocktail, elle garderait sa tunique bleue brodée de fleurs blanches dont on lui faisait toujours compliment. Elle sonna la femme de chambre. « Per favore... per... » voilà qu'elle ne savait plus les noms des jours en italien. Elle fit le geste de tordre le linge, puis celui de repasser. « Per... jeudi. E possibile? » — « Si, si, Signora. » — « Vous comprenez? Jeudi, demain? » Elle feuilletait le dictionnaire. — « Compris, si, si, Signora. » — « Oh, grazie, grazie. » La femme de chambre regarda les volets clos, fit un geste dans leur direction. — « Si, si, grazie. »

Lorsque, avec des sourires, elle eut disparu, Geneviève, ainsi qu'elle l'avait fait souvent depuis son arrivée à Rome vint s'accouder à la fenêtre. Il faisait encore plein jour mais la pourpre du soir colorait déjà le ciel. Par-delà la masse mouvante du Pincio, son regard erra sur la ville lumineuse, caressa les dômes, s'accrocha aux clochers. A l'horizon, dominant le grand arc de la place Saint-Pierre, montait le Janicule. Seuls dans ce paysage, les bras métalliques de Radio Vatican rappelaient le monde moderne. Au loin, tout se diluait dans la clarté des hauteurs qui bordent le Tibre. « Oh, j'aime Rome! » dit-elle à voix haute.

La réception du jeudi était donnée en l'honneur d'un jeune Américain, Luther Merrifield, et de sa femme, Italienne de grande beauté, disait-on, qui passaient par Rome, retour de l'Inde.

Elle avait lieu dans un palais de la via Panisperna, non loin du Colisée, et Geneviève avait été priée par le secrétaire général, qui était célibataire, d'y jouer le rôle d'hôtesse. Très vite, il y régna autant d'animation qu'il est possible entre gens venus d'un bout à l'autre du monde et qui parlaient, naturellement, anglais en toutes langues. Des sympathies se nouaient, des verres se levaient avec échanges de regards profonds et de gestes assez ridicules mais touchants. L'unique Soviétique du congrès, flanqué de son interprète, était le plus défavorisé car il ne connaissait que sa propre langue et son pays a beau explorer les planètes, l'ouest de cette terre ne parle pas encore le russe. Mal rasé, l'air boudeur, il s'était cantonné dans un angle du salon, sous le buste de Trajan, et Geneviève prit en compassion ce géant délaissé. Par le truchement de l'interprète, ils échangèrent en anglais des banalités laborieuses. Le visage du Russe s'était éclairé d'un sourire très humain et il regardait Geneviève de l'air de qui ne s'était pas attendu à se voir bien accueilli.

Soudain, il intima d'un geste à son interprète l'ordre de se taire. — « Vodka », dit-il. Il pointa un doigt vers la poitrine de Geneviève. « Vous... aimer... Vodka? »

— Oui, oui, répondit-elle avec empressement, à la fois pour flatter son orgueil national et pour le récompenser de cet effort linguistique. — Oui, oui, fit-elle avec un sourire.

Alors le géant se tourna vers son petit acolyte à lunettes et figure vive pour lui dire une phrase qu'il l'invita, d'un arrondi généreux du bras, à traduire.

Avec force petits saluts de la tête, le jeune homme expliqua qu'ils avaient apporté à Rome de la vodka et du caviar. « Pour elle. » — « Pour elle », répéta-t-il, tandis que le Soviétique pointait de nouveau son gros index dans sa direction et lui ouvrait son sourire. « Pour elle. »

L'animation tombait un peu. En vérité, beaucoup des personnes présentes n'attendaient, pour partir, que l'apparition de la belle Mrs. Luther Merrifield qui avait promis de faire son entrée à six heures et demie. Qui la connaissait dans la salle? D'où lui venait cette réputation d'enchanteresse beauté qui tenait en haleine plus de deux cents personnes? Nul ne savait. Mais si tenace est la croyance au merveilleux qu'une petite foule cosmopolite d'intellectuels attendait une belle femme avec la même fébrilité, à peine dissimulée, qu'un public d'enfants le Père Noël. Or, il était déjà près de huit heures. « I don't know what happened... », expliquait Luther Merrifield. « I don't know... may be she could not come... » La fête était manquée. Père Noël ne descendrait pas du ciel.

Mais un remous parcourait l'assistance. Sous le haut plafond Renaissance, sous les bustes des empereurs alignés dans leurs niches de porphyre, elle entrait, la belle Romaine en robe rouge. Grande et bien faite, la démarche assurée sur des talons aiguilles, la gorge impudique et les bras chastes, elle entrait comme une reine, et, à ses voisins qui le quittaient pour avancer à sa rencontre, Luther Merrifield, renversant sa crinière rousse, jetait cette plainte qui la rendait plus précieuse encore : « She is spoiled, that girl, you know, she is spoiled! »

Le Russe et son interprète semblaient ignorer l'arrivée de Mrs. Luther Merrifield. Peut-être la réputation de ses charmes n'était-elle pas parvenue jusqu'à eux et ne découvraient-ils pas d'eux-mêmes la merveille. Mais le sourire de Geneviève s'était figé. Elle admirait la beauté triomphante parée par la jeunesse, la fortune et l'hommage d'une civilisation récente à une civilisation millénaire. Elle saluait en cette Italienne américanisée une liberté, une assurance qu'elle n'aurait jamais. Elle admirait le beau nez busqué, le teint éclatant, la perfection de la coiffure, le feu irréprimé des yeux noirs. Tout en cette femme criait l'orgueil d'être femme. Là où elle se trouvait, les hommes cessaient d'évoquer les grands problèmes : plus d'Algérie, plus de misère en Inde, plus d'exploitation de l'homme par l'homme. Mrs. Luther Merrifield proclamait que la beauté est souveraine et les yeux de la dizaine d'hommes qui l'entouraient déjà avouaient sans pudeur : les yeux des vieillards, les yeux des gros, les yeux des laids, ceux des Anglais, ceux des Allemands, ceux des Français, confessaient joyeusement qu'il n'est pas de plus impérieux devoir que de rendre hommage à la beauté. Jacques, pour sa part, occupait de celle-ci tout un côté, le bon. Il s'était campé en face de Mrs. Luther Merrifield. Il lui faisait un rempart de son dos. Il brillait. Il ressemblait à une tourterelle mâle qui se rengorge avant de s'incliner devant la femelle avec un chant. Pour qui le connaissait bien, il était assez ridicule. Derrière lui, d'autres hommes tentaient de se frayer un passage. Mais, se dit Geneviève, si Jacques ne veut pas, ils n'y arriveront pas de si tôt... Et les femmes, abandonnées dans des poses inachevées, la bouche ouverte sur une phrase interrompue, semblaient jouer à ce jeu d'enfants qui consiste à se figer en plein mouvement. Les quelques groupes qui poursuivaient leurs conversations paraissaient distraits et leurs regards s'échappaient pour se tourner dans la direction que suivait celui de Geneviève avec une absolue franchise : quel exaltant pouvoir celui de Mrs. Luther Merrifield!

— Vous la trouvez tellement belle? fit, tout près, une voix douce amusée.

Et, à cette voix dont aucune coquetterie ne dénaturait le timbre précis, à cette voix reconnaissable entre toutes, Geneviève offrit son visage intelligent et fatigué de Française, offrit son humilité.

Pour la seconde fois, Pierre Aubin surprenait son âme à nu.

Jacques, devant Mrs. Luther Merrifield, riait fort, à l'américaine, de ce rire avantageux qu'il n'avait plus depuis longtemps.

— Elle? Oh, oui, je la trouve belle...

Pierre Aubin, lèvres retroussées, pommettes hautes, éclairs mordorés dans les yeux, ne tourne pas la tête dans la direction de Mrs. Luther Merrifield. Indifférent à cette grande animation qui se tient au centre de la pièce, son regard a coupé le faisceau convergent des regards et il s'amuse de Geneviève.

— Vous ne la trouvez pas belle, vous?

Alors Pierre Aubin considère calmement Mrs. Luther Merrifield et, soudain, voici que Geneviève la juge un peu comique :

— Si, dit-il. Très belle. Vraiment belle.

Il y avait à présent dans le salon un homme dont la stature dépassait celle des autres, un homme dont l'arrivée avait à son tour produit un remous, dissociait les groupes, ramenait la vie sur les visages des femmes, un homme, pensait Geneviève, qui appartenait aussi manifestement à l'espèce belle que Mrs. Luther Merrifield, et qui aurait dû aller droit à elle, éliminant Jacques, comme le duc de Nemours à la princesse de Clèves. Mais cet homme restait auprès de la petite Geneviève Brincas et, tandis que fusaient des exclamations : « Tiens, Aubin! Enfin de retour! Racontez-nous Florence! Avez-vous ramené les Armand? Où dînez-vous ce soir? », il lui chuchotait à l'oreille :

— Si vous m'emmeniez au buffet boire un whisky?

Finies les conversations en mauvais anglais, les visites guidées, les commentaires « intellectuels » avec les femmes des congressistes, l'application studieuse, les enthousiasmes solitaires et forcés. Les Armand et Pierre Aubin, qui riaient toujours comme trois vieux enfants, savaient tout. Tantôt traversant d'un pas sûr les salles que Geneviève, guide en mains, se serait, sans succès, épuisée à explorer, ils la menaient droit à quelque chef-d'œuvre et, en deux ou trois phrases, lui apprenaient à le mieux voir et le fixaient dans sa mémoire; tantôt ils erraient dans la ville, feignant d'hésiter aux carrefours, lui laissant le choix du ciel ouvert au bout de rues étroites qui débouchaient — la surprise n'était que pour elle — au sommet d'une volée d'escaliers. A chaque heure qui passait, elle aimait davantage Rome. Elle commençait à se demander comment on pouvait supporter une ville grise. « L'enduit romain, affirmait Pierre, était le même que celui qui, voici un siècle, donnait aux maisons de Paris cette « ignoble teinte jaunâtre », dont Balzac parle quelque part... » Question de soleil, c'était tout. Ils pénétraient dans des cours splendides où s'érigeaient plantes grasses et palmiers, flânaient dans les jardins, le long du Tibre, s'asseyaient sur des pierres chaudes, polies depuis des siècles par les mendiants, les philosophes et les amoureux. Rome s'humanisait, plaisantait, se livrait. Rome embaumait l'œillet, le mimosa et l'espresso. Rome chantait l'adieu qu'on lui ferait demain : « Arrivederci, Roma, goodbye, au revoir. »

Et les Armand, Pierre Aubin, Geneviève et même Jacques entraîné dans leur sillage, riaient. Et Geneviève ne pensait plus à rien. Avec ces compagnons qui avaient quinze ans de plus qu'elle, elle découvrait la jeunesse.

— Contente? lui demanda Pierre Aubin dans le cloître de Saint-Pierre-aux-Liens où ils se reposaient.

— Contente? répéta-t-il devant le saint Jean dans le Désert du Caravaggio, à la pinacothèque du Capitole.

La confiance, l'abandon, peuvent s'apprendre d'un coup, mais non pas leur expression : elle prenait sa voix d'étudiante :

— Oh! oui, je suis contente. Mais cette ville est un tel enchevêtrement de siècles, une telle somme d'histoire, de religions, d'art...

Une fossette s'était creusée, à droite, dans la joue de Pierre :

— Vous n'y arriverez pas. Pas en huit jours... Il faut une vie pour Rome. Soyez heureuse et ne pensez pas à l'étude. Quand vous serez de retour à Paris, vous lirez vos guides. Et puis, vous reviendrez. Ce séjour n'est que pour faire connaissance.

Ce séjour n'est que pour faire connaissance... La connaissance des villes devait peut-être, en effet, être d'abord totale comme celle de certains êtres, indifférente aux détails. Que savait-elle de cet homme, de ses goûts, de sa vie? Elle n'en était même pas curieuse. Elle l'aimait, c'était tout. Elle n'était bien qu'avec lui. Et peu importait qu'il ne l'aimât point, puisqu'ils se quitteraient dans deux jours.

— Je ne devrais pas le dire, déclara Pierre Aubin, une heure plus tard, devant la statue de Marc Aurèle. Je ne devrais pas le dire, étant donné le prénom que je porte. Mais cette ville ne vous va pas tellement bien. Trop de pierre et trop de saint Pierre. Je vous vois dans une Italie plus tendre, plus fluide... Pourquoi ne vous arrêteriez-vous pas à Florence sur le chemin du retour?

— Je crois que Jacques ne peut pas prolonger son séjour en Italie. Il doit reprendre ses cours lundi.

— Vraiment?

Les Armand, bras dessus bras dessous, gagnaient le

petit jardin qui domine le Colisée. A quelques mètres derrière eux, Geneviève et Pierre les suivirent.

Pierre Aubin paraissait réfléchir.

— Cela me chagrine, dit-il comme se parlant à lui-même, de vous voir parfois cet air d'oiseau pris au piège.

En plein bonheur, la phrase blessa Geneviève comme une insulte imméritée.

Mais Pierre Aubin s'était arrêté. Il riait en la regardant :

— On ne peut pas avoir à la fois toutes les chances de la jeunesse et celles de l'âge mûr.

Elle qui souffrait tant d'être vieille! L'oiseau blessé reprenait vie, déployait ses ailes.

Mais il ne fallait pas le tromper. Nulle tricherie entre eux n'était tolérable.

— Je ne suis pas si jeune, vous savez. J'ai déjà...

Il l'arrêta :

— Vous êtes en tout cas assez jeune pour ne pas savoir qu'on ne l'est qu'une fois. L'âge mûr, on sait bien qu'on ne l'a qu'une fois... Croyez-moi. Et, ce qui est merveilleux, c'est que cette assurance vous débarrasse des entraves imaginaires.

C'était leur première conversation seul à seul.

— Si votre mari est vraiment obligé de rentrer, reprit Pierre Aubin, eh bien, pourquoi ne le laissez-vous pas rentrer? Il aura d'autres occasions de revenir en Italie, lui. Mais vous, je suis sûr qu'il vous a fallu organiser tout un branle-bas de combat, un « panico generale », comme disent les Italiens, pour vous libérer... Qu'avez-vous fait de vos enfants?

Il pensait à elle de si près qu'il imaginait les circonstances de son départ! Personne ne s'était jamais demandé comment Geneviève résolvait ses problèmes, petits ou grands.

— Ils sont pensionnaires pour ces quelques jours.

— Parfait. Qu'ils le restent une semaine encore. Le cours de leur existence n'en sera pas modifié. Mais que vous passiez, vous, une semaine de plus en Italie, c'est très important.

Elle n'aurait pas trouvé cela toute seule.

Nicolas devait avoir déjà de la crasse aux oreilles et Florence besoin d'un shampooing.

— Il n'arrivera rien, je vous assure, poursuivait Pierre Aubin. Cessez de vous faire une montagne de tout. Il y a plus de place qu'il n'en faut pour vous dans la voiture. Les Armand ont déjà retenu un énorme appartement à Amalfi. Tout est tellement simple... Allons, puisque vous ne pouvez pas visiter Florence avec votre mari, venez avec nous à Amalfi.

La tête un peu inclinée, il la considérait avec la même sympathie qu'il regardait les choses, attentive, caressante, et nullement possessive. Au moment où il lui proposait ce qui pouvait apparaître comme une fugue, Geneviève eut le sentiment qu'il y avait entre eux un lac de pureté qui ne pouvait être troublé que par la violence. Or, rien n'était doux comme ces journées à Rome et la présence de Pierre Aubin. Rien n'était plus doux que Geneviève heureuse...

— Vous avez peut-être raison, dit-elle.

XVI

A Paris, rentra une jeune femme hâlée que chacun reconnut pour Mme Brincas, fort embellie par ses vacances.

Elle reprit sa place au foyer, y ramena ses enfants et recommença d'égrener le chapelet de ses occupations ordinaires. Nul ne se douta que cette personne était un fantôme et que Geneviève était toujours à Amalfi où le temps s'était arrêté.

Lorsqu'une carte de Pierre arriva, la semaine d'Amalfi rejoignit le passé et le retour à Paris fut consommé.

Mais, secret enfoui dans l'épaisseur du silence, phare projeté sur la transparence de chaque instant, le bonheur rendait Geneviève rêveuse le jour et l'empêchait la nuit de dormir.

Amalfi, c'est d'abord une route sur laquelle roule une voiture heureuse. Pierre Aubin conduit, Geneviève est assise à sa droite, les Armand sont installés à l'arrière. Geneviève est contente qu'il n'y ait pas de halte prévue avant Naples. Elle se répète : « Je pars en voyage avec Pierre Aubin. Je vais passer une semaine avec l'homme le plus séduisant que j'aie rencontré. Jamais je n'aurais cru que cela arriverait. » Le fait que, depuis des mois, son imagination ait été occupée de Pierre Aubin la rend à la fois plus consciente et moins étonnée de la merveille qui s'accomplit et, par une conséquence inverse, nimbe de rêve la réalité. Pour mieux saisir celle-ci, ce n'est pas le paysage que Geneviève regarde, c'est Pierre Aubin. Il conduit avec attention et ne parle guère. Elle pense : « C'est la première étape du voyage. Nous sommes tout à fait au commencement. Cette joie que la vie me donne, je ne l'ai pas encore entamée. »

Pierre Aubin doit avoir une cinquantaine d'années. Il ne paraît pas moins. Il a une peau claire mais bronzée que le soleil a tachée sur le haut du nez et sur le front très vaste sous les cheveux gris. Il a deux sillons aux coins de la bouche et son cou, dans la chemise ouverte, n'est plus jeune. Geneviève aime ces marques de l'âge. Elle les regarde avec avidité, avec tendresse. Elles la rassurent. Car Pierre Aubin, avec vingt ans de moins, aurait de quoi effrayer.

Tant que la voiture ne s'arrêtera pas, pense Geneviève, je serai assise à côté de lui. Elle découvre ses mains, larges de paumes, longues de doigts, au pouce retroussé. Il lui plaît, elle s'émeut de les voir appliquées sur le volant à leur tâche précise. Une fois, tandis qu'elle se livre à cette inspection, son regard est attiré vers le rétroviseur et il y rencontre celui de Pierre qui lui sourit.

La visite de Naples s'est prolongée jusqu'au soir, car ils se sont attardés au restaurant puis dans le musée, puis à traîner dans les bas-quartiers de la ville. Ils ont renoncé, pour arriver plus vite, au dîner à Sorrente et à la belle route qui longe la mer, car, depuis qu'un accident lui a blessé la moelle épinière, Mica supporte mal d'être longtemps assise et elle est fatiguée.

Après Naples, René Armand a pris le volant parce que Pierre ne voit pas bien clair la nuit. Pierre a des rides, Pierre voit mal la nuit. Plusieurs heures de route dans la même voiture, c'est un commencement de vie commune. Pierre fume dès qu'il n'est plus dans l'automobile. Et maintenant qu'il est assis à l'arrière, il tire souvent de sa poche un fume-cigarettes avec lequel il joue, entre deux doigts de la main gauche. L'annulaire de cette main porte une alliance. Geneviève se demande comment est la femme de Pierre Aubin et découvre en même temps que c'est la première question qu'elle se pose à son sujet. Elle est sur la route d'Amalfi, à côté de lui, à sa vraie place, c'est-à-dire que peu importe que ce soit la route d'Amalfi ou une autre, peu importe la saison et ce qu'on va faire, pour la première fois, la vie donne à Geneviève un homme avec qui elle sait qu'en toutes circonstances elle serait bien. A présent, il fait nuit et il est sûr qu'on ne s'arrêtera plus avant Amalfi, il est sûr qu'elle ne s'éloignera plus de Pierre avant le terme du voyage, même pour les mouvements joyeux de la vie. Aucun mouvement, qu'il se dirige vers la splendeur des sites ou la richesse des musées ou le tohu-bohu coloré d'une ville, ne vaut cette immobilité ravie, cette commune rémission à autrui, ce déroulement aux yeux passifs de la route nocturne. Les Armand causent à voix basse, se rappelant des noms, des détails. Ils sont fermés sur leur couple car Amalfi est un de leurs souvenirs d'amour. Leurs voix et leur entente sont confortables comme les coussins de la voiture, tranquilles comme la manière dont René conduit, douces comme le soir et le bruit du moteur. Oh! que roule ce bonheur enfermé dans si peu d'espace, qu'il roule jusqu'au bout de la nuit, jusqu'au bout du monde. Que n'arrive jamais le terme du voyage.

— Pourquoi utilisez-vous un fume-cigarettes? demande Geneviève.

Et Pierre Aubin tourne vers elle ce sourire des yeux qu'elle aime tant. Il prend la mine d'un grand garçon fautif :

— C'est que je fume beaucoup, dit-il. Avec un fume-cigarettes, j'avale moins de nicotine. Et puis, cet objet m'occupe quand je ne veux pas empester mes voisins.

On peut aimer un homme à la folie — car n'est-ce pas folie que d'ignorer tout de l'objet de son amour? — on peut avoir trente-quatre ans et, oubliant que l'expression de l'amour est, pour finir, toujours la même, se contenter du rêve. En cette montée vers Amalfi, Geneviève, loin de souhaiter les lendemains, les redoute. Aurait-elle le choix, elle préférerait qu'il n'y eût pas de lendemain. Lui proposerait-on la chute dans l'abîme au prochain tournant, elle serait assez jeune pour l'accepter.

La voiture longe de nouveau la mer. On traverse des villages où les escaliers remplacent les rues : Majori, Minori, Atrani, annoncent les pancartes et répète Armand pour Mica. Parfois se présentent des tunnels noirs où la voiture s'engouffre comme d'elle-même. Et, plus beaux que tout le reste du voyage, plus beaux que la lumière, plus beaux que la mer et que les murs blancs courant sous leurs toits de citronniers parurent à Geneviève ces tunnels. Car, en leur espace clos et rectiligne où, dans les phares des automobiles roulant en sens inverse apparaissaient des piétons vite engloutis par la nuit refermée, se réduisait à elle-même la joie d'être emportée au côté de Pierre dans un commun mouvement.

Assez fatiguée pour percevoir toute sensation avec acuité, assez éveillée pour rejeter à jamais l'idée du sommeil, les mains jointes sur les genoux, en proie à un calme transport, pure, Geneviève vit apparaître l'écriteau portant l'inscription : « Amalfi » comme le terme du bonheur.

Mais ce n'était que le rendez-vous du bonheur. Et si Dieu, ou le hasard, ou la vie, pour une fois magnifique, avait assigné à l'amour de Pierre et de Geneviève pour son embrasement un des lieux les plus beaux du monde, ce n'était que par prodigalité. Geneviève ne suspectait pas sa chance. Son amour s'était épanoui dans le bonheur, avec une espèce d'innocence, eh! bien, c'était tant mieux, elle n'était pas contre le bonheur. Si les circonstances avaient été moins belles, elle n'en aurait pas moins aimé Pierre Aubin.

En une semaine, l'amour découvre ses jeux et ses temples, prend ses habitudes, célèbre ses rites. En une semaine, un grand amour peut naître, vivre sa longue enfance, brûler son adolescence, trouver sa démarche adulte et sa joie.

L'enfance de leur amour dura plusieurs jours, mangea presque en entier la semaine dont Pierre et Geneviève disposaient. L'enfance d'un amour de maturité est miraculeuse, car, des jeunes années, elle retrouve l'innocence et la fraîcheur des impressions mais, au lieu de se diluer dans la demi-obscurité des limbes, elle baigne dans la lumière de la conscience.

Chaque matin, on se retrouve pour le petit déjeuner. Souvent, Pierre est le premier installé sur la terrasse qui domine la mer. Il porte une chemise lâche de cotonnade grecque, un pantalon de coutil et ses pieds sont nus dans des espadrilles à semelles de corde. En dépit de sa haute taille, de sa carrure et de son âge, ses mouvements sont vifs, juvéniles. Il se lève à l'arrivée de Geneviève et tous deux se sourient, se plaisent, se reconnaissent, comme chaque fois qu'ils se retrouvent. S'ils étaient l'un pour l'autre des étrangers qui déjeunent à des tables voisines, il leur faudrait s'arranger pour traverser l'espace qui les sépare et faire connaissance. Mais voilà, ils sont ensemble, ils habitent le même appartement, ils partagent toutes les heures du jour avec la bénédiction de chacun. Sous le regard de Pierre, le thé, le miel, le pain prennent une saveur qu'ils n'ont jamais eue.

— Ça fait plaisir de vous voir manger, dit Pierre.

Toute leur conversation tient dans des phrases de cette importance.

Ils ont, certes, visité Pompéi, Herculanum et Paestum où Pierre la « cornaquait » gentiment. Peut-être à cause de sa beauté, bien qu'il parlât à mi-voix, sa compétence était partout reconnue et des groupes se formaient autour d'eux pour l'écouter. Alors il se taisait et promenait alentour un regard surpris, plissant les yeux comme s'il découvrait un spectacle scandaleux. Il faut croire que Pierre est doté d'une autorité naturelle, car les importuns se dispersaient sans mot dire. Geneviève ne revenait pas de l'étonnement de rester, elle, à son côté. Ce fut sa seule inquiétude en ces jours d'Amalfi. Le trouvant si sévère et savant, elle se disait : « Je vais l'ennuyer. Une semaine, c'est trop long. Il va découvrir que je n'ai rien dans la cervelle et se lasser. » Mais il ne se lassait pas.

Dans le temple de Neptune, à Paestum, les pigeons

aux grandes ailes planent entre les colonnades, sous la voûte du ciel. Pierre et Geneviève sont seuls, car les Armand se sont attardés dans la Basilique. Seuls vivants, avec les oiseaux éternels, ils ont sans doute tous deux le sentiment que leur amour monte du fond des âges et Geneviève pense : « Je me souviendrai de cet instant. » Mais en vérité, les souvenirs nobles sont comme la beauté ou les grandes idées : ils font le vide. La mémoire de Geneviève chérit davantage ce qui pourrait apparaître comme le plus banal, ce qu'elle aurait sans doute pu connaître avec n'importe quel homme et n'importe où. Des riens. Ce matin, par exemple, où Pierre s'est coupé le talon sur un rocher. Elle a été chercher du sparadrap dans sa chambre. Un instant, elle a tenu ce pied lourd entre ses deux mains. Pierre a pris d'abord l'air un peu crispé, peut-être à cause de ce doigt poussé de travers qui chevauche le pouce et qu'elle ne pouvait manquer de voir. Mais, quand elle a reposé son pied et qu'il l'a regardée, en face, c'était une expression d'accomplissement que portait son visage. Est-ce le même matin que, pour la première fois, il a glissé son bras sous le sien pour remonter les marches de la tour? Ce fut comme si nulle main n'avait jamais touché son corps, une réceptivité de chair vierge, une sensation de commencement du monde... Un émoi comparable sans doute à celui que Michel-Ange fait passer du doigt de Dieu dans celui d'Adam...

— Maman, tu veux me donner un conseil pour mon tricot, j'ai perdu une maille, je crois.

— Montre-moi cela, ma chérie.

— Maman, tu veux me faire réciter ma leçon?

— Es-tu sûr que tu la sais bien, mon Nicolas?

Tout à l'heure, quand ils seront couchés, puisque Jacques est sorti, elle aura le temps de penser...

Complices inconscients, figuration gentille, les Armand n'étaient jamais loin. On entendait leurs rires et leurs plaisanteries. A l'heure du bain, surtout, les Armand participaient aux jeux. René craignait le soleil. Pour s'en protéger, il s'enveloppait d'un peignoir et gardait sur la tête une petite casquette. Puis il se blottissait dans un creux de rocher où quelque rayon parvenait pourtant à le brûler aux chevilles, lançait un regard de chien battu à Mica et demandait :

— J'ai l'air heureux?

Il était le seul qui eût des coups de soleil. De joie, Mica fronçait le nez, le rire d'or de Pierre cascadait et celui de Geneviève éclatait, tout frais, un rire qu'elle ne se connaissait pas et qu'elle essayait, pour son propre plaisir, à toute occasion.

— J'en ai marre, disait René, je vais chercher les camparis.

Alors Pierre plongeait le premier. Il disparaissait dans les profondeurs noires de l'eau, resurgissait, le visage mouillé, s'essuyait les yeux et criait aux deux femmes :

— Vous venez?

Elles venaient, Mica prudente, Geneviève impétueuse. Elle aurait suivi Pierre n'importe où. Mais il ne l'entraînait que vers la joie. A la même allure, ils fendaient l'eau, laissant derrière leurs pieds un bouillonnement d'écume, et, quand ils se retournaient, le même éblouissement leur fermait les paupières, le même soleil brûlait leurs fronts.

René descendait les marches avec circonspection, feignant, pour leur plaisir, de tenir en mauvais équilibre la plateau tintinnabulant. Ils lui criaient :

— Hé! Ne bois pas tout!

Ils revenaient, ils grimpaient l'échelle de fer dure aux pieds, ils buvaient, ils s'étendaient sur les matelas, à des places déjà consacrées par l'habitude. Pierre fumait à gestes lents.

— Dire que le pauvre Jacques fait son cours, à cette heure! clamait René en portant, du fond de son trou d'ombre, un toast au soleil.

Le pauvre Jacques ne pesait pas lourd alors, ni les malheurs du monde. Le saut dans l'hédonisme était complet. Demain réservait à Pierre et à Geneviève la séparation, sans doute la souffrance. Demain était loin.

S'il fallait payer le prix du bonheur, on le paierait... en temps voulu.

Parfois, pour faire plaisir à René qui ne savait pas nager, ils allaient jusqu'à une petite plage sableuse, cernée de rochers, d'où l'on pouvait se baigner sans perdre pied. A Amalfi, l'eau n'est pas chaude. Armand craignait autant sa fraîcheur que la brûlure du soleil. Il entrait dans la mer sur la pointe des pieds, avec des airs de jolie femme effarouchée, s'arrêtait, se baissait pour envoyer du bout des doigts quelques gouttelettes sur ses voisins, faisait mine de s'asseoir, se redressait comme piqué par une guêpe au premier contact de l'eau. « On dirait Charlot! » riait Pierre.

Les Armand avaient pris l'habitude d'aller se reposer dans l'appartement avant le déjeuner, tandis que Pierre et Geneviève restaient allongés sur la dalle brûlante, leurs deux corps à trente centimètres l'un de l'autre, presque nus, si familiers déjà, celui de Pierre avec sa tache brune sous l'épaule gauche, sa cicatrice au bas des côtes, leurs jambes parallèles.

Là, sous le double poids de la chaleur et du silence, Geneviève commença d'avoir envie de dormir en Pierre, de reposer la tête sur son ventre, et lui de la désirer si fort qu'il devait se jeter à la mer.

Mais ce fut au retour de Capri que cessa l'enfance de leur amour. Comparée à la côte, Capri était peu de chose. Trop arrangée, trop civilisée, elle offrait toutefois une certaine image du bonheur. Les Armand décidèrent de visiter la Grotte d'Azur.

— Moi, déclara Pierre, les grottes, j'en ai vu de toutes les couleurs et qu'elles soient bleues, vertes ou violettes, je les ai en égale horreur. Vous voulez voir la Grotte d'Azur, Geneviève?

— Non.

Bien sûr que non, elle ne voulait pas. Que pouvait-elle vouloir, elle, en dehors de Pierre? Le pittoresque, elle s'en moquait. Elle ne voulait que Pierre et, pour le reste, se laisser vivre. Jamais elle ne s'était avisée que cette expression était si précise. Deux jours après leur arrivée, Geneviève n'avait plus de montre. A quoi bon? Pierre avait la sienne. Elle n'emportait plus d'argent puisque Pierre faisait les comptes. Elle avait abandonné son Guide Bleu : Pierre savait tout. Elle n'avait de préférence que pour les menus qu'il lui conseillait. Mais elle n'était pas pour autant passive. Elle se « laissait vivre » avec enthousiasme. Elle savait le prix de chaque heure et la beauté du paysage lui était chaque jour plus sensible comme si l'amour eût aboli toute distance entre elle et les choses. Si elle eût eu tant de peine, les paupières closes, à décrire ce paysage, s'il lui était indifférent d'aller ici ou là, c'était sans doute pour la même raison qu'elle aurait éprouvé de la difficulté à expliquer pourquoi elle aimait Pierre, parce que l'amour lui avait fait perdre ses propres limites et qu'elle s'incorporait à la mer, à la roche et au ciel, comme à Pierre.

Ils donnèrent donc rendez-vous aux Armand pour le déjeuner et, pour la première fois, ils eurent à leur disposition deux heures solitaires. L'œil de Geneviève était attiré par les boutiques où s'amoncelait le joli déballage italien : vannerie, chapeaux, ensembles de plage, bijoux.

Ce fut Pierre qui proposa :

— Vous ne souhaitez pas rapporter quelques souvenirs?

Sur ce point, elle restait craintive : Jacques l'avait persuadée que certains aspects de la femme sont méprisables :

— Je pense que les boutiques ne sont pas ce qu'il y a de plus intéressant dans Capri.

— Mais les boutiques m'amusent, affirma Pierre. Entre une grotte et une boutique, je n'hésite pas. Entrons là, voulez-vous?

A l'intérieur, le choix se révéla difficile car les objets qui la tentaient étaient ou bien coûteux ou extravagants, ou trop encombrants. Elle n'avait jamais fait de courses en compagnie d'un homme, sauf une fois, avec Jacques, le jour anniversaire de ses vingt-cinq ans, et ce n'était pas un bon souvenir. Jacques avait proposé de lui offrir un cadeau. Elle avait désiré un collier : « Eh bien, achète-le, avait dit Jacques. — Non, avait-elle demandé, viens le choisir avec moi. » Mais elle hésitait : « Tu aimes celui-ci? — Ouais, faisait Jacques. — Tu ne crois pas que ce bleu...? — Comme tu veux. » Tandis que la vendeuse cherchait dans son tiroir, il n'y avait plus tenu : « Écoute, choisis-le toi-même. Je n'ai pas le temps, j'ai un rendez-vous important. » Quand la vendeuse s'était redressée, le collier bleu au bout des doigts, Geneviève était seule devant le comptoir et se moquait bien de la couleur des perles. Ce sont des leçons que l'on n'oublie pas.

— Non, dit-elle, je ne vois rien. J'aurais aimé rapporter quelque chose aux enfants. Mais pour les enfants, ils n'ont rien.

Et c'était vrai. A Capri, la femme est reine.

— Pour les enfants, non... Mais pour vous, il me semble... Pierre fouillait dans les tas de pacotille. D'un doigt expert, il ramena un gros scarabée rose au bout d'une énorme chaîne qui pesait quelques grammes. Un instant, il le balança, l'air perplexe :

— C'est joli, n'est-ce pas?

Elle hésitait. Une femme ne doit recevoir de cadeaux que de son mari.

Pierre l'observait. Ses pommettes remontaient vers ses yeux pailletés.

— Vous ne l'aimez pas? Ce n'est pas joli?

Il lui passa la chaîne légère autour du cou et, quand elle en fut parée, sa main effleura sa joue. Pour la première fois, le regard de Pierre se chargea d'une tendresse possessive et nostalgique, et elle resta un moment immobile, la chaîne au cou, le visage levé vers lui. Mais il esquissa, des lèvres, un petit baiser :

— Allons voir à côté, dit-il, si nous trouvons mieux.

Il l'avait persuadée d'acheter un ensemble de velours mauve à fines côtes, pantalon serré, veste lâche, doucement échancrée au col, qui découvrait la ligne des épaules. Hâlée, elle se plut tellement dans ce travesti qu'elle ne se demanda même pas si elle aurait l'occasion de le porter une fois de retour à Paris. Quand l'heure d'aller retrouver les Armand était venue, ils n'avaient rien vu de Capri que les boutiques.

L'après-midi se passa en excursions joyeuses. Ils avaient loué une voiture à cheval où Mica avait installé son petit coussin pneumatique. Mica transformait en source de plaisanteries ce qui était une constante occasion de gêne et de souffrance. Incapable de rester longtemps assise, elle parcourait le monde avec un oreiller de caoutchouc dans son sac. C'était devenu un de ses gestes familiers et presque une de ses grâces que de l'en sortir, de le gonfler, et de l'installer sur son siège où qu'elle se trouvât, à la stupéfaction réprobatrice de ceux qui ignoraient son infirmité. De nouveau, ces bons génies qu'étaient les Armand protégeaient l'amour de Pierre et de Geneviève, l'empêchant à la fois de s'incarner et de verser dans le tragique.

Ils rentrèrent au coucher du soleil. Une subite fraîcheur avait succédé à la chaleur des derniers jours et ils ne purent rester longtemps sur le pont du bateau. Quand ils pénétrèrent à l'intérieur, les deux banquettes étaient déjà occupées et les passagers durent se serrer pour leur faire place. Geneviève et Pierre se trouvèrent ainsi, pour la première fois, proches l'un de l'autre à se toucher. Bientôt la chaleur et la trépidation engourdirent Geneviève, ainsi qu'elles faisaient des Armand qui dormaient avec naturel, leurs deux têtes appuyées l'une contre l'autre, celle de René mouillant d'un peu de sueur une mèche des cheveux de Mica.

Jamais, jamais plus je ne reposerai ainsi contre mon mari, pensa Geneviève. Et, à vrai dire, cela n'était non plus jamais arrivé. Le bras de Pierre, la cuisse de Pierre touchaient les siens et le même frémissement les parcourait. Peu à peu, à travers la torpeur, s'insinua le désir. Geneviève ne bougeait pas. Paupières closes, elle observait, elle écoutait cette vague qui déferlait sur elle et dont elle ne savait si elle montait seulement d'elle ou aussi de Pierre. Cette sensibilité comme électrique à la frontière de leurs corps, sous l'étoffe des vêtements, cette douleur délicieuse au bas du ventre, était-ce son secret, ou bien leur œuvre commune déjà, leur double secret?

Elle avait rouvert les yeux mais elle ne les tourna pas vers Pierre. Tout ce qui lui était venu de cet homme, depuis leur première rencontre dans son appartement de Paris, l'appartement familial si lointain, si bien oublié que l'instant où Pierre y avait posé son regard sur elle en était aujourd'hui le seul vivant souvenir. tout ce qui lui était venu de cet homme avait constitué une joie parfaite au-delà de laquelle elle ne souhaitait rien. La vague du désir à présent la brûlait. Eh bien, que le désir la brûle! Elle ne se serait pas crue capable d'une telle résurrection. Sensible de la plante des pieds à la racine des cheveux, pleinement éveillée dans le soir qui tombait du ciel nacré sur les îles mauves et la mer, emportée avec Pierre, Geneviève, la mâchoire ferme, réceptive, affirmait de tout son être que la vie est plus forte que la mort, que le bonheur et la jeunesse sont plus réels que la souffrance et la décrépitude et que l'amour est invulnérable. Telle était sa puissance qu'elle entraînait avec elle le tas de passagers morts qui l'entouraient, elle, la vivante, les entraînait d'un élan fraternel. Oui, ce grand courant qui la traversait passait par eux aussi, par l'Allemand qui chancelait en essayant de prendre des photographies qui ne seraient jamais aussi belles que les souvenirs de la mémoire, par l'Anglais qui ronflait, bouche ouverte, par la fille laide et joufflue qui réprimait son mal de mer entre des parents d'aussi triste chair qu'elle, et par cette obscure désespérance des îles qui s'éloignaient, hachées sur le ciel pâle. Ce fut la main d'une demi-déesse que celle de Pierre alla chercher entre leurs corps et tint doucement pressée jusqu'à la fin du voyage.

A partir de ce jour, le désir les harcela. Il était partout, dans la vague active sur la plage, battant le rocher, caressant le sable, glissant, revenant; il était dans la fraîcheur et dans la lourde chaleur, il était dans l'absence et dans la présence, dans leurs gestes et dans leur immobilité, le grand corps doux de Pierre, son épaule à portée de la tête de Geneviève, les jambes de Geneviève poncées par la mer, hâlées par le soleil, leurs mains voisines. Il était dans les nuits où il les tenait éveillés, les ramenant sans cesse à cet instant où leurs mains s'étaient prises, inondant Geneviève de joie incrédule et tourmentant Pierre car il voulait cette femme, savait que s'il frappait à sa porte elle lui ouvrirait sans surprise, et s'interdisait pourtant d'y aller. Il les amenait à fuir les Armand, à feindre de préférer la promenade en car et à pied aux excursions qu'ils leur proposaient, à les préférer en effet. Mica regardait Geneviève avec tendresse et un peu d'ombre : « Eh bien, allez », disait-elle.

Ils attendaient le car sur la place, ils montaient à Ravello par la route en lacets dont ils connaissaient chaque détour, leurs mains de nouveau se prenaient et le désir, donnant à leur regard une acuité de voyant, les unissait au dieu caché dans l'olivier, les citrons, les murs blancs. Les gens, sans les connaître, leur souriaient.

Pierre et Geneviève ne parlèrent pas de leur amour ni de leur séparation prochaine. Ils n'avaient plus que deux jours devant eux. Ils n'étaient pas amants, ils brûlaient de désir, mais cependant une absurde sérénité rayonnait d'eux. A ce temps si bref qui leur était réservé, ils accordaient une royale confiance. Ils continuaient de mener leur étrange vie commune, respectant plus que jamais les rythmes. A trente centimètres l'un de l'autre, ils nageaient, marchaient, s'allongeaient, mangeaient. A la largeur d'un couloir, ils reposaient. Leur apparence était paisible. Toutefois, ils riaient moins souvent.

La veille du départ, les Armand étaient allés rendre visite à des amis anglais qui habitaient la région.

— Où allons-nous? demanda Pierre sur la place où les cars attendaient. Atrani? Positano? Ravello?

Ils n'avaient pas encore visité Positano.

— Ravello?

— Ravello.

En haut, ils firent mine d'hésiter : Jardin des Rufoli, villa Cimbrone?

Mais tous deux savaient qu'ils préféraient la villa Cimbrone, pour la seule raison qu'ils y étaient allés la veille. Le temps qui leur restait s'amenuisait, se réduisait à quelques heures. Mais la répétition des mêmes gestes, des mêmes démarches, des mêmes cadres leur donnait une allure éternelle. Geneviève ignorait encore tout de la vie privée de Pierre. Elle ne s'en préoccupait pas. Ce qui importait, c'était l'approfondissement de cette semaine, la seule sans doute qu'il leur serait jamais donné de vivre ensemble et qui enfermait une part divine de leur existence. Il n'était pas vrai que Pierre et elle n'avaient pas d'enfance commune, pas vrai qu'ils étaient mariés ailleurs, pas vrai qu'elle ne reviendrait plus à Amalfi et regretterait de n'avoir pas visité Positano, pas vrai qu'ils n'avaient pas l'éternité devant eux. Il n'était pas vrai qu'ils tendaient l'un vers l'autre, tel l'éphèbe de la villa Cimbrone vers l'arbre, inclinés face à face devant la mer, pour une union qui ne s'accomplirait pas.

Sur le belvédère, parmi les bustes blancs qui proclament en plein ciel la joie épicurienne de vivre, coquets comme Lollobrigida, une volée de curés italiens se photographiaient. Ils s'en amusèrent un instant. Mais le désir les poussait vers quelque havre. A travers le jardin magnifique où tout leur faisait des signes, ils errèrent. Dodu, un bambino de marbre tenait son oie sous le bras avec une telle tendresse que Geneviève ne put s'empêcher de lui caresser la hanche. Non loin se dressait une cabane au toit de feuilles, remise à outils, trop basse même pour un homme de taille moyenne. Ployant son grand corps, Pierre s'y hasarda et Geneviève obéit à la main qu'il lui tendait. Parmi les détritus et les pelles, ils s'embrassèrent pour la première fois. Contre sa cuisse, contre son cœur, Pierre avait attiré Geneviève et sa main remontait, lente, de sa hanche à son sein, où elle resta. L'air sentait le moisi, des toiles d'araignées s'accrochaient à leurs cheveux, la cabane était ouverte des deux côtés et, par un de ses orifices, on voyait passer les pieds et les robes des curés. Il n'y avait pas d'autre possibilité que de sortir de là.

Sur la route du retour, ils ne prononcèrent pas trois paroles. Au bout des doigts, Geneviève tenait une fleur qu'une petite fille, surgie d'un mur de Ravello et redisparue en deux bonds de chèvre, lui avait offerte sans mot dire.

Ce soir-là, pour la première fois, autour de leur groupe

réuni dans une trattoria pour le dîner, une tristesse flottait.

— Nous avons pris le thé, racontait Armand, en compagnie de dix pédérastes anglais, installés à Amalfi for ever and ever and ever avec un stock de cravates aux couleurs de leur université.

— Heureusement, poursuivait Mica, qu'ils avaient invité un curé italien. Je me suis sentie moins seule.

Cher René, chère Mica, ils avaient derrière eux vingt-cinq années de joies et d'épreuves communes, le monde était en place sous leurs yeux accordés. Demain, Geneviève prendrait le train à Salerne et Pierre demeurerait encore quelques jours en Italie avec les Armand. Il ne leur restait plus que la nuit.

— En revenant, nous avons rencontré notre domestique. Calamistré, dans sa belle veste rouge, il faisait pétarader sa motorette pour la joie des filles. Il nous a fait l'honneur d'un bout de conduite. J'ai rassemblé tout ce que je sais d'italien pour lui demander son âge. « Seize ans », m'a-t-il déclaré en dressant la tête comme un coq. « Et vous »?

— Pauvre Mica! fit Pierre. Qu'avez-vous répondu?

— J'ai dit « cinquante », que voulez-vous que je dise? Ah, ces pédérastes m'ont tuée. Geneviève, à cause de vous, je me lève tôt demain. Aussi, avec votre permission, j'irai me coucher.

Mica ce soir a toutes ses rides et le regard d'une femme qui aimerait voir le monde entier heureux.

— Vous venez, les enfants?

C'est Pierre qui répond :

— Non, nous allons marcher un peu, pour le dernier soir de Geneviève.

— Eh bien, allez.

A pas lents, ils vont jusqu'au bout de la jetée. Ils traînent le poids de leur impossible amour. Ils ont mal.

— Alors, demande Pierre, quel sera votre meilleur souvenir d'Amalfi?

— La villa Cimbrone... et vous?

— Shopping à Capri.

Cette réponse la heurte. Un mois plus tard, elle la comprendra. A Capri, leur tendresse est née et Pierre est assez vieux pour préférer la tendresse à la passion.

Au bout de la jetée, ils s'embrassent. Leurs lèvres glissent, se caressent, se cherchent leurs langues, s'accordent leurs bouches. Ils s'aiment. Mais des rires fusent dans l'ombre. Ils repartent. Ils ont une chambre, à cent mètres de là, et les Armand feront comme s'ils n'avaient rien vu et rien entendu. Leur amour est si beau qu'il ne craint pas de scandaliser. Leur amour est si beau que, pour leur première nuit, il ne veut pas de chambre. Alors, ils marchent sans fin dans l'ombre et le voisinage de la mer. Les voix nocturnes se taisent. Les lumières s'éteignent. Ils savent qu'ils ne se sépareront pas avant d'être allés jusqu'à ce cri rauque où triomphe la victoire des êtres enfin confondus et sanglote à nouveau déjà la solitude humaine.

Avec une expression douloureuse, Pierre scrute la nuit, les rochers baignés de lune, et son regard s'arrête sur le coin sombre, à l'angle de la plage, derrière les barques échouées. Alors, leur torture cesse. Leur démarche retrouve son assurance. Ils savent où ils vont. Ils sont heureux. Ils s'immobilisent. Debout, ils s'embrassent. Elle le regarde :

— Pierre, ce ne va pas être un gâchis?

En vérité, elle ne le craint pas. Mais elle a voulu qu'il dise une parole, que soit jetée une clarté humaine sur cet acte obscur qu'ils vont accomplir.

Pierre sourit :

— Un gâchis? Non, je ne crois pas...

Elle n'a pas un geste de dérobade quand il la couche tout de son long contre lui.

Longtemps, retombés, ils resteront confondus, le ciel au-dessus d'eux, chair commune, coque légère sur l'eau dont ils entendent à nouveau le clapotis comme domestiqué, sans autre identité que leur joie. Pourtant, passé l'instant aigu où le plaisir a basculé dans l'extase, à peine passé l'instant, ils savent bien qu'ils n'ont fait que déchirer la nuit et que celle-ci s'est refermée sur eux. De bonheur et de détresse, les larmes ont jailli des yeux de Geneviève.

Cet instant qu'ils viennent de vivre, ils ne le ressusciteront pas cette nuit, ni peut-être jamais. Mais ce qu'ils peuvent encore se donner, leurs forces déchargées, c'est leur faiblesse, leur poids l'un sur l'autre, leur chaleur, le souvenir déjà de leur commun plaisir et la bouleversante amitié des amants véritables.

Doucement, Pierre couche Geneviève près de lui. A tâtons, par-delà son corps, il ramasse son châle, lui enveloppe les chevilles, puis il ramène son bras autour de ses épaules :

— Tu n'as pas froid? demande-t-il.

Et elle, sans déranger ce bras qui l'enserre, d'un geste étriqué, a passé la main sur sa joue qui pique un peu et lui a souri.

XVII

— Êtes-vous irrémédiablement liée? avait demandé Pierre sur le quai de la gare, à Salerne.

— Oui, avait-elle répondu sans hésitation. Puis elle s'était livrée à un rapide calcul mental. Oui, pour dix années encore... en tout cas.

Et tous deux avaient souri.

— Pour dix autres années? avait répété Pierre.

— Au moins.

Dans dix ans, Florence aurait dix-neuf ans, Nicolas dix-sept ans, et elle... et Pierre... et Jacques...

Qu'avait donc dit Pierre au sujet de l'âge et du temps? « A mesure qu'on vieillit et qu'on en a moins devant soi, on prend une bizarre confiance dans le temps. » C'était vrai. En cet avenir qui leur était fermé, qui ne pouvait en tout cas s'ouvrir que sur leur vieillesse, Geneviève mettait un espoir insensé.

Au-delà des murs de l'appartement, au-delà du cercle de famille, existait désormais pour elle un autre monde dont la lumière illuminait chacun de ses actes et qui ne gênait pas plus sa vie quotidienne que le fait de croire à l'éternité n'empêche les chrétiens d'assumer leur existence terrestre. Au contraire.

La famille Brincas fut heureuse de se trouver à nouveau réunie. La femme de ménage avait profité de l'absence de Geneviève pour se placer ailleurs. Les enfants se réinstallèrent avec une malle de linge sale, Nicolas, peu débarbouillé, ayant donné libre cours à la possibilité de laideur qu'il recelait, Florence enchantée de l'expérience qu'elle venait de vivre et, toujours dogmatique, souhaitant qu'elle fût renouvelée un mois chaque année. Non, ni Jacques ni les enfants n'avaient souffert de la faute de la mère et celle-ci, dotée d'une force nouvelle, s'estimait capable de remettre la maison en ordre sans chanceler sous la charge.

Cette semaine qu'elle avait passée en compagnie de deux savants revalorisa même Geneviève aux yeux de Jacques et lui conféra une importance que dix années de dévouement ne lui avaient pas obtenue.

Il lui arrivait de répondre aux questions de Jacques par une phrase même de Pierre, ce qui était en même temps, pour elle, l'occasion de faire montre de savoir et de ressusciter le bonheur. Elle ne se demandait même pas si elle devait révéler à son mari la vérité d'Amalfi. Qu'aurait-elle pu dire, d'ailleurs, sinon raconter les faits dans leur trivialité? Le fait qu'elle avait couché dehors, avec un homme, n'était pas toute la vérité. Celle-ci était détenue dans l'instant et dans le souvenir de cet instant, à ce point inexprimable qu'elle n'aurait pu, en paroles, l'évoquer avec Pierre lui-même qui l'avait partagée. La vérité se vivait et ne se disait pas. Il y avait une vérité de la famille et une vérité d'Amalfi. Jusqu'à nouvel ordre, l'une ne dérangeait pas l'autre. Et Jacques avait-il jamais demandé autre chose que de ne pas être dérangé?

Elle n'aurait pu lui avouer : « Je t'ai trompé avec Pierre Aubin », sans lui causer une vive souffrance parce qu'elle lui aurait par là mis de force sous les yeux une image d'elle qu'il rejetait. Il aurait souffert, mais il ne l'aurait pas pour autant réprouvée. Ils auraient continué à vivre comme ils vivaient maintenant, lui dérangé par cette image de sa femme, elle avilie par un aveu qui ne correspondait qu'à une vérité bien superficielle, jusqu'au jour où ni l'un ni l'autre n'y aurait plus pensé.

Elle ne dérangerait pas Jacques. Elle ne lui crierait pas la seule vérité qui se pût exprimer, qu'il était bien trop paisible à son égard pour soupçonner et même pour entendre, à moins qu'elle ne la crie. Elle ne lui crierait pas : « J'aime Pierre Aubin. » D'abord parce que ce secret était aussi celui de Pierre, ensuite parce qu'elle savait qu'en aucun cas Jacques, non plus qu'elle, n'accepterait l'idée de divorcer tant que les enfants ne seraient pas élevés, enfin et surtout parce que son mari ne lui avait jamais été plus cher que depuis qu'il n'était plus tout pour elle. Elle n'était même pas sûre de ne pas accorder à la tranquillité de Jacques plus de prix qu'à son propre bonheur. Elle en venait à se demander si cette exigence morale et sociale qui veut que les vies des époux soient liées sur tous les plans n'était pas, le plus souvent, le résultat d'une habitude assez barbare et illusoire. Les vies de la plupart des gens mariés étaient-elles si dépendantes l'une de l'autre? Jacques avait, pendant des mois, été plus préoccupé d'Hélène que de n'importe quoi au monde. À présent, sa vie personnelle tenait dans ce comité pour la fin de la guerre en Algérie qu'il venait de fonder. Les vies de Geneviève et de Jacques ne coïncidaient depuis longtemps déjà que sur le plan de la famille et rien n'autorisait à penser que si ce fait était reconnu, celle-ci s'en porterait plus mal. Jacques, il était vrai, n'avait que trente-cinq ans. D'autres femmes, d'autres passions, auxquelles tout donnait à croire que Geneviève n'aurait pas de part, interviendraient dans son existence. Un jour, ces femmes, ces passions, l'amour que Geneviève elle-même portait à Pierre Aubin, viendraient-ils à menacer leur foyer? C'était possible. Mais Geneviève pensait qu'il valait mieux accepter ce danger que de courir à nouveau le risque où elle avait failli se perdre, celui de se « dénaturer » par insatisfaction, de devenir mauvaise, et de ne plus être capable de donner le bonheur et l'amour à une famille pour laquelle précisément elle se sacrifiait. Le dévouement hargneux de tant de femmes, la tristesse d'une certaine vertu, Geneviève les abhorrait plus que tous les désordres. Jacques et elle ne pouvaient pas s'apporter l'un à l'autre ce qui fait le sel de la vie. Ce que réclame une part de l'être que, faute de mieux, on peut appeler l'âme, ils étaient incapables de le trouver ensemble. Fallait-il que, par devoir de fidélité, en pleine conscience et jeunesse, ils se mutilent volontairement?

Il y avait beau temps que la sincérité totale entre eux n'était plus possible. Plus impérieux que le devoir d'être sincère n'était-il pas celui de se ménager et de s'accomplir séparément? Ne s'en étaient-ils pas dit, en tout cas, assez pour au moins savoir l'un et l'autre *qui* ils étaient et ne pas s'accuser de trahison profonde si la vérité venait à être découverte?

Par bonheur, leur vie de couple était devenue si lâche qu'elle n'exigeait même pas le mensonge. Il suffisait de ne rien dire. Geneviève, qui avait si souvent, jadis, éprouvé à l'égard de son mari la rancune impuissante des faibles pour les forts, ressentait aujourd'hui pour lui une tendresse maternelle. A cette vie à laquelle la sienne n'était plus accrochée, dont l'épanouissement ne menaçait plus de l'étouffer, elle s'intéressait davantage. Elle posait des questions, prenait le temps d'écouter les réponses. Jacques trouva que ces quelques jours de vacances avaient ouvert l'esprit de sa femme d'une façon surprenante.

La vie quotidienne, Porte de Saint-Cloud, avait donc repris sans heurt et s'était même parée d'une douceur nouvelle. Geneviève avait cessé d'être une mère abusive. Elle accordait à Nicolas le lot quotidien des caresses qu'il réclamait, mais elle n'éprouvait plus de désespoir à l'idée qu'il allait grandir. Au contraire, il lui arrivait de se réjouir en pensant que Nicolas deviendrait un homme et qu'il saurait aimer. Et, avec les deux autres, une harmonie nouvelle s'était établie. Elle ne leur reprochait plus leur manque de tendresse. Ils étaient par nature plus indépendants qu'elle, en avance sur elle, c'était tout.

Il n'y avait guère d'instant où Geneviève n'était étendue avec Pierre sur la plage d'Amalfi et pourtant jamais sa présence au sein de sa famille n'avait été si réelle. Quand on demandait à Jacques des nouvelles de sa femme, il répondait : « Elle est magnifique. »

Une carte de Paestum arriva :

« Armand m'a quitté hier, disait-elle, et je n'ai plus personne avec qui évoquer Amalfi. Je reste encore ici deux jours. Puis je repars pour Istanbul. Heureux. J'espère que vous êtes bien rentrée. Je serais content que vous me l'écriviez. » Dans la signature, on voyait qu'au prénom, Pierre, le nom de famille avait été ajouté après coup.

Longtemps, Geneviève considéra la petite écriture inclinée de Pierre, à la fois précise et cursive. Il ignorait quelle était la mesure de sa liberté. Ils n'avaient pas prévu de s'écrire. Emportés par la brièveté des jours paradisiaques, jouant les dieux, ils n'étaient entrés dans aucun détail de leurs vies personnelles.

A présent, chacun ignorait dans quelle mesure il pouvait s'insérer dans l'existence de l'autre, et ils en étaient réduits à des tâtonnements à distance. Mais la passion se nourrit de peu. Ces phrases banales furent aussi précieuses à Geneviève qu'une lettre d'amour. Le mot « heureux » y éclatait, confirmant son propre bonheur.

Elle hésita quant à la réponse. Elle ne connaissait de Pierre que son adresse au musée des Antiquités, ce qui l'autorisait à plus de liberté, peut-être, mais elle répugnait à exprimer la première, par des mots, un amour qui ne s'était jusqu'alors traduit que par une manière d'être et des gestes.

Toutefois elle répondit par un billet sous enveloppe, plus explicite que la carte de Pierre, et qui contenait cette phrase : « Il fait beau à Paris et quand je ferme les paupières, c'est toujours le soleil d'Amalfi qui les brûle. » C'était l'expression de la simple vérité et aussi un pas en avant accompli vers leur commune mémoire, leur commun avenir.

Ce fut le jour où Geneviève envoya sa lettre à Istanbul qu'elle n'y tint plus et sortit de l'armoire le costume de velours mauve qu'elle avait jusqu'alors dissimulé car il lui semblait que le montrer à Jacques c'était lui avouer sa folie d'amour. Mais, en ce début de juin, le soleil d'Amalfi lui brûlait si fort les paupières qu'il lui fallut, devant témoins, redevenir celle qu'elle avait été sous les seuls yeux de Pierre. Elle passa donc autour de son cou la chaîne au scarabée rose, revêtit le costume mauve et se montra aux enfants. Ils n'avaient jamais vu leur mère en pantalon. Ils restèrent bouche bée, les yeux brillants. Ce déguisement d'elle passait leur imagination. Elle souriait, gênée, mais sûre d'elle. Shopping à Capri... Enfin, Nicolas se rua sur elle, l'embrassant à la taille, la tête enfouie dans son ventre. Et Florence, qui préférait formuler ses émotions, déclara :

— Tu ressembles à une artiste, maman.

Le soir, quand Jacques fut rentré, les enfants insistèrent :

— Montre ton costume à papa, maminette. Montre ton costume.

Elle disait :

— Non, vous voyez bien que papa est occupé. Non, je n'ai pas le temps de me changer encore... Une autre fois.

— Papa, papa, maman a rapporté de Capri un beau pantalon. Papa, on voudrait que tu la voies en pantalon. Tu ne veux pas la voir en pantalon?

— Mais si, dit Jacques qui pensait à autre chose.

— Tu entends, maman, il veut te voir. Déguise-toi, maman. Déguise-toi.

Ils la traînaient chacun par une main vers sa chambre. Elle riait. Elle avait peur.

Jacques avait levé le nez de son bureau, l'air surpris et approbateur.

— Oh, oh... curieux, dit-il.

Geneviève pensa que Jacques était l'être le moins méchant qu'elle connût. Aucune pensée mesquine ne lui venait jamais. Un autre aurait posé des questions blessantes : « Pourquoi ne l'as-tu pas montré tout de suite? Comptes-tu le porter pour faire ton marché? Combien a coûté cette fantaisie? » Lui s'était déjà replongé dans sa lecture.

— C'est formidable, dit-il. Écoutez cela : « Je faisais ma classe quand j'ai vu les militaires arriver. Ils étaient quatre, un sous-officier et trois hommes... »

C'était le rapport d'un instituteur algérien arrêté sans raison, affirmait-il, ainsi que tous les hommes de son village. Jacques le lut en entier, à voix haute, tandis que Geneviève, n'osant interrompre, écoutait debout, revêtue de son costume mauve, ses deux enfants lui tenant la main.

Par la suite, quand Florence et Nicolas avaient été

sages et qu'ils s'ennuyaient, ce devint une de leurs revendications familières que d'exiger que leur mère « se déguise ».

Les Armand étaient rentrés, après avoir prolongé leur voyage jusqu'en Sicile. A peine de retour, ils téléphonèrent.

— Nous avons des photos merveilleuses d'Amalfi. Venez les voir un de ces jours.

Ils se coupaient la parole, se volaient l'appareil :

— Vous êtes une vraie pin-up, Geneviève, hurlait René. J'ai fait tirer une photo de vous en couleurs et je vous ai cachée dans mon sous-main.

— Mais lui est affreux, riait Mica, on voit ses coups de soleil.

— Aubin n'est pas mieux, je vous assure. Ses « nageoires » se remarquent beaucoup!

Le rire de gorge résonnait dans le téléphone, ressuscitant la joie d'Amalfi.

Les « nageoires » de Pierre, qui désignaient le léger excès de graisse que celui-ci portait à la taille, avaient été un de leurs grands sujets de plaisanterie. Geneviève l'avait pourtant oublié jusqu'à ce jour. Pour la première fois, elle eut mal à l'idée que le temps d'Amalfi était révolu.

— Pourquoi ne prenez-vous pas de photographies? avait-elle une fois demandé à Pierre.

— Pour la même raison que vous n'en prenez pas. Parce que cela m'ennuie et que je fais confiance à ma mémoire.

Devant les photographies des Armand, assaillie par le douloureux soupçon qu'elle ne pouvait pas faire confiance à sa mémoire, elle se rappela ces propos.

Mais les images qui voulaient immobiliser le temps ne lui rendaient que plus sensible le fait qu'il coule et coulerait probablement à jamais sans lui offrir de nouveau pareille chance. Le voyage en Italie avec Pierre était un miracle qui ne se reproduirait pas. La gorge serrée, près de Jacques, dans le noir, Geneviève voyait défiler les images de son bonheur comme celles d'un très reculé, incroyable passé, englouties déjà dans le néant des jours transitoires, rejoignant les photographies pâles des albums de famille, les premiers bains de mer des parents, les premiers pas des enfants, les journées de mariage. Pierre apparaissait, hâlé, la bouche entrouverte sur une parole oubliée. Il souriait, il rayonnait. Il portait cette expression de joie et de connaissance qui était sa marque. Il adhérait comme personne au bonheur de l'instant et pourtant le transcendait. Chacune de ses apparitions suscitait en Geneviève un cri intérieur : « C'est l'homme que j'aime! » Et il était perdu pour elle. « Cela s'est produit une fois, cela ne se produira plus jamais. Nous n'irons pas à Florence ensemble. Nous n'irons nulle part ensemble. Pierre et moi, nous nous sommes manqués », se répétait Geneviève dans l'ombre. Jacques, à son côté, regardait en propriétaire ces souvenirs d'un voyage qu'il avait octroyé. Il s'y intéressait de manière un peu laborieuse, comme chaque fois qu'il se croyait tenu de sortir de lui-même.

— De quel siècle, cette tour? A quelle température, l'eau? Dites-moi, ça a l'air somptueux, cette maison? Vous occupiez les deux étages? Excellente, cette photo de la casa des Mystères! Eh bien, les amis, vous ne vous ennuyiez pas, pendant que je travaillais!

Les paysages surgissaient dans leur splendeur perdue, l'éphèbe de la villa Cimbrone projetait vers l'arbre son élan arrêté, Pierre et Geneviève s'immobilisaient eux aussi pour l'éternité au pied d'une colonne du temple de Minerve, et la mer continuait à battre les rivages qu'ils avaient désertés.

— Il faudra que nous retournions ensemble à Amalfi, déclara Jacques.

Ce serait affreux. Comment avait-elle pu penser qu'il existait une vérité d'Amalfi, un monde à elle et à Pierre, qui pouvaient s'allier avec la vérité quotidienne, avec son monde familial? Il n'y avait qu'une vérité et qu'un monde où elle était liée à Jacques. Les autres vacances, les autres voyages, elle les partagerait avec Jacques. C'était cela, le mariage. C'était cela, la vie.

Et les Armand semblaient ligués avec son mari pour bien lui faire comprendre qu'elle avait rêvé.

— Nous avons aussi quelques photos de Turquie, dit Mica. Voulez-vous les voir? Cela vous amusera peut-être d'y retrouver les Aubin.

Les Aubin! Pierre n'avait jamais parlé de sa femme en présence de Geneviève. Elle apparaissait maintenant sous ses yeux, dans un beau jardin, à l'ombre d'un palmier, allongée à côté de Pierre.

— Je ne la connais pas, dit Jacques. Elle paraît fort belle.

— Elle est remarquable, renchérit Armand. Aussi intelligente que belle. Je n'ai jamais vu plus beau couple que les Aubin quand ils avaient vingt-cinq ans. Vous savez que j'ai connu Pierre à Beyrouth. Il était architecte à l'époque. Toutes les femmes étaient folles de lui et tous les hommes amoureux de sa femme. Le comique était que les femmes, pour séduire Pierre, copiaient toutes Nathalie. Elles se coiffaient comme elle, elles...

Nathalie! En plus, elle s'appelait Nathalie. De quel poids pouvait peser une semaine de vacances auprès d'une existence avec une Nathalie belle, intelligente, sûre d'elle et passionnée sans doute, comme sont les Nathalie.

— Ah! je ne savais pas qu'il était venu si tard à l'archéologie. Il avait de la fortune, alors?

— Peu. Il n'avait surtout pas de besoins. Et aucune envie de vivre en France.

— C'est ravissant, cette maison. C'est chez eux?

— Oui. Le père d'Aubin était resté longtemps en poste à Istanbul. Il avait acheté cette maison et je crois qu'il s'y était définitivement installé à l'âge de la retraite. Nathalie l'a merveilleusement arrangée.

Un garçon bronzé, beau comme la jeunesse, apparaissait sur l'écran. En short, torse nu, il souriait et, dans sa joue droite, se creusait une fossette.

— Voici leur fils, Emmanuel, dit René. Il a une vingtaine d'années. Il termine sa licence en droit à Grenoble.

C'était un Pierre sans rides, sans « nageoires », avec des cheveux bruns.

— Vous pouvez vous représenter Pierre au même âge.

En effet. Et on pouvait l'aimer maternellement, tout de suite, pour cette ressemblance.

— Voilà. A présent que Geneviève a séduit Aubin, vous n'avez plus qu'à vous faire tous inviter en Turquie.

Les Armand souriaient. La lumière était revenue. Mica regardait Geneviève avec une expression attentive et douce où elle lisait : c'était charmant, c'est un beau souvenir, mais revenez au réel. La vie, ce n'est pas une semaine à Amalfi, chère, chère Geneviève!

— Et maintenant, si vous voulez choisir une ou deux photos, Geneviève, je me ferai un plaisir de vous les offrir. Tenez, vous n'avez qu'à les examiner à loisir dans ce petit appareil. Je crois que la plupart sont assez bonnes pour qu'on puisse les tirer.

Elle choisit l'éphèbe et l'arbre de la villa Cimbrone, ainsi qu'une autre photographie qui avait été prise sur la plage. On l'y voyait elle-même, en costume de bain, avec Mica, et Pierre était de dos, présentant la tache brune qu'il portait sous l'épaule gauche. Sa main, paume large, doigts écartés, jointures précises, alliance à l'annulaire, s'appuyait au rocher, faisant saillir dans ce mouvement les muscles de son torse.

— Je vous les enverrai à la fin de la semaine. J'y ajouterai celle-ci, tenez. C'est à peu près la même que j'ai fait tirer pour moi. Vous y êtes très bien.

Elle y était très bien. Beaucoup mieux qu'elle n'aurait pu espérer. Était-ce vraiment son corps, ces jambes fuselées, ce buste plein? Était-ce son expression, cet air de joie indécente? Et Pierre était allongé près d'elle. Appuyé sur un coude, il la regardait, il semblait amoureux.

Elle rentra épuisée.

— Essayons de faire des économies, dit encore une fois Jacques dans le métro. Nous pourrions peut-être passer les vacances de Pâques à Amalfi, l'an prochain.

— Tu sais, ce n'est pas un endroit pour les enfants.

— Mais nous irions sans eux. J'ai dans l'idée que

c'est ce qui nous manque, à nous, huit jours comme ceux-là de temps en temps.

Non, Seigneur, par pitié, pas ça, pas Amalfi avec Jacques! Il était vrai que d'ici Pâques prochain, il aurait le temps d'oublier. Et elle? Aurait-elle oublié? Qui pouvait le dire? D'ici Pâques. ..

A la fin de la semaine, elle reçut les photographies des Armand et les rangea dans un coffret, avec la carte de Pierre. C'était tout son trésor. A présent, elle savait combien elle était pauvre.

Trois semaines passèrent, sans autres nouvelles de Pierre, et Geneviève eut le temps de se persuader que les jours d'Amalfi n'étaient pas d'un plus grand poids que leur premier échange de regards, dans son salon, le jour où elle avait reçu cette Hélène qui avait alors joué dans son existence un si grand rôle et qui en avait disparu sans plus y laisser de trace qu'une ride effacée de l'eau. Ce regard avait bien tenu la promesse qu'elle y avait lue. Il l'avait conduite, pour finir, sur cette plage d'Amalfi. Mais c'était pour finir. Pas plus que la nature n'avait donné une suite à cette nuit-là, leurs volontés n'interviendraient pour bâtir un avenir à leur amour. « Êtes-vous irrémédiablement liée? » Il était vrai, elle n'avait pas rêvé que Pierre avait posé cette question. Mais c'était dans l'enthousiasme du moment, parce qu'il était trop cruel de se séparer si vite, à jamais. Qu'auraient-ils décidé d'ailleurs, en cinq minutes, si elle avait répondu : « Non, je ne suis pas irrémédiablement liée »?

Après Amalfi, ils s'étaient salués de loin. En quelques lignes, ils avaient trouvé le moyen de se dire qu'ils gardaient beau souvenir l'un de l'autre. Pierre enverrait peut-être encore une carte, pendant les grandes vacances et puis des vœux pour l'année nouvelle. Contre une Nathalie, une maison en Turquie, un fils magnifique, Geneviève ne lutterait pas. Et d'ailleurs avec quelles armes aurait-elle lutté? Qu'avait-elle à offrir? Son grand amour sans liberté? Elle ne parvenait même pas à trouver une autre femme de ménage. Aucune ne voulait se déranger pour moins de six heures par jour et elles exigeaient d'être nourries. Même si Pierre habitait Paris, Geneviève n'aurait pas de temps pour lui. Pas deux heures à la suite, pas une nuit. Elle s'était trompée. Il n'y avait pas de vérité d'Amalfi. Il n'y avait que la vérité de la vie familiale qui allait peu à peu résorber Pierre, se refermer sur cette brèche d'une semaine, comme elle avait fait pour Hélène, comme elle ferait pour d'autres...

Et pourtant, malgré Geneviève, l'amour condamné battait de l'aile contre les barreaux de son existence close, cherchant son ciel. Tous ses raisonnements et le désir douloureux qu'elle avait de Pierre depuis qu'elle avait vu les photographies des Armand ne l'empêchaient pas d'être habitée d'une joie étrange dont les vagues, à l'improviste, la submergeaient, comme si son amant les suscitait.

Et Pierre veillait. Un matin qu'elle pensait à lui, comme toujours, et qu'elle n'espérait rien, ce qui ne l'empêchait pas d'attendre, elle trouva dans le courrier une volumineuse enveloppe à son nom. L'écriture de Pierre. Quiconque a l'expérience d'un amour sans espoir, quiconque a connu la blancheur épaisse des jours qui s'accumulent dans le silence et admis qu'il ne devait rien faire pour bousculer cette neige du temps, s'il voit à l'improviste, sur une enveloppe, surgir les signes reconnaissables entre tous, vivants comme la présence de l'autre qui a décidé de rompre la distance, connaît la joie dont Geneviève fut inondée. L'écriture de Pierre! l'écriture de Pierre une fois encore traçait son nom et relançait l'avenir.

L'enveloppe était volumineuse, non que la lettre fût longue, mais parce qu'elle contenait un article d'un archéologue américain que Pierre se proposait de faire traduire pour la revue qu'il dirigeait. Il demandait à Geneviève si elle pourrait se charger de cette tâche. La traduction lui serait payée mille francs la page dactylographiée de vingt-cinq lignes de quinze mots. Ce travail pourrait devenir régulier. Pierre lui garantissait une traduction analogue tous les mois. L'article comportait quarante pages : quarante mille francs. De quoi payer la femme de ménage! Elle le parcourut et n'y comprit rien. Mais il lui apparut que la difficulté provenait moins de l'anglais que du sujet traité. « Si vous rencontrez quelques difficultés, écrivait Pierre, Armand, j'en suis sûr, ne demandera pas mieux que de vous venir en aide. Et ne craignez pas non plus de m'écrire pour me demander conseil. Il est normal que ce travail vous paraisse, au début, assez ardu. Mais vous vous remettrez vite, j'en suis sûr, à des études qui ne sont pas tellement lointaines. »

Elle en était sûre aussi. Pierre lui souriait, de loin. Ses pommettes étaient hautes, ses yeux prenaient leur éclat chaud, la fossette se creusait dans sa joue. « Et ne craignez pas non plus de m'écrire. » C'était un coup de génie. A sa manière, sans bruit, il venait de lui organiser son existence et de s'y glisser.

En quinze jours, Geneviève avait loué une machine à écrire, appris à s'en servir, et installé une petite table dans sa chambre. Elle avait engagé une femme de ménage martiniquaise qui venait chaque après-midi, et servait le dîner des enfants. Il était entendu qu'elle travaillait quotidiennement deux heures pendant lesquelles Florence et Nicolas étaient priés de faire en silence leurs devoirs et d'apprendre leurs leçons. La machine à écrire produisit sur eux un effet magique. S'ils enfreignaient la défense qui leur était faite de déranger leur mère dans sa chambre, ce n'était que sur la pointe des pieds et après avoir frappé à la porte.

Ce que Jacques et Geneviève en dix ans de mariage n'avaient pas su, pas pu, pas voulu faire, l'amour l'avait accompli en un tournemain. Pour la première fois, la vie de Geneviève était organisée d'une manière qui convenait à tous. Elle cessait d'être l'esclave rétive sur laquelle retombent les basses besognes. Elle possédait un statut. Et Jacques était ravi. Sa femme vivait enfin de la façon qu'il avait toujours souhaitée.

« Ne me remerciez pas, écrivait Pierre. C'est moi qui fais une bonne affaire. Vous êtes une excellente traductrice. » L'abondance de ses corrections prouvait le contraire. Mais Geneviève se remettait à l'étude avec enthousiasme. Elle découvrait qu'elle était beaucoup moins rouillée qu'elle n'avait cru et ne doutait pas d'être, en effet, bientôt, pour Pierre, une bonne collaboratrice.

Parfois, dans l'ardeur du travail, elle oubliait qu'elle aimait Pierre. Elle avait acquis une manière dégagée de dire « Aubin » quand elle téléphonait à Armand pour lui demander un conseil : « Pourriez-vous m'expliquer cette correction d'Aubin? » — « Aubin m'a chargée de vous dire... » Aubin... Aubin... « Tu sors ce soir, Jacques? Si tu rentres avant minuit, tu me trouveras encore debout, j'ai à travailler pour Aubin. » Chaque jour offrait l'occasion de prononcer son nom. Parfois, elle disait « Pierre », et c'était comme une secrète caresse qu'elle lui dédiait.

— Ne te fatigue tout de même pas trop, recommandait Jacques. — Mais plus elle travaillait, mieux elle se portait.

Les lettres dans le coffret s'amoncelaient. Le trésor s'enrichissait désormais à la vie quotidienne. Geneviève regardait souvent les trois photographies et n'y trouvait plus motif à souffrance. L'homme qu'elle aimait était au loin, c'était vrai, mais il tissait son existence. Elle n'avait qu'à le laisser faire. Il lui semblait qu'ils étaient tous, elle, Jacques, les enfants, remis à lui, emportés dans un bateau dont il tenait la barre. Les autres ne le savaient pas, ils vivaient comme avant et pourtant ils dépendaient de Pierre. Elle ignorait où il les conduirait et ne s'en préoccupait pas, assurée qu'il ne leur ferait aucun mal. Il n'y avait guère d'instant où le nom de son amant n'était dans la tête de Geneviève. Elle ne pensait même pas à lui. Il l'habitait. Parfois, elle disait « Pierre » à mi-voix, alors qu'elle était occupée à une tâche qui réclamait son attention. Pour elle, désormais, l'amour remplissait cet horizon qu'au-delà de l'immédiat chacun porte en soi. Elle disait « Pierre », à mi-voix, en pensant à autre chose, et le monde était plein, fermé comme un œuf. Les lettres de Pierre et de Geneviève devinrent de plus en plus longues. Le travail en était le prétexte et même la raison, mais ils en vinrent vite à se conter d'infimes détails personnels sur ce ton d'amitié amoureuse que prennent les adolescents ou ceux que, seule, la distance empêche d'être amants. Ni l'un ni l'autre ne savaient qu'ils auraient pu s'écrire en toute liberté et ni l'un ni l'autre ne souffraient de la contrainte qu'ils s'imposaient. Au contraire, elle leur convenait. La forme contenue s'adaptait à un amour dont chacun reconnaissait à la fois la puissance et la précarité et que chacun, ébloui, tenait à distance de soi comme un don trop merveilleux pour qu'il pût s'en croire le possesseur. Mais la passion gonflait les mots les plus simples, le sourire de complicité apparaissait au coin d'une phrase. A distance, ils avaient trouvé un langage qui n'était intelligible que pour eux seuls, ils vivaient séparés, mais chacun savait que c'était sous le regard de l'autre. Les vacances que les Brincas passèrent en Normandie et les Aubin dans les îles grecques n'interrompirent pas cette correspondance non plus que les traductions .« Nous allons peut-être vers un amour désincarné », se disait parfois Geneviève. L'essentiel, c'était d'aller quelque part, avec Pierre, c'était de ne pas retomber dans ce désert qu'était la vie sans lui. Et elle sut qu'ils allaient vers un amour qu'ils vivraient au vertige qui la prit lorsqu'elle lut, à la fin d'août, une petite phrase qui s'était tout naturellement glissée dans une lettre de Pierre :

« N'en parlez pas autour de vous, je vous prie. Mais la possibilité s'offre pour moi de revenir à Paris. Que me conseillez-vous? »

XVIII

Vanina avait posé les mains sur le clavier de sa machine à écrire.

— Je t'attends, dit-elle.

Jacques se mit à marcher de long en large et lui dicta quelques lettres. Quand il eut fini :

— Bon. Alors, tu fais partir ce courrier dès demain matin. Je te signe les lettres en blanc. Et puis, tu passes chez l'imprimeur. Je voudrais avoir ces tracts le plus vite possible. D'ici le 1er décembre, nous n'avons pas trop de temps. Et les paquets d'enveloppes? Et les timbres? Pichon t'a-t-il remis, comme convenu, la liste complémentaire d'adresses?

— Ne t'inquiète pas. Tout cela est réglé. Dès que j'aurai les tracts...

Jacques s'approcha du bureau, relut les lettres d'un précédent courrier, ajoutant çà et là un mot, un signe de ponctuation.

— Tu ne mets jamais les virgules, Vanina.

— C'est important?

— Oui, je trouve. On ne sait plus ce qu'on lit, les mots perdent leur poids, les phrases ressemblent à des spaghetti, c'est informe...

Il sourit : « comme ta vie, Vanina ».

Elle s'étira à larges bras, sa tête rieuse renversée :

— C'est le plus beau compliment que tu puisses me faire... Les vies en forme, ça ne manque pas, il n'y a qu'à regarder autour de soi... tandis que pour se fabriquer une vie bien informe, d'un bout à l'autre informe, il faut de la vigilance. J'ouvre l'œil, Jacques, je veille à ne pas donner de forme à ma vie depuis que j'ai l'âge de raison. Si je tiens encore quelques années, c'est gagné. Mais entre trente et trente-cinq ans, il y a un cap à franchir... Un rien de fatigue ou d'inattention, et on rentre dans le moule. Passé quarante ans, au contraire, on ne court pour ainsi dire plus de risques.

Jacques haussa les épaules :

— ... Jamais vu une femme aussi folle. Mais, pour revenir à la ponctuation, j'aimerais bien que tu ne l'oublies pas trop.

— Oh! Jacques, tu es un vrai instituteur de campagne!

Elle se frotta la tête contre la taille de Jacques, sans se lever :

— C'est pourquoi je t'aime.

De la main gauche il lui caressa la nuque à travers ses cheveux noirs et durs. En ces douze années qu'ils ne s'étaient pas vus, depuis le temps de la Résistance, Vanina n'avait guère changé.

De quoi vivait-elle? Il était difficile de le savoir. Ses récits n'étaient pas plus précis que sa ponctuation. Vendeuse chez un antiquaire, mannequin dans des maisons de deuxième ordre, auteur d'un livre pour enfants et d'un scénario, toujours butinant autour de quelque journal, toujours un peu complotant, elle avait franchi les années comme une acrobate qui ne toucherait jamais le sol. Un soir de juin qu'il se trouvait plus désabusé que de coutume et qu'il avait envie d'une femme, Jacques lui avait écrit à une très ancienne adresse, sans y croire, et elle avait surgi de son garni près des Halles, toujours aussi mince, le cheveu noir, l'œil vif, les traits seulement plus accentués, le rire plus marqué. Nul n'est immobile comme ceux qui refusent de s'installer.

Et, tout naturellement, comme douze ans plus tôt au réseau, Vanina avait ramené Jacques chez elle et, sans le savoir, elle lui avait rendu confiance en soi et le goût de l'existence.

Elle lui servait à présent de secrétaire bénévole au

Mouvement. Elle était sa maîtresse sans en réclamer le titre. Ils préparaient ensemble ce meeting du 1er décembre.

— C'est vrai, Jacques, je t'aime.

Il la regarda d'un air inquiet, fit glisser une main sous son aisselle, la souleva et l'entraîna vers le divan.

— Vanina, dit-il, en dépit de tous tes discours anarchiques, tu me fais peur, parfois. Je ne veux pas que tu m'aimes. Il ne peut pas s'agir d'amour entre nous, je t'en ai prévenue dès le premier jour... Je suis un homme marié, Vanina. Et même, plus j'y pense, plus je trouve drôle que je trompe ma femme. J'étais le dernier à prendre une maîtresse. — Il fit un geste dubitatif : — Les choses arrivent, on ne sait pas comment. Mais je n'ai rien à reprocher à ma femme et nous sommes très heureux en famille. Nous...

— Ne te fatigue pas. Tous les hommes mariés tiennent les mêmes discours. Aucun n'a rien à reprocher à sa femme et aucun ne veut la quitter. C'est pourquoi j'aime bien les hommes mariés. Ils ne risquent pas de mettre mon existence en forme. Mais quand ils me parlent trop longtemps de leurs femmes, j'ai quand même envie de les assassiner.

— Tu joues les cyniques, Vanina. Mais, pour finir, tu feras comme les autres. Un jour, tu t'attacheras à un garçon qui sera libre et tu voudras vivre avec lui, comme tout le monde. Je te le souhaite.

— On verra, dit-elle en décrochant d'une main le téléphone et en passant l'autre sur la poitrine de Jacques, entre deux boutons de sa chemise.

Jacques observa ces gestes d'un air inquiet, regarda sa montre :

— Il est déjà onze heures. J'aurais bien voulu me coucher avant minuit, pour une fois. Non seulement je suis un homme marié mais je suis un homme très occupé. Je fais cours à neuf heures, demain matin. Jeudi, Vanina, je reviendrai jeudi. J'aurai du temps.

Elle déposa le récepteur sur la petite table et, promptement, sa main rejoignit l'autre, sur le corps de Jacques.

— Mais non, dit-elle. Tu ne peux pas partir maintenant.

Ce fut le moment que Florence choisit pour être malade.

Geneviève écrivait à Pierre Aubin. Il avait demandé : « Que me conseillez-vous? » Il fallait comprendre : « Souhaitez-vous que je vienne à Paris? Ne vais-je pas encombrer votre existence? Préférez-vous la paix à l'amour? » Il fallait comprendre : « Serez-vous ma maîtresse à Paris? Dois-je déranger ma vie pour vous? » Elle hésitait. Comment lui expliquer qu'elle ne souhaitait rien tant que sa venue mais qu'elle s'effrayait d'une si grave décision s'il la prenait pour elle? « Aubin est toujours par monts et par vaux, disait-on, il n'aime pas la ville. Il ne se plaît qu'en fouilles. » Et cette maison de rêve près d'Istanbul... Elle pensait à son existence étriquée, à sa mine de Paris. elle craignait de le décevoir, elle s'était habituée à l'amour à distance, elle avait peur de tuer l'amour en le vivant.

« Quant à votre venue à Paris, cher Pierre... »

Elle entendit, sur le parquet, une course de petits pieds.

— Qui s'est levé? cria-t-elle. Qu'y a-t-il?

— C'est moi, fit la voix gémissante de Florence.

D'un bond, elle fut dans le couloir; Florence n'avait eu que le temps d'arriver jusqu'au siège des cabinets où elle se tenait jambes pendantes, pieds nus, le visage blême et crispé par la douleur. .

— Oh! maman, j'ai tellement mal au ventre.

— Ce n'est rien, mon amour, ça va passer.

Octobre était froid et l'appartement n'était pas encore chauffé. Geneviève alla chercher la robe de chambre et les pantoufles de Florence. Elle couvrit le dos de l'enfant, la chaussa, caressant au passage ses jambes molles et glacées. « Elle a trop mangé de cette crème », pensa-t-elle. Florence était grise.

— Je crois que ça va mieux, dit-elle enfin.

Geneviève la ramena dans sa chambre, la coucha, la borda, l'observa. Les couleurs lui revenaient. Elle lui sourit :

— J'ai mangé trop de crème, dit Florence d'un ton sentencieux.
— Je vais te donner du lactéol.
— Ça va me guérir?
— Oui.
Mais à peine la fillette eut-elle absorbé le liquide qu'elle recommença de se tordre.
— Oh! j'ai encore mal, maman. J'ai tellement mal!
Geneviève regarda l'heure. « C'est peut-être l'appendicite », pensa-t-elle. Elle se rappelait certains propos de Blomart : « Dieu merci, les gens ont renoncé à déranger les médecins la nuit. Il n'y a d'ailleurs que deux cas qui ne puissent pas attendre au lendemain, la péritonite et... » Elle ne se rappelait pas quel était le second cas. Mais, pour Florence, il pouvait bien s'agir d'appendicite.
— Montre-moi où tu as mal, Florence.
L'enfant passa une main vague sur son ventre.
Fallait-il téléphoner chez Blomart? Le dérangerait-elle à cette heure? Céderait-elle à sa promptitude à s'inquiéter pour une simple colique? Ou à son intuition? « Ah, j'aimerais bien que Jacques soit là! » pensa Geneviève et, après quelques minutes d'hésitation, elle prit le téléphone.
Le numéro n'était pas libre. « Bon, se dit-elle, c'est qu'ils sont encore en réunion. » Cette femme qui mettait son appartement à la disposition du Mouvement habitait près des Halles. Jacques n'arriverait pas avant trois quarts d'heure. L'indicatif « pas libre » se répétait avec monotonie. Florence s'était assoupie, très rouge à présent. « Elle a de la fièvre », pensa Geneviève. Mais elle ne voulut pas réveiller l'enfant pour lui prendre sa température. « C'est sûrement une indigestion », se dit-elle encore, sans y croire. Plus l'attente se prolongeait, plus Geneviève éprouvait le besoin d'entendre la voix de Jacques. Elle avait posé le téléphone sur ses genoux. Quand, enfin, le grésillement vivant de la sonnerie retentit, elle sursauta.
— Allô, fit une voix de femme.
— Allô, Jacques Brincas est-il là?
— Je vous le passe.

— Allô, dit la voix pondérée de Jacques.
— Jacques, c'est moi, je te demande pardon de te déranger. Mais Florence est malade. Elle a mal au ventre, je me demande si je dois appeler Blomart.
— Elle souffre beaucoup? Elle a de la fièvre?
— Elle ne souffre plus, elle dort, elle est très rouge. J'ai peur qu'elle n'ait l'appendicite.
— Qu'est-ce qui te le fait croire? Elle a mal au côté droit?
— Non, dans tout le ventre. Penses-tu que je doive appeler Blomart à cette heure?
— N... non, je ne pense pas, puisque tu dis qu'elle dort.
— Tu vas rentrer très tard?
— Non, je pars tout de suite.
— Ah! tant mieux. A tout de suite, Jacques. Excuse-moi.
— Ne te fais pas de souci. J'arrive.
Jacques raccrocha, regarda Vanina, non sans rancune :
— Ma fille est malade, dit-il. Tu vois, j'aurais mieux fait de rentrer.
— Oui, ce n'est pas de chance, dit Vanina. C'est grave?
— Non, je ne crois pas. Mais ma femme s'inquiète vite.
— Je la comprends. — Vanina avait pris une expression rêveuse et douce. — Donne-moi des nouvelles demain, dit-elle. J'espère que ce ne sera rien.
— Je l'espère aussi. Alors, n'oublie pas mes recommandations. Passe chez l'imprimeur.
— Je n'oublierai pas.
Ils s'embrassèrent légèrement.
— Au revoir!
— Au revoir.
Les vêtements de Vanina étaient entassés sur un fauteuil et elle était nue dans le lit qu'elle n'avait pas quitté.

Quand la clef de Jacques tourna dans la serrure, Florence s'accrochait au bras de Geneviève, dans le couloir.
— Je vais m'évanouir, dit-elle.

Ses jambes flageolaient. Geneviève l'agrippa. Soudain, l'enfant pesait lourd comme du plomb.

— Jacques! cria Geneviève.

Il ne prit pas le temps de refermer la porte. Déjà, il tenait sa fille dans ses bras, relevant sa chemise de nuit et découvrant ses longues jambes mortes. La tête sur l'épaule de son père, Florence râlait.

Ils la couchèrent en travers du lit, comme ils purent. Elle avait les yeux révulsés, la bouche tordue, les dents serrées.

— Vite, dit Geneviève, appelle Blomart.

Il avait déjà bondi dans le couloir.

— Je ne sais plus le numéro.

— Jasmin 52-14.

L'émotion supprimait à l'un la mémoire, la restituait chez l'autre.

— Blomart vient tout de suite, dit Jacques.

— Qu'a-t-il dit?

— Rien. De ne pas s'affoler. Que ce ne devait pas être grave.

Mais ils s'affolaient. Jacques avait glissé un doigt entre les dents de sa fille. Le contact de sa langue chaude le rassurait un peu. Geneviève revenait avec une serviette mouillée. Tous deux s'affairèrent auprès de Florence. Si seulement elle pouvait ne plus tordre cette bouche, fermer les paupières, avoir au moins l'air de dormir... « Oh! Dieu, pensa Geneviève, je jure que... » mais elle fit taire le vœu que lui soufflait une vieille conscience catholique. Cela n'avait aucun rapport. Bien qu'il fût profondément irréligieux, Jacques était moins ferme. « Si j'étais rentré il y a une heure, se disait-il, j'aurais appelé Blomart. Il serait là. » Nicolas s'était assis dans son lit. Les yeux grands ouverts, médusé, il regardait la scène. Geneviève s'activait en vain. Un sanglot bruyant emplit la poitrine de Jacques. Bon Dieu, pas ça... pas ça...

Florence cessa de râler, ouvrit les yeux :

— Je vais mourir? demanda-t-elle.

Ils souriaient, tous deux penchés sur elle.

— Mais non, mon amour, ce n'est rien. Tu vois, c'est passé.

Elle était livide, avec de grandes ombres sous les yeux. De nouveau, son visage se crispa, elle se tordit et vomit. Ils étaient tous deux pleins de vomi, occupés à changer l'enfant, quand Blomart arriva.

— Eh bien, dit-il, elle est ranimée. Elle a duré combien de temps, cette syncope? Deux minutes?

— A peu près, répondit Jacques.

— Je vais mourir? répéta Florence.

Blomart lui palpait le ventre d'une main légère.

— Mais non, tu ne vas pas mourir. Tu n'es pas du tout mourante. Tu n'es même plus malade. Tu n'es même pas intéressante. Si encore tu étais restée évanouie deux heures... Mais deux minutes, qu'est-ce que c'est, deux minutes?

Dans la chambre minuscule, dans l'odeur du vomi, parmi le désordre des draps sales par terre, devant Florence toute blanche dans la chemise de nuit que Geneviève venait de lui passer, Nicolas qui commençait à poser des questions, le docteur qui souriait avec bonhomie, la même chaleur réconfortait Jacques et Geneviève. En cet instant, il n'y avait pas d'horizon au-delà de ces quatre murs, pas de Pierre Aubin, pas d'Algérie. Le maître de la nacelle familiale, s'il en existait un, c'était Blomart. Le monde tenait dans cette chambre et le bonheur dans la santé de ces deux enfants.

La main de Blomart s'attardait sur le côté droit du ventre de Florence qui poussa un gémissement.

— C'est bien ce que je pensais, dit Blomart.

Il tâta le nez de la fillette :

— Il est tout froid, dit-il. Elle a eu bien mal. Hein, tu as eu bien mal?...

Florence le regardait, Jacques et Geneviève le regardaient comme un sorcier.

— La crise a l'air passée, déclara-t-il. Je crois que ça peut attendre à demain.

— Demain?... firent en même temps Geneviève et Jacques. — Blomart gonfla les joues et fit oui de la tête avec fermeté. Il resta un long moment à observer la fillette tandis que Jacques et Geneviève se changeaient.

— Voilà, dit-il quand ils revinrent. Derville passera

demain matin. J'ai retenu une chambre à la clinique Victor-Hugo. Mais, si vous préférez l'hôpital, vous n'avez qu'à le dire. On va l'embarquer et elle sera opérée demain dans la matinée.

— Que conseilles-tu? demanda Jacques.

— Oh! dit Blomart, elle sera tout aussi bien à l'hôpital et cela ne vous coûtera rien. J'ai retenu la chambre à la clinique par précaution, pour le cas où vous ne voudriez pas la faire partir dès ce soir et parce que l'avantage de la clinique, c'est que les parents peuvent rester près de l'enfant.

— Je pourrai y passer les nuits? demanda Geneviève.

— Oui.

Elle regarda Jacques :

— Dans ce cas, je crois qu'il vaut mieux qu'elle aille à la clinique.

— Je le crois aussi, dit Jacques.

Il était une heure du matin lorsqu'ils se couchèrent et Geneviève venait de s'endormir quand elle entendit Jacques crier : « Je viens! » et se lever précipitamment. Elle se leva aussi. La chambre des enfants était noire et silencieuse.

— J'avais cru que Florence avait appelé, dit Jacques.

Le lendemain, la fillette avait bonne mine et grand appétit.

— La crise est passée, déclara le chirurgien. Mais il vaut mieux l'opérer aujourd'hui. Nous serons plus tranquilles.

— Du moment qu'un chirurgien entre dans une maison, dit Geneviève après son départ, on est sûr de son fait.

— Oui, mais que veux-tu? Ni toi ni moi ne sommes médecins. Il faut bien que nous fassions confiance à ceux qui le sont.

— Bien sûr.

— Bon. Je pars. Je suis déjà en retard. J'irai déjeuner à la clinique puisque tu es obligée de revenir pour le repas de Nicolas. N'oublie pas de prendre les dispositions nécessaires avec la femme de ménage.

Jacques embrassa dix fois sa fille et lui fit « guiliguili » dans le cou.

— Alors, quand te reverrai-je? demanda Geneviève.

— Mais ce soir, à la clinique, après mon dernier cours, vers six heures et demie, sept heures moins un quart... Je téléphonerai à six heures.

Florence fut enchantée à l'idée qu'on allait l'opérer et regretta d'avoir sali dans la nuit ses deux plus jolies chemises.

— Je t'en achèterai une neuve cet après-midi, promit sa mère.

Il le fallait. L'enfant ne possédait plus de chemise propre, sauf celle qu'elle portait. « Cette opération va coûter cher », pensa Geneviève.

Elle glissa dans son sac la lettre à Pierre Aubin. Peut-être pourrait-elle la terminer à la clinique. Elle souhaitait déjà mettre les émotions de la nuit sous le regard de Pierre.

Florence avait l'œil vif et intéressé quand elles pénétrèrent dans la chambre. Elle examina le cabinet de toilette enfermé dans un placard, appuya sur tous les boutons électriques, sauta sur son lit d'un bond. En la quittant pour aller chercher Nicolas à l'école, Geneviève caressa son ventre dont la peau était intacte et tendre comme celle d'un jeune chien.

Quand elle revint, Jacques était déjà parti et l'enfant dormait : « On lui a fait une piqûre pour la calmer », expliqua une infirmière.

Une heure plus tard, piquée de nouveau, les jambes gainées de longues bottes blanches, affaiblie par la souffrance de la veille et par le jeûne, Florence ressemblait à une grande malade. Elle partit en chariot, transportée à bras d'infirmier sur la civière : « Au revoir, maminette », dit-elle d'une voix douce.

Geneviève, en attendant son retour dans la chambre, voulut écrire à Pierre Aubin. Mais elle ne put que tracer quelques lignes. « Je finirai cette lettre quand elle sera réveillée », pensa-t-elle.

Ce fut une enfant morte qu'on lui rendit : les yeux entrouverts et voilés, un rictus découvrant les dents, le teint plombé...

L'anesthésiste la tâta, regarda le bout de ses doigts, décida de la placer sous le masque à oxygène.

« Il se passe quelque chose d'anormal, pensa Geneviève, il se passe quelque chose » :

— Monsieur, pourquoi?...

— On fait toujours ça, répondit l'homme en installant l'appareil.

Une infirmière vint chercher Geneviève. Le chirurgien voulait lui montrer l'appendice de Florence.

— Docteur — appelait-on les chirurgiens « docteur » ou « monsieur »? — tout s'est-il bien passé?

— Le mieux du monde, déclara le chirurgien en souriant. Voici le corps du délit. — C'était un mince morceau de chair rouge, long de cinq à six centimètres. — Voyez, ajouta-t-il sans conviction, c'est bien ce qu'on avait pensé. Il était un peu atteint, son petit appendice.

Ce qu'on présentait à Geneviève c'était un morceau de chair fraîche arrachée à son enfant, avec lequel le docteur jouait, sans se presser, d'un air satisfait. Il l'ouvrit en deux comme un gésier de volaille, l'étala.

— Voyez — de la pointe des ciseaux il désignait quelque chose — voyez il y avait déjà un peu de pus, là...

Quand Geneviève revint dans la chambre, Florence dormait toujours sous le masque, sans donner aucun signe de vie, sans apparemment respirer, le visage marqué d'ombres bleues, les mains froides et blêmes.

L'infirmière entrait et sortait, placide. Et Geneviève qui ne voulait pas se montrer insupportable l'observait sans poser de questions. « Tout de même se disait-elle, s'il y avait lieu de s'inquiéter, cette femme appellerait le médecin, s'il y avait lieu de s'inquiéter, je le verrais à son air. »

L'attente dura une grande heure, pendant laquelle Geneviève put à loisir, pour la seconde fois en deux jours, contempler l'image du malheur. Séparée de son enfant par la paroi de verre, penchée sur elle, elle murmurait les mots absurdes qui ne l'atteignaient plus :

— Mon tout petit, ma joie, ma chérie...

A six heures, le téléphone sonna. C'était Jacques :

— Alors, demanda-t-il.

— Eh bien, c'est fait. Elle est revenue dans la chambre. Elle n'est pas réveillée. Tu ne trouves pas que c'est long?

— Qu'a dit le chirurgien? Il est satisfait?

— Oui, très satisfait. Tu ne trouves pas qu'elle reste trop longtemps endormie?

— Est-ce que je sais, moi? Demande...

— Je n'ose pas, ils ont l'air tellement calmes.

— Ils en ont vu d'autres. Y a-t-il quelqu'un près d'elle en ce moment?

— Non, il n'y a que moi... Tu viens?

— Oui, tout de suite.

Quand, enfin, l'enfant se mit à claquer des dents, Geneviève prit une profonde respiration. Vite, elle sonna l'infirmière, ainsi que celle-ci le lui avait recommandé. On débarrassa Florence de son masque. Elle s'agitait à présent avec de grands gestes brutaux, les yeux toujours aveugles. Puis, son visage se crispa comme celui d'un nouveau-né et elle émit un gémissement suivi de longs cris. Attentive, penchée sur sa fille, Geneviève pleurait. Elle n'y pouvait rien. Elle ne pouvait pas, elle ne pourrait jamais prendre sur elle les souffrances de son enfant. Et lui eût-on donné le choix, aurait-elle accepté autrement qu'avec terreur les épreuves de cette autre vie? Misère...

Enfin, Florence parla : « Maman! Maman! »

Elle disait ce qu'on dit à tout âge quand on souffre :

— Je vais mourir... Au secours! Oh! je souffre, est-ce que tu comprends comme je souffre, maman!

Et comme elle répondait :

— Je comprends...

— Je suis bien contente, dit l'enfant avec un soupir apaisé.

Mais ce n'était pas vrai. Geneviève ne comprenait pas tout à fait. En dépit de cette douleur qui, dès la nuit précédente, s'était installée dans son propre ventre, elle ne pouvait se mettre à la place de sa fille. Elle *savait* que la souffrance passerait, elle se projetait mentalement à deux jours de là, lorsque, d'après ce qu'elle *savait*, la souffrance serait passée. La souffrance de sa fille rejoignait déjà pour elle un grand flot anonyme au néant déversé. Mais en cet instant, pour Florence, elle avait un poids d'éternité. Être, pour elle, c'était souffrir, ce coup de couteau dans son ventre représentait toute son identité.

Voilà que Florence parlait d'une voix d'outre-tombe :

— Nicolas est mort. Papa est mort, disait-elle quand Jacques entra. Tu es morte, maman. Il ne reste plus que moi, qui n'en finis pas de mourir. Que faire? Oh! que faire? Oh! que je suis vieille!

D'où lui venait ce langage littéraire? Quelles vies antérieures lui donnaient ce ton d'ancienne sagesse, de très vieux désespoir humain? Florence si nette et décidée... Elle fabulait :

— J'ai plus de quatre-vingts ans. Je marche sur deux cannes et j'ai un vieux chapeau tout troué, et de la barbe. Oh! papa, je souffre atrocement! A moi, à moi! Jésus!

Geneviève tourna vers Jacques un visage plein d'amour. Il s'approcha sur la pointe des pieds, se pencha lui aussi sur sa fille et, à travers le lit, prit la main de sa femme qu'il baisa sans la regarder. Avec un drôle de sourire, il écouta délirer l'enfant.

— Elle n'est pas encore vraiment réveillée, dit l'infirmière.

Sa voix sonore les choqua tous les deux. Quelque chose de sacré s'accomplissait pour eux dans cette chambre, un mystère qu'ils voulaient capter et qu'elle dérangeait.

— Excusez-moi, dit Florence d'une voix d'ange. Excusez-moi, papa et maman.

Geneviève et Jacques avaient l'impression d'être en effet des morts, emportés avec leur enfant dans ce temps qui n'existe pas, qui s'écoulait pour elle avec une horrible lenteur mais qui les avait déjà tous engloutis dans son néant. Et ils auraient été bien incapables d'expliquer pourquoi ils ressentaient ce mystère comme un acte d'amour.

« Oh, papa, maman, je vous aime, disait Florence, je ne

vous ai jamais tant aimés. » Et eux l'aimaient avec désespoir, sans pouvoir la rejoindre. Et pourtant ses appels : « Faites quelque chose, ne me laissez pas mourir ! », cette foi qu'elle gardait en leur toute-puissance les justifiaient. Et, parce qu'ils pensaient qu'en effet elle n'allait pas mourir, ils répondaient avec force et sérénité : « Nous sommes là, mon amour, n'aie pas peur... Nous sommes là. »

XIX

Ils avaient organisé leur rendez-vous maladroitement, dans une conversation que gênait la présence de Jacques : « Êtes-vous seule? — Non. — Alors, vous ne répondrez que par oui ou par non... Puis-je vous rappeler à une autre heure où vous serez seule? » Elle ignorait, les cours à la Sorbonne n'ayant pas encore repris, quel était le programme de Jacques. Pierre proposait : « Pouvez-vous déjeuner avec moi? — Non. — Pouvez-vous dîner?— — Ou...i. (Jacques, ce soir, avait une réunion, mais il fallait organiser la garde des enfants.) — Pouvons-nous nous retrouver à sept heures? — Euh... — Plus tard, à sept heures et demie? — Oui. — Où? Dans votre quartier? — Euh... » Il avait suggéré plusieurs lieux de rencontre. Mais il n'avait pas de plan sous les yeux, il connaissait mal le quartier de la Porte de Saint-Cloud, elle avait peu de points de repère dans Paris. Hâtivement, pour s'en débarrasser, ils avaient décidé de se retrouver chez Francis, place de l'Alma. Geneviève y arrivait jambes tremblantes, l'estomac creux, la mine défaite, humiliée par cette conversation où son amour n'avait pu se traduire que par des hésitations et des monosyllabes, affolée à l'idée d'avoir déçu Pierre avant de l'avoir revu, ne sachant si elle redoutait davantage de le perdre ou de s'engager dans une dégradante double vie.

Et maintenant, Pierre s'était levé, avec la même agilité qu'il se levait quand elle apparaissait sur la terrasse de l'appartement d'Amalfi. Il était bronzé comme alors, il souriait tandis que, lui tenant la main, il la faisait passer devant lui et s'asseoir à sa droite, selon leur double convenance, sur la banquette. Ils se regardaient. Et, à nouveau, s'imposait l'impression d'une enfance commune. C'était comme si elle eût marché longtemps hors des chemins frayés, perdue, prête à l'abandon, et que, soudain, elle fût tombée sur la douce maison familiale.

Ils se regardaient. Ils souriaient. C'était chez Francis, après l'heure de la sortie des bureaux et toutes les tables étaient occupées. C'était chez eux. Et ils étaient seuls. Il arrive que le décor d'un malheur brutal s'imprime dans la mémoire. Mais les surprises du bonheur font le vide autour du seul bonheur. Sur la banquette, Pierre prit la main de Geneviève et la vie les inonda.

— Tu veux boire quelque chose? Tu veux que nous restions ici?

Elle fit non de la tête.

— Alors, partons, dit-il.

Il avait passé son bras sous le sien pour la diriger vers une 203 noire qui attendait, non loin de là. A présent ils suivaient les quais, lentement, la main de Pierre posée sur le genou de Geneviève. Il faisait nuit. Ils roulaient dans Paris comme dans une ville étrangère. Tous deux de passage. Tous deux détachés de leurs longues années, projetés à l'avant de cette voiture, soudés l'un à l'autre.

Près de la place du Châtelet, ils s'arrêtèrent devant un escalier qui menait à la Seine :

— Veux-tu que nous marchions un peu? demanda Pierre.

Ils descendirent vers le fleuve et, comme Jacques l'avait fait ce jour où, dans l'enthousiasme d'une explication de texte, leur mariage s'était décidé, Pierre immobilisa Geneviève sur la dernière marche et l'embrassa. Et Geneviève qui avait si souvent, pour y ranimer son amour, évoqué le premier baiser de son mari, ne put ignorer cette répétition des gestes et des décors.

Comme à Amalfi sur la jetée, ils marchèrent au bord de la Seine, harcelés par le désir. Mais ils étaient déjà de vieux amants dont l'intimité, malgré la distance, grâce à leurs lettres et au temps écoulé, avait progressé. Et ces quelques minutes suffisaient : ils avaient l'un et l'autre vérifié que leur amour n'était pas une chimère et qu'il représentait en vérité leur plus impérieux besoin.

— Viens, dit encore Pierre.

XX

A quoi pensent les femmes de cinquante ans, vêtues aux couleurs de l'automne, foulant de leurs pieds robustes l'humus et les feuilles craquantes, parmi les arbres d'octobre? A la vraie vie, pour elles finie, aux autres jours, pour elles enfuis, qui leur ont laissé aux narines une odeur de cendre et au creux des mains quelques diamants qu'elles auront tout le loisir de contempler, jusqu'à l'usure de leurs yeux, sur cette plage où elles finiront bien par s'écrouler, cette longue plage vide qu'est la vieillesse des femmes.

Les hommes, eux, se promènent par hygiène, pour marcher enfin sur de la terre et parce que l'automobile et la vie de bureau les empâtent. Ils pensent à leurs affaires ou bien aux grands problèmes qui, en ce siècle, ont peu à voir avec l'amour. Car chaque homme aujourd'hui porte sur ses épaules le poids du monde. Pourtant, quand passe une femme seule, ils regardent son visage puis ils se retournent pour voir ses jambes.

Les jeunes mères amaigries, elles, ne pensent à rien. Elles marchent au pas d'un bambin, s'arrêtent pour surveiller d'autres enfants qui se poursuivent autour d'une statue. Elles appellent : « Florence! Béatrice! Fabrice! Nicolas! » Car leurs enfants ont des noms de joie. Ce sont de vigoureux petits êtres aux joues roses, aux yeux luisants. Ce sont des enfants d'après la guerre de 1940, sans entraves, nourris de la chair de leur mère, riches du sang de leur mère, et le monde est à eux. Parfois les mères sont si lasses qu'elles n'ont plus la force d'appeler. Le dos douloureux, elles attendent. Elles ont froid, elles se fanent. Souvent, ce qu'elles voient les oblige à retourner en arrière. Le bonheur, ce serait de marcher à leur propre allure.

Mais Pierre et Geneviève ont retrouvé leur démarche éternelle. Pour qui les voit passer, amoureux et paisibles, ils ne sont que des figurants, vite disparus, engloutis dans la splendeur automnale. Pourtant Geneviève pense : l'or de cet arbre penché vers le lac, là-bas, on dirait le mouvement arrêté de quelque fête qui se déroulerait de l'autre côté de l'eau, de l'autre côté du monde, notre fête à Pierre et à moi. Et Pierre dit : « C'est notre automne, c'est le plus bel automne de la terre. »

La vie double avait commencé. Pour Geneviève, c'était une vie facile, la plus facile qu'elle eût jamais menée. Absorbé par son activité politique dans laquelle s'insérait tout naturellement une maîtresse qui lui apportait, sans peser sur son existence familiale, ce qu'il attendait d'une femme qui ne fût pas la sienne, le plaisir, la collaboration, l'assurance un temps mise en doute qu'il n'avait pas cessé d'être un homme séduisant, Jacques n'était pas un mari gênant et Geneviève se félicitait aujourd'hui d'une indifférence qui l'avait beaucoup fait souffrir autrefois. Pierre, seul à Paris, n'était limité que par quelques obligations sociales et professionnelles. Ses fonctions au musée du Louvre lui laissaient une large liberté qui lui permettait de s'adapter à celle dont Geneviève disposait. Les traductions d'articles pour la Revue d'archéologie fournissaient un prétexte à coups de téléphone et à rencontres et, s'il se trouvait qu'elle eût à donner une explication pour une absence, Geneviève pouvait toujours dire, échappant à l'obligation d'inventer une histoire : « J'ai vu Aubin. Nous avions à travailler ensemble. »

Elle avait été bien stupide en cédant, quelques jours, à des imaginations torturantes. Rien n'était plus aisé que la duplicité.

Pendant les premières semaines, si Geneviève souffrit

de quelque chose, ce ne fut que d'un excès d'amour. De nouveau, comme après les jours d'Amalfi, elle se retenait de dormir pour ne pas perdre conscience de sa joie et quand, enfin, elle avait sombré dans le sommeil, ce qu'elle retrouvait au réveil, c'était cette joie. Elle avait l'habitude de l'absence : l'amour n'était pas là, l'amour n'avait, autant dire, jamais été là. Au terme d'une longue privation, sa présence lui donnait la fièvre. Pierre était à Paris, à portée de voix, à portée de caresses. Chaque jour leur réservait au moins une rencontre ou une conversation par téléphone. Jamais ils ne laissaient se rompre la chaîne de leurs rendez-vous. Quand ils se quittaient, ils s'indiquaient les heures où ils pourraient causer tranquillement et des heures de renchange pour le cas où un imprévu surviendrait. Mais l'imprévu qui survenait le plus souvent, c'était une occasion de s'appeler ou de se rencontrer.

Parfois, pour s'éprouver, Geneviève se disait : « J'ai un amant. » Jeune fille, quand elle pensait à la catastrophe que ce serait de trouver l'amour hors de son foyer, elle imaginait toutes les faiblesses, le désordre et la honte. Et voilà que ce qu'elle avait tant redouté était arrivé et que cet événement lui apportait le bonheur, la force, le sentiment d'un très profond devoir vis-à-vis d'elle-même accompli.

Le plus souvent, Pierre l'attendait dans sa voiture, au coin d'une des rues latérales qui donnent sur l'avenue de Versailles. Elle n'avait pas honte. Elle ne regardait pas si les gens la voyaient. Elle se hâtait vers son rendez-vous, vers cette 203 noire dont elle n'avait même pas eu la curiosité de demander à Pierre d'où il la tenait et qui devint vite pour elle le symbole et la maison de leur amour. Pierre se penchait par-dessus le volant, ouvrait la porte. Elle se glissait à son côté et, vite, ils partaient. Comme à Amalfi, ils avaient toujours les mêmes itinéraires.

— On sort de Paris?

Ils gagnaient l'autoroute de l'Ouest. Les grands bois d'hiver surgissaient à la sortie du tunnel. La géométrie s'inscrivait dans la nature réduite par la saison à l'essentiel et ils roulaient parmi les lignes et l'espace avec le sentiment d'une royauté sereine. Ils avaient dans une campagne dont elle ne sut jamais le nom une chambre que chauffait un radiateur rouge. On longeait un couloir, on traversait une cour, et la chambre était là, avec son papier à fleurs, son grand lit couvert d'un édredon gonflé, son fauteuil à roulettes. Ils refermaient la porte. Serrés l'un contre l'autre, debout, ils se regardaient en riant. Ils s'arrêtaient un instant au seuil de leur liberté, de leur secret, de ce temps qu'ils avaient devant eux, de leur plaisir. Parfois, tout habillés, ils s'abattaient ensemble dans l'édredon de plumes. Serrés l'un contre l'autre, les yeux fermés, ils plongeaient au cœur d'une nuit intemporelle, ils s'abandonnaient au bercement de l'éternité. D'autres fois, ils se hâtaient. « Viens », disait Pierre. Et, déjà, il lui enlevait sa robe. Vite, ils entraient dans les draps qui sentaient le linge lavé à la maison et les vacances d'enfant, et leurs corps, qui allaient monter vers le seul plaisir qui soit absolu, étaient d'abord l'un pour l'autre un aboutissement, un refuge. Puis ils faisaient la nuit dans la chambre où le petit radiateur jetait sa lueur rouge. L'extase leur arrachait les mots les plus doux. Ils ne savaient pas qu'ils en étaient capables. Ils s'étonnaient eux-mêmes de l'accent de leurs voix. Pierre la berçait : « Dis tout, oh, dis tout, mon amour. Écoule, écoule-toi... » Elle parlait. Elle pleurait de bonheur et d'humilité parce que c'était tout l'amour du monde qui passait un instant par eux.

Quand Geneviève se représentait son existence de naguère, elle y trouvait le froid de la mort. Elle se disait que Pierre l'avait mise au monde. Et elle ne s'habituait pas à sa chance d'avoir rencontré cet homme au moment où elle était prête pour lui. Même quand ils n'étaient pas ensemble, il lui semblait qu'elle brillait à neuf de leur amour. Toutes ces images conventionnelles que la famille et la société se font d'un être, quoi qu'il fasse, et qu'il finit par endosser comme l'uniforme du vaste pensionnat qu'est le monde où il vit, elles étaient rejetées. Cette étincelle que Jacques et elle n'allumaient plus, cet élan qu'ils avaient perdu, elle les retrouvait avec Pierre. Le bonheur d'être vu et de voir l'autre avec son visage le plus beau, cet émerveillement de se retrouver fidèle aux promesses de la jeunesse, c'était sa joie de tous les jours. Et cette joie était aussi généreuse qu'égoïste. Quand elle regardait Pierre, elle voyait bien qu'il dénudait aussi, sous les marques du temps, sa jeunesse éternelle, lavé comme par une aube.

Parfois, Geneviève pensait : « C'est une chance que Jacques, il y a un an, n'ait pas répondu à mon appel. Je n'aurais pas pu le tromper. Je me serais contentée, ma vie durant, d'un amour imparfait. Je n'aurais pas connu ce bonheur. »

Et ce n'était pas seulement leurs personnes que l'amour renouvelait. Leur complicité les liait au monde entier. Ensemble, ils entraient au cœur d'un univers intense et harmonieux, comme dans l'adolescence. Mais ce qu'ils éprouvaient, ce n'était plus une ferveur d'attente, c'était une plénitude, l'assurance que leur bonheur présent ne serait jamais par eux dépassé et qu'ils amassaient le trésor de leur vie. C'est peut-être pourquoi ils étaient plus gais que les jeunes amoureux, et moins orgueilleux.

Sur le lac en dégel, les canards attroupés conversaient tandis qu'un des leurs tâtait la glace d'une patte prudente, tombait pourtant dans les trous d'eau où, vexé, il se mettait à nager jusqu'au moment où il abordait de nouveau sur un terrain solide et recommençait. Ils surveillèrent longtemps ce canard. Deux filles les dépassèrent, occupées à des confidences. « La seule fois que j'ai été amoureuse, disait l'une, il était tout petit, tu sais... un petit bonhomme de rien. Je ne l'avais même pas vu. Et, tout à coup, il m'a regardée... Y avait toute son âme dans ses yeux. » A ces filles aussi, ils se trouvaient accordés. Et non seulement à la nature et aux êtres, mais à la ville, à l'angle d'un parapet, au bref étincellement d'une cigarette jetée d'une voiture sur l'asphalte noir. Une fois, ils furent comme des souverains sur les quais où, depuis Notre-Dame, les rampes de lampadaires s'allumaient au fur et à mesure qu'ils roulaient.

Et le temps, le temps qu'il faut pour ces plaisirs? Il en fallait très peu. Quelques heures çà et là suffisaient pour donner à la vie, dans ses moindres manifestations, une saveur nouvelle, une qualité bouleversante.

Et la famille? La famille se portait fort bien. Jamais Geneviève n'y avait aussi bien assumé son rôle. Auparavant, le vide de sa vie personnelle s'insinuait dans sa vie familiale et menaçait de la désagréger. A présent, elle s'acquittait de ses devoirs avec une hâte joyeuse, une justesse de ton, car les deux aspects heureux et pleins de son existence s'équilibraient.

Et Geneviève? Et Pierre? Ils n'avaient pas envie d'une journée entière, d'une nuit à eux? Ces miettes leur suffisaient?

Elles leur suffisaient. Tous deux avaient passé l'âge où l'on se croit des droits au bonheur. Ils étaient prudents avec leur chance, doux l'un avec l'autre et avec eux-mêmes.

Certes, le temps que Geneviève consacrait à l'amour était bref, comparé à celui qu'elle donnait à la famille. Mais elle n'en souffrait pas. En même temps que le bonheur, une sagesse lui était échue. Si une angine d'un enfant, une absence de la Martiniquaise, une invitation inopinée dérangeaient les projets qu'elle avait formés avec Pierre, elle ne récriminait pas. Elle trouvait juste de payer par quelques sacrifices un si grand bonheur. Au fond d'elle-même, elle le sentait menacé, non parce que la morale le condamnait, non parce qu'elle doutait d'elle ni de Pierre, mais parce que c'était un don trop magnifique, et, par la scrupuleuse observance de ses devoirs familiaux, par de menus renoncements, elle entretenait l'espoir superstitieux d'échapper à elle ne savait quel terrible prix qui risquait de lui être réclamé.

Pierre l'y aidait. Jamais il ne s'irritait d'un contretemps. Il semblait doté d'un optimisme inépuisable :

— Ne te fais pas de souci, disait-il. Ne te tourmente pas. Nous avons la vie devant nous.

— Quelle vie? demanda-t-elle un jour. Tu crois qu'il est possible qu'un pareil bonheur dure?

— Bien sûr que c'est possible.

— Dans les conditions où nous sommes?

— Dans celles-ci ou dans d'autres. Sait-on jamais?

Elle n'explora pas les redoutables éventualités que pouvait receler ce « sait-on jamais ». Il lui suffisait d'être rassurée par Pierre.

Un soir que Geneviève dînait avec Jacques, chez des amis, la conversation qui languissait puisa, comme souvent, un regain de vitalité dans les derniers livres que les prix avaient couronnés.

— Pour ma part, déclara le voisin de Geneviève, un banquier mûrissant, je ne peux plus lire de romans. Je ne m'intéresse plus qu'aux mémoires et aux ouvrages d'histoire ou de critique.

Il approcha de Geneviève sa tête de vieux beau :

— Vous êtes jeune, chère Madame, et peut-être vais-je vous peiner. Mais quand vous aurez mon âge, vous reconnaîtrez que cet amour dont les romans sont pleins tient en réalité peu de place dans une vie. D'abord, on y consacre peu de son temps. Même en crise amoureuse. Si vous pensez à toutes les heures accordées au travail, à la famille, au sommeil, à la nourriture, l'amour est une activité bien réduite.

— Certes, dit Geneviève, mais le temps, en ce cas, est-il une bonne mesure?

— Je ne suis pas si bête.

Une lueur complaisante passa dans le regard du banquier, fit place à une expression de sagesse :

— Ce que je veux dire, reprit-il, c'est que l'amour n'a pas l'importance qu'on lui donne. L'amour joue son grand rôle quand on le trouve chez les êtres avec lesquels on vit et qu'il vous rend heureux. Autrement, il n'est qu'un accident, dont les répercussions sur une existence, quelle que soit l'importance qu'on lui ait, sur le moment, accordée, sont, pour les gens normaux, pratiquement nulles. Beaucoup plus faibles en tout cas que celles des événements historiques, de la vie politique, de la vie financière. Mais justement, les livres ne parlent jamais que de ces amours accidentelles, peut-être à cause de cette vieille vérité que les gens heureux n'ont pas d'histoire. Vous ne me croyez pas? ajouta-t-il en souriant devant l'expression perplexe de Geneviève.

— Non, répondit-elle avec une hardiesse nouvelle. Qu'on le trouve chez soi ou ailleurs, qu'il prenne une forme ou une autre, l'amour est le plus nécessaire des accomplissements et je crois aussi qu'il peut colorer et transfigurer une vie entière, comme aucun autre événement n'a la possibilité de le faire, même s'il est de peu de durée.

— Vous êtes femme, et jeune, je ne vous enlèverai pas vos illusions, conclut le banquier avec un regard perspicace. Et Geneviève regretta de s'être trop livrée.

Elle n'avait nul désir d'analyser son bonheur, de se séparer de Pierre pour le voir comme un être qui existait hors d'elle. Pourtant, cette conversation la troubla. L'amour est sans doute moins important pour les hommes que pour les femmes, pensa-t-elle. De notre amour, Pierre a peu-être moins de joie que moi. Mais elle était désormais trop sage pour lui poser une question à ce sujet. Les « Que ressens-tu? » « M'aimes-tu? » « Es-tu heureux avec moi? », toutes les interrogations de l'amour juvénile, elle les rejetait comme un vain encombrement. La question de savoir qui aimait le plus, qui était le plus heureux, n'avait guère de sens. Ils s'aimaient, c'était sûr. Ils étaient heureux, à n'en pas douter. A quelles très anciennes années, plus désarmées que l'enfance, plus reculées que les plus vieux souvenirs, aurait-il fallu remonter pour rejoindre pareille confiance, si complet abandon? Cette innocence de nouveau-né, ce bien-être, cette assurance d'avoir trouvé son havre, c'était cela, l'adultère?

Le plus merveilleux, pour Geneviève, c'était de se voir si bien acceptée. Elle se jetait sur Pierre avec son fardeau de tendresse, toute réserve enfin oubliée, elle devenait bavarde, impulsive, elle le touchait aux joues, aux cheveux, aux oreilles, et il ne la rabrouait pas. Au contraire. Il l'attirait plus près. Il la serrait contre lui. « Je ne pèse pas trop lourd? » demandait-elle. Il souriait, avec un rien de tristesse : « Je ne pense pas qu'il y ait au monde une femme moins pesante que toi. »

— Je ne comprends plus, dit-elle un jour, comment j'étais avant de te connaître. Il me semblait que la seule chose certaine, c'était la souffrance, que la vie, de toute manière, est une aventure qui finit mal. Et il m'apparaît aujourd'hui que rien, jamais, n'a possédé ce caractère d'évidence et d'éternité que je trouve en notre bonheur.

— Tu avais pourtant les enfants.

— C'est vrai. Mais les joies qu'ils m'apportaient, qu'ils m'apportent, je les sens terriblement menacées. Comment te dire? En soi, la brièveté de l'enfance est tragique. Et, d'autre part, ils sont si faibles, ignorants, vulnérables... Les enfants ont l'effrayant pouvoir de donner les plus grands chagrins. — Elle s'interrompit. Tout amour humain n'avait-il pas l'effrayant pouvoir de faire souffrir à sa mesure? — Comment te dire? reprit-elle. Les enfants ne changeaient pas tout pour moi. Ils ne m'empêchaient pas d'avoir parfois le sentiment que je ne pourrais pas supporter de vivre jusqu'au bout. Dans les pires moments, je me disais que je les avais, eux aussi, condamnés à l'horreur de vivre. Depuis que je t'aime, je suis comme une illuminée. C'est comme si tu dirigeais sur tout ce que je regarde un phare qui ne m'en fasse apparaître que les beaux côtés. Je ne crois plus au malheur.

Il prenait un air de supériorité comique :

— En somme, tu étais une compliquée.

— C'est ce qu'on me disait. Je déteste ce mot.

— Moi aussi. Mais ta complication à toi devait venir de ce que les autres ne sont pas assez simples. Il te fallait quelqu'un de simple, d'extraordinairement simple, de plus simple que Nicolas. J'étais cet homme.

— C'est vrai, dit-elle. On dirait que rien ne te tourmente jamais.

— Non, dit-il, en effet. Je ne suis pas un tourmenté.

Une vieille tendance à vouloir se hisser au-dessus de soi-même l'inquiéta un instant : Pierre et moi, nous sommes des égoïstes, nous ne pensons qu'à nous... Elle fit toute seule un petit geste de la main. Bah! que faisait-elle de plus pour les autres au temps où elle n'était pas heureuse?

Souvent, ils traduisaient ensemble les articles de la

revue, tantôt Porte de Saint-Cloud, tantôt chez les Armand, où Pierre habitait en attendant que fussent terminés les travaux qu'il faisait exécuter dans une petite maison, hors de Paris. L'instant où retentissait le coup de sonnette attendu les remplissait d'une allégresse à laquelle ni l'un ni l'autre ne s'habituaient.

Grand et large, Pierre occupait toute l'embrasure de la porte. Ils s'immobilisaient un instant, face à face, l'un à l'intérieur de l'appartement, l'autre encore sur le palier. Il abaissait sur elle son sourire. Elle levait vers lui sa joie toujours mêlée d'un peu d'incrédulité. Il se tenait très droit, avec presque un air de naïveté, une façon à lui d'offrir sa force et sa douceur. Ils se regardaient, puis elle tendait les bras vers sa poitrine, vers sa chair qui était là, sous ses vêtements. Mais ce n'était pas, en cet instant, un geste sensuel, c'était une assurance qu'elle cherchait, comme celle qui fut nécessaire à Thomas, un élan de tendresse, une impossibilité de supporter plus de quelques secondes une distance entre eux. Alors Pierre repoussait la porte et l'embrassait, dans l'ombre du couloir.

Installés côte à côte, ils travaillaient vraiment, l'attention curieusement aiguisée par leur proximité, et une paix bienheureuse tombait sur eux. Pas un instant l'un n'oubliait le voisinage de l'autre mais leur amour, en ces heures-là, se sublimait et se traduisait par une allégresse de l'intelligence. Pierre avait l'esprit le plus soucieux d'exactitude qui se puisse trouver. C'était pourquoi, disait-il, son œuvre était si mince, Jeune homme, il avait hésité entre une carrière d'ingénieur et les Beaux-Arts. Il affirmait que l'archéologie était le point de rencontre de ses diverses tendances et le déchiffrement des inscriptions le maximum de risques qu'il pût prendre avec l'exactitude. Dans les quelques occasions qu'ils eurent de se rencontrer en public, Geneviève fut surprise de constater qu'il ne s'intéressait pas moins qu'un autre aux idées générales et que sa culture politique était grande. Mais elle l'entendit rarement exposer son point de vue autrement qu'à propos de faits précis, et, dans ce cas, il le défendait parfois avec une surprenante véhémence. « Tu découvriras peu à peu que je suis de caractère violent », disait-il. Plus souvent, il posait des questions. Et Geneviève à qui les confrontations d'idéologies et de systèmes donnaient le sentiment de l'impuissance et du délaissement humains s'en trouvait rassurée.

« Au fond, ce qu'il te faudrait, avait un jour dit Jacques, non sans acidité, c'est un mari qui rentrerait chaque soir à six heures avec le pain sous le bras. » Pierre était un peu ce mari. Il apportait à leurs relations de la ponctualité. Il lui offrait son aide dans ses petits malheurs. On vit arriver Porte de Saint-Cloud les ouvriers qui effectuaient les travaux dans sa maison de campagne. Pour la première fois de sa vie, Geneviève se trouva en possession d'un carnet plein de bonnes adresses : un plombier, un peintre, un électricien. Pierre aimait bricoler. Il répara le train électrique de Nicolas, arrangea les yeux de la poupée. Il remit en marche le vieux coucou dont l'oiseau ne chantait plus les heures depuis des années. Il racontait qu'il s'était aménagé un atelier dans sa ferme. Geneviève le verrait. Dès que les travaux seraient finis, il l'emmènerait là-bas. Ils passeraient une grande journée ensemble. « Oh... une journée... — Eh! bien, un grand après-midi. Jusqu'au dîner... jusqu'après le dîner. C'est moi qui ferai la cuisine... Oui, je fais très bien la cuisine... Aimerais-tu un poulet? Ou une grillade au feu de bois? Ou un steak tartare? » Il prenait un air faussement hésitant : « Tu dis "Tatare" ou "Tartare?".

Elle n'aimait en tout cas pas cette ferme qui allait l'éloigner d'elle. C'était le seul sujet de conversation qui la fît souffrir.

Il y avait déjà près de deux mois que Pierre était à Paris. Geneviève risqua la question qu'elle n'aurait pas osé quelques semaines plus tôt :

— En vérité, dit-elle en riant, toi, tu n'avais pas besoin de moi. Raconte comment tu vivais avant de me connaître. L'amour, tu y pensais?

— Peu. J'avais ma famille, mon dada... les voyages... les rencontres... une bonne santé. Il me semblait que c'était suffisant.

— L'amour n'a pas tellement d'importance pour les hommes?

— J'aurais affirmé que non. Je me croyais guéri du mythe de l'amour. Il m'apparaissait même qu'il était plus agréable de borner celui-ci au plaisir et plus esthétique de le limiter aux aventures.

— Et maintenant?

— Eh! bien, j'ai changé.

Il y avait là un mystère : qu'elle fût, elle, capable de changer quelqu'un, de changer un homme comme Pierre Aubin.

— Vois-tu, reprit-il, si je cherche à préciser ce que j'éprouve pour toi, je dirai que c'est une énorme gratitude.

Ce mot l'inquiéta :

— Une gratitude?

— Oui. Avant, je n'aurais pas pu dire qui j'aimais. J'aimais beaucoup de gens... mais *qui?* Toi, je *sais* que je t'aime.

La première brèche dans ce bonheur se produisit la veille de Noël. Les parents de Jacques étaient venus de la province à Paris pour trois jours. Jacques et les enfants étaient en vacances et, dès le matin, l'appartement fut plein d'allées et venues et d'exclamations. Quant à Pierre, il était parti pour la campagne. Sa maison était prête. Il s'y installait. Soudain, LIT. 28-91 cessait d'être un assemblage magique de chiffres et de lettres pour n'être plus que le numéro de téléphone des Armand. Pierre en possédait un autre que l'on pouvait obtenir par l'automatique, mais il déplaisait à Geneviève car il lui rappelait la distance nouvelle qui la séparait de lui. « Tu verras, avait dit Pierre, ce sera bien mieux. Tu seras beaucoup plus libre pour m'appeler. Et, avec la voiture, je suis à Paris en vingt minutes. »

Mais, en dépit de ces paroles rassurantes, Geneviève ne pouvait s'empêcher d'éprouver qu'une période qui avait été la plus heureuse de sa vie était close et qu'un équilibre s'était rompu. Justement, le jour où Pierre s'installait hors de Paris, la famille la tenait, elle, prisonnière. Ils n'auraient, pendant ces trois jours, aucune possibilité de se voir et ils avaient décidé que, sauf imprévu, ils ne se téléphoneraient pas.

Geneviève qui, au retour d'Amalfi, avait envisagé avec sérénité une longue et peut-être éternelle séparation, se trouvait devant ces trois jours où Pierre, à une trentaine de kilomètres, ne pourrait communiquer avec elle, comme devant un fossé impossible à combler.

Dans le petit appartement, la famille s'agitait. Jacques et ses parents célébraient à leur manière leur réunion. Comment peuvent-ils parler des heures sans jamais la moindre allusion à leurs vies privées? se demandait Geneviève. Sont-ils admirables ou dénués de sensibilité? Sont-ils simplement pudiques et bien élevés? N'ont-ils pas besoin de savoir qui ils sont? En présence de ces êtres estimables qui traçaient leur sillon dans les idées comme un paysan dans la terre, elle se trouvait à nouveau mauvaise : ses problèmes devenaient de faux problèmes, son grand amour n'était qu'une forme de névrose et il se dissolvait.

— J'ai lu le compte rendu d'une enquête effectuée parmi les élèves des cours complémentaires et des lycées, disait Mme Brincas mère. Elle parvient au résultat suivant : ce qui intéresse en premier lieu ces jeunes gens, ce sont les questions sociales, puis viennent, chez les garçons, les récits de guerre et, surtout, de résistance. Les filles, elles, réclament des livres sur l'amour. Mais c'est incroyable, il n'existe pas de livres sur l'amour qu'on puisse donner à lire à des jeunes gens d'une quinzaine d'années. Vois-tu un livre, Jacques?

— Il y a l'admirable Grand Meaulnes, risqua M. Brincas père, toujours attentif aux propos de sa femme.

— La part de l'imagination et du rêve y est trop grande, ils n'aiment plus cela. Et puis, c'est trop évolué pour les élèves des cours complémentaires, en tout cas. Réfléchis, Jacques. Si tu trouves des titres, note-les. J'aimerais faire don de quelques livres à ma Bibliothèque.

— Si tu cherches des livres d'amour pour les jeunes, reprit M. Brincas père, je ne vois que les Anglais...

— Je ne veux pas de traductions.

Mme Brincas se tourna, souriante, vers sa belle-fille :

— Pourquoi n'écrivez-vous pas, vous, mon enfant, un livre d'amour pour les jeunes? Je suis sûre que vous feriez cela très bien.

— Moi... oh...

Geneviève réfléchissait. Sa belle-mère avait raison. Si l'on écartait les romans à l'eau de rose et *Le Grand Meaulnes*, il n'existait pas dans notre littérature, à sa connaissance, de livre d'amour qui ne fût ou désespéré ou érotique ou immoral. Elle allait s'en étonner et chercher tout haut les raisons quand Jacques intervint :

— Qu'appelles-tu un livre d'amour pour les jeunes, maman? Entends-tu par là un livre qui puisse être mis entre leurs mains ou un livre qui traite de la découverte de l'amour?

— J'entendais plutôt un livre qui traiterait de la découverte de l'amour... Ils sont curieux de l'amour, ces enfants. Les garçons ne savent pas ce qu'est une jeune fille. Les filles sont inquiètes... oh! les jeunes gens dont je parle sont loin des héros de Françoise Sagan! Il faudrait pouvoir trouver pour eux des romans qui les initieraient à l'amour... des romans qui seraient sains.

— Pour qu'un tel livre ne soit pas mortellement ennuyeux, ce devrait être un chef-d'œuvre, déclara Jacques.

« Il n'aurait pas fait cette réponse, autrefois », pensa Geneviève.

Depuis quelques instants, Florence écoutait la conversation, immobile à quelque distance de la table.

Deux fois rabroué par sa femme, le grand-père appela l'enfant.

— Et l'anglais, Florence? As-tu fait des progrès en anglais?

Il avait enseigné cette langue pendant quarante années dans divers lycées et se réjouissait qu'on l'étudiât dès la dixième dans l'école fréquentée par ses petits-enfants.

— Va me chercher ton livre...

Tandis que Florence lisait à voix haute, trébuchant sur les mots, Geneviève observait son beau-père : depuis qu'un infarctus du myocarde avait réduit son activité, il semblait qu'il y eût, dans son regard mobile sous les sourcils broussailleux, une inquiétude, une obsession solitaires.

— « And there he met his death », lisait Florence.

— Cela signifie : et là, il trouva la mort. Mais, vois-tu, les Anglais disent, il trouva « sa » mort. Il y en a une pour chacun. Chacun sa chacune...

Geneviève aimait son beau-père. Elle aurait aimé pouvoir lui demander : « Papa, qu'éprouve-t-on, à soixante-dix-huit ans, lorsque « votre » mort vous a déjà fait un signe? Avez-vous peur, papa? Voulez-vous que nous en parlions ensemble? »

— Le problème de la lecture chez les jeunes apprentis est encore plus important, poursuivait Mme Brincas. Il faut penser qu'avec le développement du machinisme, l'accroissement de la population, ces jeunes gens disposeront de nombreux loisirs. Si on ne leur donne pas, dès maintenant, le goût de la lecture...

Geneviève, écoutant sa belle-mère, retrouvait une ancienne rancune. De cette passion pour les idées, de cette indifférence aux individus, son beau-père avait-il souffert aussi? « Avez-vous peur de votre mort, papa? » Personne, sans doute, ne le saurait jamais. Ah, elle les avait bien élevés, ses hommes, Mme Brincas!

« Dire que je m'appelle aussi Mme Brincas! » pensa Geneviève, et elle cessa de suivre la conversation pour chercher un prétexte qui lui permettrait de satisfaire son lancinant besoin de téléphoner à Pierre.

Déjà, les enfants s'affairaient :

— Tu vas préparer l'arbre, maman?

— Cette année, nous le décorons avec toi... tu veux?

Le rite voulait qu'ils se couchent à sept heures pour être réveillés au son du *Minuit chrétiens* et que, dans l'intervalle, les parents décorent le sapin et disposent les cadeaux.

— Cette année, nous n'allons pas nous coucher. Nous

attendrons minuit avec vous... puisqu'on ne croit plus au Père Noël.

Ce changement qu'ils souhaitaient introduire dans le programme contrariait leur mère. Leur petite enfance n'était pas finie... Pourquoi voulaient-ils innover et la priver du plaisir de les voir une fois encore, en chemise de nuit, écarquiller des yeux ensommeillés pour percer le mystère des paquets amoncelés dans la demi-clarté des bougies?

— On a dit qu'on ne croyait plus au Père Noël mais qu'on faisait comme si on y croyait, répliqua-t-elle.

— Oh! non! Si nous allions plutôt tous à la messe de minuit? reprit Florence. Les autres y vont!

— Oh! oui, maminette, allons à la messe de minuit!

Leurs demandes harcelaient son désarroi secret. Elle aurait voulu ne s'occuper de rien ni de personne pour affronter en toute sagesse et avec les bonnes raisons les symptômes d'un mal qu'elle reconnaissait.

— Non, dit-elle. Non, vous seriez trop fatigués.

— Mais si cela leur fait plaisir, intervint Jacques. Allons-y tous. Pourquoi pas?

Cette libéralité venue du côté où on l'attendait le moins surprit chacun autant qu'aurait pu le faire la descente du Père Noël en personne.

Les enfants battaient des mains :

— Oh! oui, oui. Justement nous avons appris les chants à l'école. Allons à la messe de l'École!

Jusqu'à minuit, jusqu'à une heure du matin, ils seraient tous autour d'elle, à s'agiter!

— Alors, on va préparer l'arbre. Tu veux bien, maminette, puisque nous allons à la messe de minuit! On en profitera davantage!

Il y eut un coup de sonnette à la porte. C'était un petit jardin de plantes vertes qu'accompagnait un mot affectueux et banal de Pierre.

— De qui est-ce, maman?

Jacques et Geneviève n'avaient jamais eu l'envie ni la place d'établir entre les enfants et eux une distance :

— C'est de Pierre Aubin.

— Papa, maman a reçu des fleurs de Pierre Aubin.

— Ce ne sont pas des fleurs, corrigea-t-elle, pour se donner une contenance. Ce sont des plantes vertes.

— Des plantes vertes, papa.

— C'est gentil, dit Jacques.

— C'est très joli, dit Mme Brincas. Comment appelle-t-on celle-ci, là, entre le lierre et la fougère, celle qui a des feuilles jaunes?

« Si je pouvais, je planterais des arbres chez moi », avait un jour dit Geneviève.

Elle aurait voulu remercier Pierre. Mais la famille gardait les abords du téléphone. Elle aurait voulu se jeter dans les bras de Pierre, fêter Noël avec Pierre.

Toutes les difficultés naguère entrevues resurgissaient. Qu'il était fragile, l'équilibre de la vie double! Et, à l'horizon, s'annonçait une menace dont Pierre et Geneviève avaient jusqu'alors peu parlé. Nathalie, au printemps, quitterait Istanbul pour rejoindre son mari. Jusqu'alors, les entraves à la liberté n'étaient venues que de Geneviève et d'une situation qu'elle connaissait. Pierre avait été à sa disposition, comme un célibataire. Mais la puissance dont ils se croyaient revêtus était illusoire. Chacun dépendait de l'aveuglement, de l'indifférence ou de la complaisance des siens. En cette fête de Noël qu'elle était déchirée de célébrer loin de Pierre, Geneviève se répétait qu'elle aurait été encore plus malheureuse avec Pierre, loin des enfants, et sentait peser la menace du choix.

Florence et Nicolas avaient installé l'escabeau et commençaient à fouiller dans un placard. Une légère boule colorée s'écrasa au sol.

— Attendez, attendez, ne dérangez pas toutes mes affaires. Je vais vous donner les guirlandes. Descendez de là.

A présent, les enfants lui passaient les objets dérisoires : une cigogne, un ange, des étoiles... et, avec une infinie fatigue, comme si elle se les arrachait du cœur, elle élevait les bras vers les branches pour les décorer. De temps à autre, elle s'arrêtait et elle feignait de regarder son œuvre. En vérité, elle se reposait un instant de cet énorme effort et ce qu'elle regardait, c'était, sur la commode voisine, le petit jardin de plantes vertes qui était là, comme l'impossible présence de Pierre.

Mais lorsque, pendant la messe mimée, les enfants élevèrent, au commandement du prêtre, leurs mains vers le ciel, tandis que Jacques, à son côté, chantait à pleine voix la naissance de ce dieu auquel il ne croyait pas, Geneviève retrouva la paix. Entre ses beaux-parents et son mari, regardant ces mains anonymes où elle ne distinguait pas celles de ses enfants, elle avait la révélation de cette vérité banale que la vie est peu de chose mais qu'elle représente tout ce que l'on possède. Ces mains tendues lui semblèrent des vies qui couraient le très grand risque d'être mutilées et le geste qu'elles accomplissaient vers le ciel n'était-il pas l'appel de toute créature vers ce bel amour qui était sa chance et n'enlevait rien à personne? Tous les siens, ce soir, étaient heureux. Sa propre souffrance, elle l'assumerait comme la faible rançon du bonheur. Quant à l'avenir, à quoi bon se tourmenter?

« Sait-on jamais? » disait Pierre.

XXI

L'amour meurt peut-être de la vie commune, mais il est certain qu'il y tend. Après ces quelques jours où il avait été coupé, le lien entre Pierre et Geneviève ne fit que se resserrer. Bientôt ils durent lutter contre la tentation de se voir trop souvent. Peut-être pour prouver que son installation à la campagne ne changeait rien, Pierre semblait encore plus disponible que par le passé. Et chacun était si sûr de soi, si profondément paisible, qu'ils oubliaient même de se cacher. Peu à peu, ils prirent plaisir à circuler ensemble dans Paris, à dîner au restaurant, à voir un spectacle et à en discuter ensuite, à se donner pour quelques heures, parmi les lumières et la foule, l'illusion qu'ils étaient un couple régulier.

Ce fut sans doute une chance que leur sagesse trouvât un secours dans le peu de liberté dont disposait Geneviève et les craintes que lui causait pour Pierre le long retour en voiture dans la nuit car ils n'auraient pas pu se retenir sur une pente qui n'eût pas tardé à introduire dans leurs existences les difficultés ordinaires des amours illicites.

Mais ce qu'ils appelaient les « visites du soir » par téléphone possédaient un caractère de douceur et d'abandon. Dès que chacun se trouvait seul chez soi et savait que l'autre, de son côté, l'était aussi, ils avaient beau essayer de travailler : tiraillés, nostalgiques, autour d'eux s'étalait le vide, l'absence de l'autre, qui effaçait les points précis auxquels ils voulaient accrocher leur attention. Bientôt, les « visites du soir » devinrent une habitude. Par elles, ils apprirent à se connaître comme des amis ou des époux. Leur passion réciproque était trop vive, la connaissance que l'amour leur donnait l'un de l'autre trop fulgurante pour qu'ils eussent, dans leurs rencontres, le temps et le désir de causer beaucoup ensemble. Mais, chacun dans son intérieur silencieux, la journée finie, réduits à la seule parole, ils bavardaient doucement, interminablement. Peu à peu chacun devenait le témoin de la vie de l'autre et, pour Geneviève, dont c'était la première expérience de cette sorte d'intimité, ces conversations, avec leurs jaillissements spontanés, leurs échos, leurs rebondissements, étaient aussi une occasion de découvertes beaucoup plus riches que ses anciennes ruminations solitaires où elle avait eu si souvent le sentiment de tourner en vain dans le cercle fermé de l'absurde. La seule angoisse qu'elle connût désormais, c'était d'avoir à quitter Pierre. Même au téléphone. Quand ils s'étaient déjà dit « au revoir », chacun gardait encore un instant l'appareil dans sa main avant de le déposer avec précaution, comme pour ne pas heurter l'autre. Dans ce petit silence qu'ils s'accordaient au seuil de la solitude où ils allaient rentrer, ils logeaient tout ce qu'ils ne se disaient pas parce qu'ils le vivaient, et les regrets dont ils ne voulaient pas parler.

C'était la caresse sur le front après le « dors bien » qu'ils s'étaient souhaité. Un moment encore, chacun restait immobile, douloureux, une main, les yeux posés sur le téléphone recroquevillé, attentif à l'écho de la voix envolée. Puis la joie l'emportait. Ou bien ils se remettaient au travail ou bien ils s'endormaient pacifiés.

Que s'étaient-ils dit? Rien.

— Que fais-tu?

— Je sèche sur mon poème sumérien.

— Alors, je te dérange.

— Oh! non, tu ne me déranges pas.

— C'est toujours le même poème?

— Oui. Je ne suis pas sûr de certains mots. Je t'ai dit

qu'il s'agissait d'agriculture. Il y est fait allusion à des plantes que je n'identifie pas... Et toi, que fais-tu?

— Moi... rien encore. La maison est prête pour la nuit, tout est calme. Je t'aime.

— Tu es bien? Tu as chaud?... Les enfants sont couchés?

Il disait « les » enfants.

— Oui, ils dorment déjà. Oh, si tu as une minute, tout à l'heure, je te lirai la rédaction de Florence. Tu m'y feras penser... Et toi, tu es bien chauffé? Ton installation est terminée?

Cette dernière question représentait un effort sur elle-même. La pensée d'un Pierre s'avançant par degrés vers une vie familiale ordinaire lui paraissait toujours chargée de menaces.

— Oh! non, mon installation n'est pas terminée... toujours à revoir, comme les traductions. Cet après-midi, j'ai eu les pires ennuis avec un radiateur.

— Raconte...

Tous les détails que Jacques avait rayés de l'existence et qui avaient un temps obstrué l'esprit de Geneviève, pesé sur elle comme une charge humiliante, d'être partagés avec Pierre, devenaient le doux bruissement de la vie.

— Pas possible, tu es capable de ce genre de bêtises! Tu ne sais pas comme cela me rassure.

— Cela te rassure?

Son rire avait le même timbre que sa voix.

— Oh! Pierre, je voudrais vivre avec toi.

Mais ce n'était qu'un cri du cœur. « Êtes-vous irrémédiablement liée? » La réponse avait été donnée une fois pour toutes sur le quai de la gare à Salerne. Et, bien qu'elle en fût curieuse, Geneviève n'avait jamais demandé à Pierre si cette question n'avait été, elle aussi, qu'une manière d'étreinte. Plus tard, peut-être... « A mesure qu'on vieillit, on prend une bizarre confiance dans le temps. » Un temps viendrait où certaines interrogations, certaines révélations ne risqueraient plus de les faire souffrir. Mais, en attendant, le respect que chacun avait du passé de l'autre, ce passé qui les avait amenés, quel qu'il ait été, à leur point de rencontre, imposait silence à leur curiosité. Et l'âge leur avait appris que la vie est une expérience très secrète qui ne se peut communiquer que peu à peu et par hasard. D'un accord tacite, ils rejetaient les nostalgies et les récriminations pour s'émerveiller de trouver entre eux une convenance telle que, peut-être, ils auraient pu vivre ensemble sans cesser d'être amoureux.

— Te rends-tu compte, demanda Pierre un jour, de la chance que nous avons eue de nous rencontrer dans notre maturité?

C'était chez lui, dans la vallée de Chevreuse.

Ils avaient marché une heure à travers bois. Mars et le printemps étaient proches mais, dans la campagne immobile et grise, rien ne les annonçait, sauf, peut-être, en certains chemins de terre, une odeur fraîche de dégel. Et maintenant, assise sur un tabouret bas, la tête contre la cuisse de Pierre, le regard perdu sur le feu de bois, il semblait à Geneviève que l'hiver était la belle, l'irremplaçable saison de leur amour et elle conjurait en pensée ce grand mouvement qui allait bousculer la nature et ramener en ces lieux Nathalie Aubin.

Levant la tête, elle sourit à Pierre dont le visage portait l'expression de la plus grande tendresse :

— Oui, dit-elle.

Puis elle promena les yeux sur la pièce où la menue activité quotidienne de l'homme qu'elle aimait s'étalait dans les choses : des feuillets épars que couvrait son écriture, un paquet d'épreuves corrigées, des cendriers pleins. Tout un pan de mur était occupé par les volumes jaunes de la collection Guillaume Budé. Sur la table ronde, près du divan, des journaux en désordre attestaient que Pierre se tenait, plus qu'il n'y paraissait, au courant de l'actualité. Ils avaient beau s'aimer, causer, se voir souvent, rien ne remplaçait la vie commune. Geneviève reposa la tête sur la cuisse de Pierre. Elle n'était guère plus capable de penser qu'un chien qu'on entraîne hors de la maison de son maître. Déjà la tiraillait l'obligation de rentrer chez elle, mais un attachement têtu la clouait dans cette demeure, aux pieds de cet homme, lui courbait la tête et l'abattait de tout son poids sur ce corps qu'elle aimait.

— Si nous nous étions rencontrés dans notre jeunesse, ce n'aurait pas été mal non plus, marmonna-t-elle.

Il rit en lui caressant les cheveux :

— Mais tu avais dix ans quand j'étais jeune. Comment voulais-tu que nous nous rencontrions?

Elle eut un petit mouvement de la joue sur sa cuisse, mi-caresse mi-recherche de la meilleure place :

— Même à dix ans, dit-elle, je t'aurais reconnu.

La main de Pierre s'immobilisa sur son cou, possessive comme un nid :

— Je n'étais pas reconnaissable, dit-il.

Imaginer ce qu'aurait été la vie avec Pierre s'ils s'étaient rencontrés alors qu'ils étaient libres était une des tentations de Geneviève. Appartenaient-ils l'un et l'autre à cette espèce éprise de perfection, rongée par l'esthétisme, qui gâche ses meilleures chances? Ne s'aimaient-ils si bien que parce que leur passion était contrariée? Étaient-ils incapables du vigoureux amour qui résiste au quotidien? Le leur représentait-il une facilité? Et l'amour existait-il hors de cette facilité?

— Pierre, tu crois que nous nous serions autant aimés si nous avions vécu ensemble?

— Je ne sais pas... mais si c'était possible, je vivrais avec toi.

— Sans hésiter?

— Sans hésiter. Et toi?

Étonnée par la netteté de sa réponse, elle fut assaillie par plusieurs questions à la fois que, de nouveau, par prudence, elle repoussa :

— Moi, j'hésiterais. J'ai peur de la part de rêve qui est dans notre amour. Et pourtant, je suis tentée de le confronter à la plus dure, à la plus froide réalité. Je suis lâchement heureuse de ne pas en avoir l'occasion.

— Qui sait? L'occasion se présentera peut-être. Mais

n'aie pas peur. Nous sommes pleins de réalité. Tout comme le rêve est plein de réalité. Tout comme le rêve est la part sérieuse de la vie.

Par la fenêtre, elle apercevait un mince croissant de lune. L'épagneul de Pierre avait posé son museau humide sur les genoux de Pierre, sur ses mains à elle. Dans la pièce tombait l'obscurité, léchée par les flammes du feu de bois. D'un bond, son imagination la transporta dans un camion de déportés. « Oui, pensa-t-elle, il faudrait aller jusque-là, et peut-être au-delà, jusqu'à ce que je ne sois plus qu'une bête... »

— J'ai souvent fait le même songe, je veux dire la nuit, dans mon sommeil. Une femme m'apparaissait, que je voyais mal, en silhouette seulement. Je la touchais à peine, au bras, ou à la joue, du bout du doigt, et elle s'illuminait. Moi, j'étais plein de son bonheur. Nous étions tous les deux incroyablement jeunes. C'était ma fiancée, la femme du premier amour. Lorsque j'ai passé autour de ton cou cette chaîne, à Capri, et que tu as levé sur moi ton visage de vierge visitée, je t'ai reconnue pour celle dont le bonheur m'inonde. Tu es la femme de mon rêve. Tu es chargée de la même réalité. Tu as les mêmes pouvoirs. Ne te défie pas du rêve. Nous avons tous deux enfin l'âge de rêver.

— Peut-être, dit-elle, que la différence entre la vie quotidienne et l'autre n'existe pas, qu'elle est le résultat d'une malchance ou d'erreurs de jeunesse.

— L'assassinat du rêve, c'est le crime le plus souvent perpétré par ceux qui vivent ensemble.

— Peut-être que toute la beauté du monde est rêvée et que cesser de rêver, c'est tout simplement perdre son âme. Peut-être que l'amour est surtout un accord de rêve.

— Je le crois, dit Pierre. Et c'est en ce sens que tu es mon premier amour.

— Pourquoi as-tu dit, l'autre jour que, jeune, tu n'étais pas reconnaissable?

— Parce que j'ai beaucoup changé.

— Comment étais-tu?

Il rit :

— Les hommes ne pensent guère à leur passé. Je ne sais pas bien comment j'étais. Avant de revenir en France, en rangeant mes papiers, j'ai relu des lettres que Nathalie avait gardées. C'était de belles lettres et j'ai été surpris de constater que, dans les grandes lignes, je reste d'accord avec ce que j'écrivais à vingt-cinq ans. Mais, comment te dire, quand j'imagine le garçon que j'étais et son comportement, en dépit de ce qu'il pouvait écrire, je ne le trouve pas très sympathique. Et je suis bien content que tu ne l'aies pas rencontré...

Elle se revit elle-même à vingt ans, sentimentale, ignorante, vague, éduquée par les livres, à la fois éprise d'absolu et se jetant dans la vie comme un animal goulu. Elle non plus ne se trouvait pas très sympathique. Et elle eut la vive conscience que Jacques était à plaindre de l'avoir rencontrée.

— La jeunesse a tout, reprit Pierre : toute la beauté, toute l'ardeur et même l'intelligence. Mais, sauf en cas de rare génie, elle est, malgré ses dons, impuissante. Avec toute sa révolte, elle a quelque chose de confiant et d'abandonné qui la pousse dans les chemins battus. Tout la sollicite à la fois : l'avenir, la guerre, l'amour. Rien n'est plus pressé pour elle que de se faire une vie. Et en toute occasion, la jeunesse cherche à briller, à s'affirmer, à être vue, au lieu de voir clair. Alors elle se coince dans des situations impossibles qui la déchirent et qu'elle veut résoudre par l'intelligence, sans comprendre que les situations se vivent. Brrrr... La jeunesse, c'est terrible. Et ça laisse à l'âge mûr un lourd héritage.

— Tu as raison, dit Geneviève, quand je pense à ma jeunesse, c'est comme si je pensais à ma bêtise. La jeunesse fait horreur et pitié.

Cette pitié, elle la dédiait aussi bien à elle-même qu'à Jacques qui avait en sa compagnie parcouru ces années obscures. S'ils se rencontraient à présent, après avoir appris à vivre l'un par l'autre, peut-être ne se donneraient-ils pas cet éclatant bonheur qu'elle trouvait avec Pierre; mais, du moins, ne courraient-ils plus le risque de se haïr et de se détruire. C'était la première fois qu'auprès de Pierre, Geneviève pensait longuement à Jacques et avec cette mansuétude.

— Vois les Armand, dit-elle, têtue. Ils se sont pourtant mariés jeunes.

— Oui, dit Pierre. On en revient toujours à eux.

Nathalie était arrivée mais Geneviève ne la connaissait pas encore.

— Pourrai-je te téléphoner comme par le passé? avait-elle demandé.

Et Pierre avait répondu :

— Bien sûr, cela ne fera aucun changement.

— Mais... si c'est elle qui répond?

— Eh bien, tu demanderas si je suis là. Elle sait que tu travailles pour moi.

Une ou deux fois, Geneviève avait en effet entendu le « allô » distingué et froid de Nathalie. Mais, sans même lui demander son nom, celle-ci avait cédé l'appareil à Pierre qui n'avait pas paru le moins du monde gêné. « Nous avons chacun un téléphone dans notre chambre », avait-il expliqué.

— Mais... elle ne sait pas?

— Pourquoi saurait-elle?

— C'est si bizarre qu'elle ne me demande pas mon nom... Cette discrétion me gêne.

— Ce n'est pas de la discrétion. Quand la communication n'est pas pour elle, Nathalie ne demande jamais le nom. — Pierre rit avec gentillesse : — Cela lui gagne du temps et lui évite certains frais avec des collègues qu'elle redoute.

Geneviève, qui accommodait si bien sa vie familiale et ses relations avec Pierre, s'étonnait et s'inquiétait. Elle n'avait pas oublié les photos des Armand et leurs commentaires : « Une femme merveilleuse », « Nathalie a si bien arrangé la maison », « Toutes les femmes copiaient Nathalie ». La ferme de la vallée de Chevreuse recelait désormais un mystère redoutable.

Pierre n'expliquait ni ne cachait rien. Il n'évitait pas les allusions à sa vie familiale. Il ne dissimulait pas que leur retour en France avait également été souhaité par sa femme qui voulait se rapprocher de leur fils.

— Nathalie ne pense plus qu'à une chose, ramener Emmanuel à Paris. Mais moi je trouve qu'il est très bien à Grenoble pour le moment. A la rentrée, on verra.

— Il ne te manque pas, à toi?

— Si. Mais moins qu'à sa mère. Elle le voit toujours comme un enfant. Tu seras pareille, toi, avec Nicolas?

— Avant de te connaître, j'aurais répondu oui. J'avais horreur de l'idée que Nicolas deviendrait adulte.

— Et maintenant?

— Maintenant, non. Maintenant, rien ne me fait plus peur. Ni la pensée que mes enfants me quitteront, ni la vieillesse, ni la mort... Et pourtant, nous ne vieillirons pas ensemble.

Pierre ramenait Geneviève Porte de Saint-Cloud, par le quai de Javel. Ils passaient devant les usines Citroën. Le soir tombait sur les terrains vagues.

Quand ils prenaient cet itinéraire, c'était toujours à cet endroit que Geneviève ressentait la même douleur poignante, annonciatrice de leur séparation. Sans mot dire, elle se rapprochait encore de Pierre qui conduisait plus lentement et elle posait une main sur son genou.

— Nous ne savons pas, dit Pierre, si nous ne vieillirons pas ensemble. Nous ne savons rien de l'avenir... — Il la regarda dans le rétroviseur comme il faisait parfois...

— Sauf que je t'emmènerai bientôt à Florence.

— Tu crois?

— Ça, c'est sûr. Geneviève, que verrons-nous à Florence?

Elle récita : église des Carmes, sacristie de la chapelle Médicis, couvent Saint-Marc.

— Parfait. Quand nous serons revenus de ce voyage, nous préparerons le suivant.

Alors elle se disait : il a bien arrangé nos vies jusqu'à présent, pourquoi n'organiserait-il pas ces voyages? Sait-on jamais? Pourquoi pas? Et elle lui était reconnaissante de faire des projets parce qu'il est inhumain de vivre dans l'instant.

Un moment encore, ils restaient silencieux dans le monde clos de la voiture. Puis ils jetaient un pont sur ces heures qu'ils allaient vivre, coupés l'un de l'autre :

— A demain, dix heures, au téléphone.

— Oui, à demain. Dors bien.

Ce jour-là, quand elle rentra chez elle, Nicolas appelait du haut du balcon. Quelques enfants jouaient sur le trottoir sans entendre la petite voix qui criait : « Eh, les potes! Eh, les potes! »

Elle se hâta. Elle voulait surprendre Nicolas en train de jouer au « dur ». Elle riait toute seule dans l'ascenseur.

Sans bruit, elle entra dans l'appartement. « Eh, les potes! » criait toujours Nicolas.

Elle s'immobilisa. Le fou rire la gagnait. L'enfant l'entendit et se retourna. Un instant, confus, il l'observa de son gros œil. Était-elle fâchée? Mais non, elle riait. Elle riait aux larmes. Elle ouvrait tout grands les bras où il se jetait : « Mon petit pote, mon pote chéri! » Elle serrait à la fois contre son cœur ce nouveau petit homme et le bébé Nicolas qui était mort doucement, jour après jour, et aussi l'enfant aux yeux mordorés qui ne naîtrait jamais.

— Tu vois, dit un jour Jacques, je savais bien que lorsque les enfants iraient à l'école toute la journée, ta vie serait changée.

Il la regardait avec une expression étrange qui lui causa un malaise.

— Tu as repris ta tête de jeune fille... Tu devrais porter les cheveux sur les épaules comme au temps où tu étais étudiante.

Il sortit de son portefeuille une vieille petite photo qui la représentait en jupe plissée, tenant le guidon de sa bicyclette, les joues épanouies et l'œil rieur. La bicyclette, son trésor, la liberté des années de l'Occupation et l'uniforme de l'époque, la jupe plissée des filles.

— Oui, dit-il, tu es aussi jeune et tu es plus belle.

Elle rit :

— Eh! bien, si mon mari me fait des compliments, maintenant... Où allons-nous?

Il prit une expression triste :

— C'est vrai, je ne t'ai guère fait de compliments...

J'étais bête. Je commence à me demander si toutes ces choses qui m'ont jusqu'alors paru si importantes ont tellement de sens...

C'était au tour de Geneviève d'écarter du foyer les discussions graves et les prises de conscience :

— Tu m'inquiètes, dit-elle, en riant. Je crois que tu devrais prendre ta température. Si mon Jacques ne croit plus à l'importance de ce qu'il fait... c'est qu'il est malade.

Elle resta un instant, la bouche ouverte, écoutant en elle-même l'écho que ses paroles venaient de réveiller, la voix métallique de Jacques : « Prends ta température. Je veux savoir si tu es malade ou si tu es folle. »

Il gardait cet œil terne qui l'irritait et l'émouvait à la fois :

— C'est seulement que je vieillis, dit-il.

Mais le soir, à travers la distance qui séparait leurs lits, il lui prit le bras. Elle sentait bien que ce n'était pas encore un geste de désir mais elle se souvenait assez de ce temps où Jacques avait représenté la seule chair à laquelle elle souhaitât se raccrocher. Sous peine de se condamner à l'enfer, il lui fallait à son tour doser la réponse à cet appel au secours, à ce « ne me laisse pas seul » que son mari, pour des raisons qu'elle ne voulait pas trop chercher, lui adressait.

De sa main libre, elle pressa celle de Jacques sur son bras puis la porta jusqu'à ses lèvres pour y déposer un petit baiser :

— Je t'aime bien, dit-elle.

XXII

C'était les jours les plus longs de l'année. Dès l'aube, juin, par les fenêtres grandes ouvertes, pépiait dans les chambres que fuyait le sommeil avant de se poser, de tout son poids, sur le balcon et sur la ville.

Ce matin-là, Geneviève s'était éveillée avec le sentiment qu'elle avait devant elle une journée vide dont elle profiterait pour entreprendre les rangements profonds qui préludaient aux vacances.

Pierre était parti la veille pour Lyon, où il devait faire une conférence, et Grenoble d'où il ramènerait sa femme et son fils. Jacques était pris presque toute la journée par des examens, les enfants allaient encore à l'école.

— Tu ne t'apercevras même pas de mon absence, avait dit Pierre.

Il était vrai qu'il n'était parti que pour trois jours et qu'il leur était arrivé de rester plus longtemps sans se rencontrer. Il était vrai aussi que l'approche des vacances et d'une longue séparation les projetait l'un vers l'autre au rythme accéléré des occasions et qu'ils se téléphonaient au moindre prétexte.

Mais, — était-ce la fatigue de juin? — n'eût été la perspective de ces mois où ils ne se verraient pas, Geneviève eût accueilli cette halte sans déplaisir.

Par l'autoroute de l'Ouest, lointaine est la chambre où la plainte des tourterelles s'entrelace à celle de l'amour.

— As-tu le temps?

— Aujourd'hui, non.

— Alors?

— C'est toujours toi, c'est toujours moi. Partout où nous sommes ensemble...

— Alors n'importe où. Qu'est-ce que cela change?

« Pour ce soir il n'y a pas d'autre solution », avait dit Pierre à la porte d'un hôtel, la première fois qu'ils s'étaient retrouvés à Paris. Il n'y en aurait jamais d'autre. Ce siècle, indulgent aux plaisirs, refuse une place aux amants.

Geneviève se leva pour fermer les volets, avec l'espoir qu'elle se rendormirait ensuite quelques heures.

— Quelle chaleur! murmura Jacques, sans ouvrir les yeux. Il reposait nu sur son lit. Il avait le visage fatigué. Ces examens l'épuisaient.

Doucement, car elle le savait sensible au froid sur l'estomac, elle remonta le drap jusqu'à sa poitrine. Il émit un son inarticulé, mi-grognement mi-remerciement, sans bouger. Elle se recoucha. L'obscurité était bonne dans la chambre où restait un peu de fraîcheur nocturne.

« Demain, je vais trier toutes les affaires des enfants », pensa Geneviève. C'était toujours à cette époque qu'elle rangeait, à l'abri des mites, les vêtements qui serviraient encore l'hiver prochain et donnait ceux qui étaient devenus trop courts. Elle profiterait de l'occasion pour mettre de côté ce qui devrait être bientôt expédié en Normandie pour les vacances.

Geneviève aurait aimé pouvoir se lever et s'attaquer immédiatement à ce travail. Mais il lui fallait attendre que chacun fût réveillé.

Immobile, loin du sommeil, elle réfléchissait.

Même lorsque sa pensée était ainsi dirigée vers quelque objet précis, Pierre n'en était jamais absent. Geneviève organisait mentalement sa journée et, cependant, elle tressaillit au souvenir de la veille. C'était l'après-midi, à l'heure la plus chaude, en plein Paris, dans une espèce de mansarde prise à la hâte.

La chaleur était sur leurs corps nus où vibrait le souvenir presque douloureux, le prolongement plutôt de l'amour. De même que le soleil, en cette canicule, ne semblait jamais totalement absorbé par la nuit, de même l'amour n'épuisait plus ses ardeurs.

Retombés à quelque distance l'un de l'autre, cloués au lit par l'horreur de se quitter, par la fatigue et par le désir, ils n'étaient plus liés que par leurs bras et chacun savait qu'il était urgent de rompre ce dernier pont. Geneviève fit un geste pour se dégager. Mais la main de Pierre se resserra sur elle. Deux ou trois fois, elle renouvela sa tentative et reçut la même réponse muette.

C'était ce souvenir qui, maintenant, l'élançait.

— Alors, dit Jacques, en quittant la maison, tu es décidée à venir au théâtre?

— Oui, dit-elle, si tu penses que c'est intéressant?

— Je ne sais pas... C'est Bourdet qui a organisé ce spectacle. Il m'a donné deux places. En vérité, je me serais bien passé d'y aller.

Jacques perdait cet entrain qui le menait naguère vers les nouveautés, les plaisirs de l'esprit, les mondanités.

— La guerre d'Algérie ne me paraît pas encore un sujet pour la littérature, ajouta-t-il.

— L'auteur est algérien?

— Oui.

— Où vit-il?

— Au Caire, je crois... Bon, je te laisse ton billet. Tu verras l'adresse. C'est près du métro Jussieu. Le spectacle commence en principe à six heures et demie. Rendez-vous dans la salle... — Jacques sourit : — C'est plus sûr.

On ne lui enlèverait pas de l'idée que Geneviève appartenait à l'espèce des femmes qui sont toujours en retard. « ... Et tu es toujours à l'heure », disait Pierre.

— Je serai à l'heure, répliqua-t-elle. Tu verras...

— Bon. Tant mieux. Et, en attendant, aie pitié de ton pauvre mari. Prie pour que je voie au moins passer une belle fille dans ce défilé de malheureuses. Jusqu'alors je n'ai pas été gâté...

— Entendu. Moi, je vais me livrer à des rangements profonds. Ce n'est pas plus drôle.

Elle avait vidé toute l'armoire des enfants pendant la

matinée et trié leurs vêtements. Jacques n'était pas rentré déjeuner. Elle allait se hâter de remettre la chambre en ordre avant le retour de Florence et de Nicolas. Il lui restait encore une bonne heure. Ensuite, elle prendrait un bain et elle s'habillerait pour aller au théâtre. Elle était heureuse de ce gros travail accompli et satisfaite de son efficacité. L'idée du spectacle lui souriait après cette journée dans la poussière et l'encombrement des choses.

Quand le téléphone sonna, elle eut le temps de penser : « c'est Pierre », puis « c'est impossible », et enfin, « après tout, il appelle peut-être de Lyon », avant de prendre l'appareil.

C'était Mica.

— C'est vous, Geneviève? dit-elle d'une voix forte et coupante qui ne lui était pas habituelle.

— Bonjour, Mica. Comment allez-vous? Je suis contente de vous entendre... Il y a longtemps...

Elle avait négligé les Armand ces derniers mois et se demandait si Mica ne lui marquait pas de la rancune.

Mica l'interrompit :

— Jacques est là?

— Non, il n'est pas rentré déjuner. Il fait partie du jury d'agrégation, vous savez... Le pauvre, il...

— C'est vrai, j'avait oublié. Geneviève, c'est affreux Pierre s'est tué en voiture hier.

Geneviève s'entendit proférer un curieux gémissement.

— Nous avons été avertis par un coup de téléphone de Bordas, de la Falculté de Lyon. Nous avons pu joindre Emmanuel. Ils sont tous à Lyon où on l'avait transporté. Mais il était déjà mort en arrivant... Geneviève, je suis très pressée. René et moi nous prenons le train dans une heure. Nous reviendrons avec Emmanuel et Nathalie. Soyez gentille de prévenir les amis...

— Il est mort sur le coup?

— Oui... ou presque. Il roulait vite sur une route départementale. Vous savez, il n'aimait pas les grandes routes. La nuit tombait... Vous savez, il n'aimait pas rouler la nuit. Il n'a pas vu un camion arrêté sans lumières. Le choc a été très violent. Il n'a pas repris conscience. Il n'a pas souffert. Il faut se dire qu'il n'a pas souffert...

La voix de Mica se brisa, se reprit :

— Alors, je compte sur vous pour prévenir les amis?

— Oui, oui, Mica.

Insensibilisée par la profondeur et la brutalité de sa blessure, elle commença de tourner en rond dans la pièce, de tournoyer plutôt. Elle avait envie de vomir. C'était tout ce qu'elle éprouvait. Courbée comme une vieille, elle accélérait son allure. Son corps n'était que mouvement et nausée, sa tête était vide. La pièce était sombre à cause des volets clos. Une joie triomphante traversa l'insensibilité de Geneviève : il n'a pas souffert! Il ne souffrira plus jamais, nous avons gagné, plus rien ne nous arrivera. Notre amour ne risque plus rien. Il ne se passera plus rien. C'est gagné, gagné, gagné... en même temps que s'annonçait l'embryon bizarre d'un désespoir énorme : je ne mangerai plus jamais sous le regard de Pierre... je n'aurai plus jamais faim...

Longtemps, de plus en plus vite, elle tourna dans le salon. Puis elle s'assit sur le divan, étriquée, les mains jointes. Les enfants allaient rentrer. Elle ne voulait pas les voir. Elle ne voulait parler à personne. Il fallait ranger la chambre avant le retour des enfants.

Elle y retourna. Sur le lit, par terre, les objets s'étalaient dans le désordre où elle les avait laissés. Une odeur d'antimite flottait dans la pièce. Elle s'agenouilla pour ramasser des chaussettes de laine qu'elle était en train de placer dans une enveloppe en matière plastique lorsque le téléphone avait sonné. Soigneusement, elle ferma le paquet. Puis elle considéra toutes ces choses éparses et ne sut par laquelle elle devait continuer. Elle prit un chandail de Nicolas. Fallait-il le réserver pour l'hiver prochain? Ou le mettre dans la malle qui serait bientôt expédiée en Normandie? Elle regardait ce chandail entre ses mains. Elle ne savait pas, vraiment, ce qu'elle devait en faire. La vue de ce chandail était intolérable. L'hiver prochain... l'hiver prochain... Elle ne pouvait rentrer dans l'ordre du temps et des saisons... « Je vais téléphoner à Pierre, pensa-t-elle. Je vais lui dire que Pierre... » Le vide. C'était le vide. Sa vie n'avait plus de témoin. Les yeux grands ouverts, le chandail entre les mains, elle essayait de comprendre ce qui lui arrivait. Seule. Elle se vint en aide : « C'est peut-être une erreur. Nous n'avons pas causé assez longtemps, Mica et moi... Il faut qu'elle me donne plus de précisions. Qui prouve que la nouvelle soit vraie? Je lui demanderai l'adresse de l'hôpital. Je téléphonerai là-bas... Je saurai. »

Elle se releva et, calmement, se dirigea vers le téléphone où elle forma LIT. 28-91 qui avait été si longtemps le numéro de Pierre ainsi que celui des Armand. Elle alla jusqu'à penser : il y est peut-être.

Ce fut le petit Teddy qui lui répondit :

— C'est Mme Brincas, Teddy... Ta maman est-elle là?

— Elle vient de partir.

— Et ton papa?

— Il est parti aussi...

— Ah... Et M. Aubin?

— M. Aubin, il n'habite plus ici... Ma grand-mère est là. Vous voulez lui parler?

— Non, merci, mon chéri.

Teddy n'avait pas dit que Pierre était mort.

« Prévenez les amis », avait demandé Mica. Quels amis?

— Sylviane, dit Geneviève à la douce Martiniquaise qui repassait dans la cuisine, je me sens mal, je vais me coucher. Rangez la chambre comme vous pourrez, avant que les enfants rentrent. Dites leur de ne pas faire de bruit.

— Vous êtes toute pâle, Madame. C'est la chaleur... Je vais vous donner un peu de rhum sur un sucre, répondit la Martiniquaise à la voix d'oiseau.

Le chignon de Geneviève lui pesait. Elle le défit. En combinaison, elle s'étendit sur le lit dans la pénombre.

— Hier... murmura-t-elle. — Hier reculait dans un passé insaisissable.

Elle tenta d'évoquer Pierre. Aucune image ne se présenta. Elle voulut penser, Pierre et moi, hier, nous nous aimions. Sa chair ne se souvenait plus. Hier, Pierre s'est tué. Quand nous nous sommes quittés, il n'avait plus que quelques heures à vivre. Elle ferma les yeux, essaya de se représenter la 203 sur la route, Pierre au volant, le choc.

Mais elle n'atteignait pas la vision ni le degré de réalité qui fait souffrir. Elle n'avait pas envie de mourir. L'idée de la mort de Pierre restait lointaine et incertaine. Elle n'envisageait pas l'avenir et toutes les années qu'il lui faudrait peut-être vivre encore dans l'absence de Pierre. Et pourtant le présent était insupportable : ce vide en elle, ce vide autour d'elle, sa personne et le monde frappés d'irréalité. De ses mains aplaties, elle tâta le lit qui la soutenait sans la délivrer d'elle-même. C'est horrible de ne rien éprouver que la nausée. C'est horrible de ne pouvoir sortir de soi.

On cogna deux petits coups à la porte. C'était la Martiniquaise avec le sucre et le rhum. Noire et silencieuse, elle tendit le verre, la cuiller, et Geneviève obéit. Sous les yeux brillants qui l'observaient, elle avala le rhum, le sucre fondant. C'était bon. Elle sourit à Sylviane en prenant sa main menue :

— Restez un peu, dit-elle.

Elle resta, debout, timide, silencieuse. Geneviève ferma les yeux. Cette présence doucement animale rendait les secondes supportables. A condition qu'aucun rayon ne troue jamais l'obscurité, qu'aucun mouvement ne dérange l'immobilité, qu'à son chevet veille cette vie...

Mais on sonnait à la porte.

— C'est les enfants, je vais ouvrir. Je leur dirai de rester bien sages.

La main s'était retirée.

Du lit, elle entendit les chuchotements, les précautions. Mais tout son effort était absorbé par une sorte d'affreuse naissance. Elle haletait, elle n'avait pas de point d'appui. Ce n'était toujours pas la souffrance. C'était une totale inadaptation. Elle se blottit, les yeux fermés, serrée sur elle-même, comme un fœtus. Sylviane aurait dû revenir près de moi, pensa-t-elle. Mais elle ne voulait pas se lever ni appeler. Elle avait peur des enfants, ces petites brutes griffues aux voix perçantes qui lui avaient enlevé la sage-femme aux mains douces. Il fallait pourtant qu'on s'occupe d'elle, que vienne quelqu'un, une sympathie. Elle ne pouvait pas assumer cela seule plus longtemps... Jacques! que Jacques revienne! « Prévenez les amis », le seul ami qu'elle voulût prévenir, c'était Jacques. Elle regarda sa montre. Il était six heures un quart. Il devait avoir déjà quitté la Sorbonne pour le théâtre. Dans le chaos, une idée s'était implantée : rejoindre Jacques. Le dire à Jacques. Vite, elle s'habilla, se coiffa. Florence et Nicolas, entendant ses pas dans l'entrée, ouvrirent timidement la porte de leur chambre. Ils avaient les yeux grands et la bouche ouverte sur une question qu'ils ne posèrent pas, comme frappés à sa vue d'une stupeur sacrée.

— Je vais au théâtre, leur dit-elle sans les embrasser.

La salle était petite et sombre. Sur la scène, il y avait des corps étendus et une femme qui hurlait près de l'un d'eux. Jacques était assis, non loin de l'allée centrale, en avant. Il se leva pour laisser passer Geneviève, avec un petit sourire moqueur et satisfait d'avoir parié sur son retard.

— Tu n'as pas perdu grand-chose, lui chuchota-t-il à l'oreille.

Les mots volaient, littéraires et privés de sens, autour de la mort, de l'amour, de la guerre. Il y avait des coups de feu, des coups de couteau, beaucoup d'explications, et une femme incongrue, en robe décolletée, parmi la misère des autres. Assise à côté de Jacques, Geneviève éprouvait une rémission. Elle avait quelque chose à attendre : le moment où elle apprendrait la nouvelle à Jacques. Elle ne vivait que pour cet instant.

Soudain, voilà que, poignardé dans le dos, un homme s'effondrait sur un arbre et, retenu par les branches, parlait, parlait, parlait... et chacun de ses mots incompréhensibles vidait Geneviève d'un peu de son sang.

C'était fini. Il y eut quelques applaudissements. Jacques s'apprêtait à se lever.

— Tu connais Vanina, dit-il, en faisant, à l'intention de Geneviève, un geste vers sa voisine de gauche.

— Oui, dit-elle, et lui tendit la main.

— C'est vraiment très cérébral, dit Vanina.

— Oui, dit Geneviève.

Elle aurait voulu que Jacques vienne vite. Elle était très malade.

Autour d'elle grimaçaient des visages, s'ébrouaient des corps. Pierre n'était pas là, non? Elle cherchait sa belle tête. Mais la salle lui offrait le nouveau visage du monde. Était-il vrai que, plus jamais, parmi les foules, le seul aimé, le seul vivant...

— Tu as déjà rencontré Raymond Aron, disait Jacques en la tirant par le bras.

C'est alors qu'il vit sa pâleur :

— Mais tu es malade, dit-il.

— Partons, je t'en prie.

Ils marchèrent un peu, sur le trottoir, à la recherche d'un taxi. Jacques avait glissé son bras sous celui de Geneviève et il la soutenait. Son pire malaise était passé.

Une 203 noire longea le trottoir. Elle lut le numéro. Ce n'était pas celle de Pierre.

— Tu te sens mieux? demandait Jacques. C'est la chaleur qui t'a incommodée ou la pièce? C'est vrai que ce spectacle est insupportable.

— Non, dit-elle. Non... Je vais te dire ce qu'il y a.

Il avait pris une expression angoissée. Il la regardait fixement :

— Il est arrivé quelque chose?

Lui aussi avait le souffle coupé.

Elle fit un geste qui écartait le pire :

— Non, non, dit-elle, ce n'est pas les enfants. Ce n'est pas la famille. N'aie pas peur... C'est Pierre.

Dans le taxi, quand ils furent installés côte à côte :

— Dis-moi, reprit-il.

— Il est mort, répondit-elle.

Il ne demanda pas d'explications, il la regarda, lui aussi, quelques secondes, avec une expression de respect, puis ce fut comme s'il sortait de lui-même, comme si toute son attention, toute sa tendresse se mobilisaient vers elle en un geste de ses deux bras :

— Oh! mon pauvre chéri, dit-il.

Et ce fut ainsi que, le premier, Jacques reçut, dans ses mains ouvertes, sa femme qui naissait en hurlant à un monde privé d'amour.

XXIII

Jacques s'accouda au balcon. Il vit Geneviève traverser l'avenue de Versailles, contourner la place lumineuse et disparaître dans l'ombre du boulevard Murat.

Ce soir, il avait une réunion et rendez-vous avec Vanina. Mais il n'irait pas. Il était resté chez lui pour voir sa femme s'en aller une fois de plus dans la nuit et pour attendre qu'elle revienne.

Il avait envie de crier : « Rentre, bon Dieu, rentre! », de descendre pour la rattraper, l'arrêter, la secouer, la battre : « Ça va durer encore longtemps, ces façons? Tu ne trouves pas que j'ai eu assez de patience? Tu ne trouves pas que c'est assez? Assez pleuré Aubin? », de lui jeter son visage à la figure : « Et nous, et nous, alors? »

Depuis les obsèques, le nom de Pierre Aubin n'avait plus été prononcé Porte de Saint-Cloud. Derrière l'écran fragile de la vie ordinaire, régnaient le silence et la peur. Peut-être suffisait-il d'un mot, d'un geste, pour rompre le fil qui reliait encore aux vivants ce fantôme qu'était devenue Geneviève, pour la faire disparaître à jamais dans la nuit, tomber en cendres.

Mais Jacques n'en pouvait plus.

Cette douceur, ces regards qui passaient à travers lui, à travers les enfants, cette voix éteinte, ces fuites dans la chambre, ces promenades du soir... Toute la journée, elle restait derrière ses volets clos, alignant des mots dans un petit cahier d'écolière, à la lumière électrique. Elle ne semblait même pas se douter que Mica lui gardait ses enfants sous le prétexte qu'ils tenaient compagnie à Teddy. C'était lui, Jacques, qui les conduisait et qui les ramenait, comme un veuf. Quand le silence de l'appartement lui pesait trop, il allait voir dans la chambre : « Ça va? » Elle levait ce visage qu'il détestait, émacié, transparent, effacé. Elle souriait : « Ça va... c'est un travail assommant. » — « Ouvre donc tes volets. » — « Il y a trop de soleil. » Il se penchait et jetait un coup d'œil sur le cahier d'écolière, lisait quelques mots en hochant la tête : « Ouais... ouais... » C'était un index alphabétique qui lui avait été demandé par Aubin pour le numéro de fin d'année de la revue. Le prochain paraîtrait avec sa photographie cernée de noir et un article d'Armand.

Jacques prit une profonde respiration et alluma une cigarette. Il fallait tenir jusqu'au départ en vacances. Encore quelques jours. La malle était déjà partie, préparée par Geneviève. C'était bon signe qu'elle ait préparé cette malle.

En bas, la place était animée. A la terrasse du petit café, Jacques voyait les taches claires des chemises et des robes. La nuit était caressante.

« Bah! se dit Jacques, il y a beaucoup de gens dehors ce soir... c'est moi qui suis trop nerveux. »

Rejetant la fumée de sa cigarette, il leva la tête et son regard rencontra la zone d'ombre où Geneviève avait disparu. Au bord de cette ombre, au bord du secret de sa femme et de celui d'un mort, Jacques imposait silence à son imagination.

Mais il ne pouvait empêcher une jalousie sournoise de le mordre : il enviait à Geneviève cette douleur qui était l'envers et la preuve d'une joie à laquelle elle avait accédé et dont, lui, était peut-être incapable. Auprès de cette douleur, il se sentait moins que rien, un rêveur égaré sur de vaines pistes. Geneviève, elle, avait gagné. Hors de lui. Sans lui.

Du balcon, Jacques entendit la sonnerie du téléphone. Ce devait être Vanina qui s'inquiétait. Il écrasa le bout de sa cigarette au rebord de ciment et rentra dans le salon.

— Allô, fit en effet la voix de Vanina, trop forte, comme toujours, pour l'appareil qu'elle faisait vibrer. — Le regard lointain, Jacques ouvrit la bouche pour répondre mais il se ravisa. — Allô, allô, répétait la voix pressante. Jacques écarta le récepteur de son oreille, le tint encore quelques secondes en l'air, puis il le reposa doucement.

A peine était-il revenu sur le balcon que la sonnerie retentit de nouveau. Vanina s'obstinait. Au diable, Vanina. Au diable le plaisir pour qui découvre l'absence de l'amour.

La chambre des enfants était ouverte sur la loggia.

— Maman, fit la voix de Florence que le bruit du téléphone avait réveillée ou enhardie.

Jacques enjamba le rebord de la fenêtre.

— Je voudrais que maman m'apporte à boire, dit Florence.

— Je vais te chercher un peu d'eau.

— Pour moi aussi, réclama Nicolas.

Et, quand Jacques revint :

— Elle n'est pas là, maman?

— Si, si, elle est seulement descendue prendre l'air.

— Elle sort toute seule, le soir, maman?

— Mais non, elle n'est pas sortie. Je t'ai dit qu'elle était allée prendre l'air. Tais-toi. Dors.

— Pourquoi me grondes-tu, papa?

Plus faible que les enfants, Jacques s'assit au pied de leurs lits et prit dans les siennes une main de Nicolas et une main de Florence. Le dos tourné à la nuit, serrant entre ses doigts les deux petites certitudes qui lui restaient, il se mordit la lèvre sans pouvoir s'empêcher de pleurer.

Geneviève et Mica s'étaient assises sur un banc, près de la Porte d'Auteuil. Mica avait déposé près d'elle un paquet ficelé et elle fouillait dans son sac d'où elle sortit une enveloppe qu'elle garda un instant au bout des doigts, la tête penchée, les lèvres serrées.

— Voilà, dit-elle enfin. Nathalie a trouvé ceci dans le portefeuille de Pierre et m'a chargée de vous le remettre... ainsi que ce paquet.

— Merci, Mica.

Elles ne s'étaient pas revues depuis les obsèques de Pierre, dans la vallée de Chevreuse, au moment de l'au revoir, toutes deux dans la cave, Geneviève sanglotant contre un pilier. « Mica, vous me direz tout ce que vous savez sur ses derniers instants. » « Il n'y a rien à dire, ma pauvre enfant. Il n'a pas eu le temps de se rendre compte de ce qui était arrivé. » « Oh, Mica, je l'aimais. » « Nous l'aimions tous, nous l'aimions tous. »

L'euphorie du deuil s'était vite éteinte sous la décence de la vie civilisée. Geneviève avait cessé d'espérer une conversation avec Mica ou Nathalie ou Emmanuel. Avec personne, la vérité ne serait jamais dite. Le seul recours, c'était Pierre, qui avait disparu dans le néant sans laisser d'autre message qu'une œuvre technique et rebutante, emportant avec lui son art de vivre désormais dérisoire; le seul viatique, c'était des souvenirs privés de témoin. Pour tout chapelet à égrener, restait l'index alphabétique.

« Tu réveillerais un mort », disait Pierre en riant. Mais les morts ne se laissaient pas réveiller. C'était eux, au contraire, qui vous entraînaient dans le vide. Elle tentait pourtant ce combat. Béante, elle s'avançait vers l'union monstrueuse de la vivante et du mort, de la vivante et de rien. Elle s'abattait, avec un cri, dans la solitude.

Mais, ce soir, Mica avait téléphoné : « Je voudrais vous voir seule. Nathalie m'a chargée d'une commission pour vous. »

Oh, la ruée de l'espoir dans l'être délabré : « Quand, Mica? » — « Demain, dans l'après-midi? » — « Je voudrais dès aujourd'hui, Mica. » — « Bon, alors venez. » Au-delà de la Porte de Saint-Cloud, Paris s'étalait avec ses itinéraires, ses restaurants, ses théâtres, ses hôtels. Elle restait dans son quartier, en marge de la ville. Quand la nuit tombait enfin, elle disait : « Je vais faire un tour, respirer l'air frais. » Jacques ne la retenait ni ne proposait de l'accompagner. « Mica, marchons plutôt un peu ensemble. J'irai vous chercher à Michel-Ange-Molitor, à neuf heures et demie, voulez-vous? » — « Bon. »

Geneviève posa le paquet sur ses genoux, palpa l'enveloppe mince où elle devinait une photographie, la sienne, que Pierre en dépit de ce qu'il disait des souvenirs de la mémoire, conservait dans son portefeuille et qui était restée sur son cœur alors que celui-ci avait déjà cessé de battre.

— Comment va Nathalie, Mica?

L'essentiel, c'était d'entendre prononcer le nom de Pierre, même s'il devait passer à travers Nathalie.

— Elle est très courageuse. Emmanuel l'aide beaucoup.

Emmanuel, le double heureux de Pierre, évoluant, délivré de sa tenue de deuil, parmi la petite troupe des amis, dans la ferme de la vallée de Chevreuse. La souffrance prenait sa mesure humaine et se chargeait d'une intolérable douceur.

— Mais il va partir pour son service militaire. Bientôt elle se retrouvera seule. C'est affreux.

Non, cela ne faisait pas mal. Elle avait toujours su que Pierre et Nathalie étaient très unis. Pauvre Nathalie, le vide et le bouleversement étaient à son foyer. Enviable Nathalie qui avait le droit de pleurer Pierre.

Dans une main, Geneviève serrait sa photographie. De l'autre, elle étreignait ses lettres. Tout était rentré dans l'ordre. Ce dernier petit ébranlement de la tempête marquait le point final de son histoire d'amour. Elle demeurait face à elle-même. Ce que Pierre lui renvoyait du néant, c'était ce qu'il avait encore conservé d'elle. De lui, aucun message ne parviendrait plus jamais. « Je ne suis pas un tourmenté », avait-il dit, chassant de sa vie à elle tous les tourments.

C'était bien beau. Mais à présent? A elle d'assumer la mort à laquelle, lui, d'y être entré tout vif, avait échappé. A elle de survivre à ce défoncement de sa poitrine, à sa blessure au front, à ce qu'en ferait la terre. A elle, les rêves et l'atrocité des réveils, à elle l'avenir. A elle les devoirs que, privée de lui, elle ne pouvait plus assumer. A elle, ce corps, bête bien portante, qui, des années et des années, à moins qu'elle ne le tue, allait continuer à réclamer son dû. Pierre ne léguait aucune arme contre la tragédie.

Mais que se passait-il? Mica l'étreignait.

— Ma pauvre enfant, disait-elle, je dois vous demander pardon. Je vous ai assassinée l'autre jour... Voyez-vous, pour moi, il est si difficile d'entrer dans ces voies... Mais Nathalie...

Quoi? Était-ce possible? Le silence allait-il se rompre?

— J'ai un message à vous transmettre de la part de Nathalie. Voici ses propres termes : « Dites-lui que je sais tout. Nous ne nous connaissons pas et je crains, en face d'elle, d'être incapable de parler. Mais dites-lui, vous, qu'elle a été sa joie. »

Nathalie, protégée par le voile de deuil. Nathalie, visage nu, à peine plus pénétrable derrière un air de noblesse froide, grande dame recevant après les obsèques dans la ferme de la vallée de Chevreuse. Un instant, leurs regards s'étaient croisés : « Geneviève Brincas, je pense? Vous ne connaissiez pas, je crois, notre fils Emmanuel... Emmanuel, offre une citronnade à Mme Brincas. » Nathalie redoutée.

Enfin quelqu'un rompait le silence et l'absence, rendait la vie aux jours enfuis. Et c'était Nathalie.

Est-il possible que la souffrance recèle cet émerveillement et les larmes cette tendresse?

— Oh, Mica, je l'aimais tant, je l'aimais tant, et cela a si peu duré.

Mica ne bronche pas sous le poids de cette tête et de ces sanglots.

— De toute façon, dit-elle d'une voix unie, vous auriez toujours trouvé que c'était trop court.

Oui, bien sûr...

Il y a pourtant des gens qui ont le bonheur de s'aimer dix ans, de s'aimer trente ans... Que ne donnerait-on pour une année de plus, une semaine de plus, un souvenir de plus? Mais ce soir n'est pas pour les comptes. Ce soir proclame une certitude.

— Vous étiez transformée, dit Mica. Même pour qui se bouchait les yeux, comme moi, il était visible que vous faisiez l'expérience du bonheur.

C'était donc vrai! Il y avait des témoins. Les témoins les plus sûrs, les plus aimés de Pierre.

— Eh bien, au moins, vous pourrez dire à vos enfants que l'amour existe...

Geneviève a rangé la photographie dans son sac, accompagné Mica jusqu'au métro. Et, le paquet de ses lettres au bout des doigts, elle rentre chez elle à pas lents.

« Le rêve est la part sérieuse de la vie, Geneviève. Ne te défie pas du rêve. Nous avons enfin l'âge de rêver. » « Tu es celle dont le bonheur m'inonde. Tu es la femme de mon rêve. Tu es chargée de la même réalité. Tu as les mêmes pouvoirs. » « Que verrons-nous à Florence, Geneviève? »

Elle ira un jour à Florence. Église des Carmes et Masaccio, couvent Saint-Marc. Tant qu'elle vivra, vivra le rêve de Pierre. Tant qu'elle vivra, elle sauvegardera ces pouvoirs qu'il lui a une fois conférés. Elle entrevoit, à travers les saisons et l'espace, loin peut-être de leur point de départ, une suite de rencontres qui, toutes, participeront de l'amour qu'ils se sont donné. Si cher qu'elle l'ait payé, elle sait ce soir que cet amour est le seul acte de sa vie qu'elle recommencerait sans hésiter : l'aboutissement d'une vocation et l'amorce d'un mouvement irréversible.

Pour la première fois depuis la mort de Pierre, elle rentre chez les siens d'un pas qui n'hésite point. Elle rentre, du noble pas de ceux qui furent aimés.

L'amour existe.

Grâce à Pierre Aubin, l'amour, pour Geneviève Brincas, a cessé d'être une nostalgie et s'est transformé en souvenir vivant. Dans la pleine conscience de son âge, un homme qu'elle aimait l'a acceptée, mieux, réclamée, voulue, telle qu'elle était, avec son fardeau de tendresse. Et, merveille, il y a trouvé sa joie.

Cela n'a guère duré, à peine plus que le temps d'une mise au monde. Mais que, pour ce bienfait, cet homme soit à jamais béni et que soit bénie cette femme, la sienne, qui a eu l'audace et la générosité de le proclamer.

Quand Geneviève pénétra dans l'appartement, Jacques regardait dehors, par le balcon. Entendant son pas, il se retourna et, à sa vue, il eut comme un spasme qui gonfla sa poitrine, remonta ses épaules et fit frémir son visage.

— C'est toi? Tu es rentrée?

Feignant de ne l'avoir point vu ni entendu, elle marcha d'abord jusqu'à la commode où elle déposa le paquet de ses lettres à côté du petit jardin de plantes vertes.

Puis elle se retourna vers Jacques. Il était calme et portait son expression ordinaire. Mais, sans veste et sans cravate, l'œil étrangement bleu, les cheveux en désordre, il ressemblait beaucoup au normalien d'autrefois.

Alors Geneviève avança la main vers son mari, dans un de ces gestes inachevés auxquels ils étaient condamnés, trouvant enfin la force de le ramener à son tour, au moment de sa défaillance, dans les eaux grises et miséricordieuses du volontaire aveuglement et du silence où, depuis des semaines, il tenait toute la famille à la surface :

— Je t'ai fait peur? dit-elle en souriant.

DU MÊME AUTEUR

LE RÊVE FAMILIER *(Grasset)*
L'ÉTÉ D'UNE VIE *(Grasset)*
QUAND FINIRA LA NUIT? *(Grasset)*

ACHEVÉ D'IMPRIMER
LE 15 JUIN 1971
IMPRIMERIE FIRMIN-DIDOT
PARIS - MESNIL - IVRY

Imprimé en France
N° d'édition : 15870
Dépôt légal : 2e trimestre 1971. — 7374